# A Justiça Sub Judice

## Reflexões

## Interdisciplinares

**Volume 1**

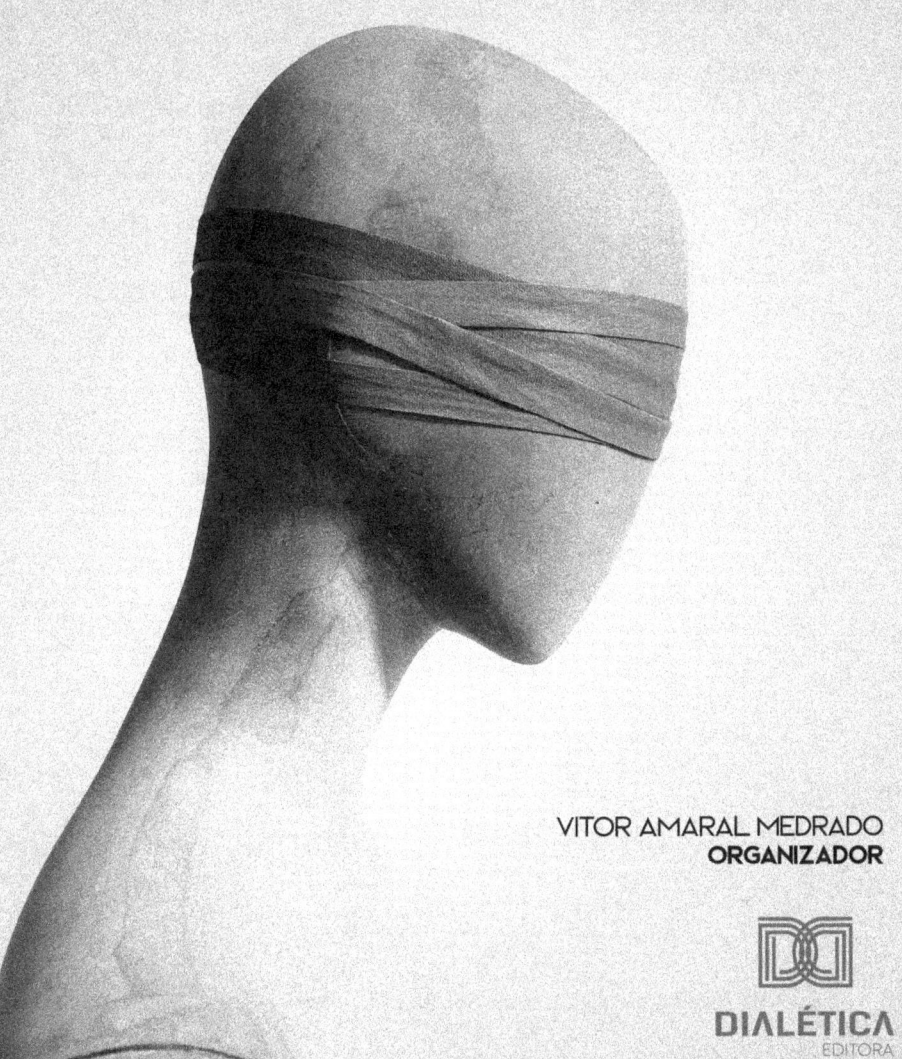

VOLUME I

# A JUSTIÇA
# SUB JUDICE

## REFLEXÕES INTERDISCIPLINARES

VITOR AMARAL MEDRADO
**ORGANIZADOR**

DIALÉTICA
EDITORA

Copyright © 2022 by Editora Dialética Ltda.
Copyright © 2022 by Vitor Amaral Medrado (Org.)

DIALÉTICA
EDITORA

 /editoradialetica

 @editoradialetica

www.editoradialetica.com

## EQUIPE EDITORIAL

**Editores-chefes**
Prof. Dr. Rafael Alem Mello Ferreira
Prof. Dr. Vitor Amaral Medrado

**Designer Responsável**
Daniela Malacco

**Produtora Editorial**
Letícia Machado

**Controle de Qualidade**
Marina Itano

**Capa**
Jeferson Barbosa

**Diagramação**
Antonio Marcos da Silva

**Preparação de Texto**
Lucas Ben
Suzana Itano
Anna Moraes

**Revisão**
Responsabilidade do autor

**Assistentes Editoriais**
Jean Farias
Letícia Machado
Ludmila Vieira
Larissa Teixeira

**Estagiária**
Laís Silva Cordeiro

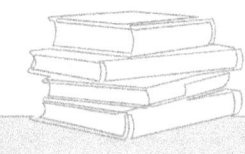

### Dados Internacionais de Catalogação na Publicação (CIP)

J96s     A Justiça sub judice : reflexões interdisciplinares : Volume 1 / organização Vitor Amaral Medrado. – São Paulo : Editora Dialética, 2022.
380 p. = (v. I)

Inclui bibliografia.
ISBN 978-65-252-3907-1

1. Filosofia do Direito. 2. Justiça. 3. Direito. I. Medrado, Vitor Amaral. II. Título.

CDD 340:100
CDU 34:10

**Ficha catalográfica elaborada por Mariana Brandão Silva CRB -1/3150**

# APRESENTAÇÃO

Em seu *Ética a Nicômaco*, Aristóteles demonstrou a ambiguidade da *justiça*. Se por um lado, diz-se justo aquele que cumpre a lei, por outro, a justiça é identificada com a realização da igualdade, seja na relação entre as pessoas ou na relação entre elas e o governo.

O usual raciocínio metódico e perspicaz do estagirita o levou a analisar as nuances ocultas naquelas ambiguidades. Se justo é cumprir a lei, como deve se dar a interpretação e aplicação da lei? Qual o papel do juiz nesse processo? Se justo é dar a cada um o que lhe é devido, quais critérios nos permitem identificar o que é o devido em cada caso? Qual o papel do governo na realização dessa igualdade?

Essas e outras questões sobre a justiça que inquietavam Aristóteles e os peripatéticos não dizem respeito apenas a eles. Elas são, na verdade, problemas humanos universais, que desafiam as pessoas e as sociedades em cada tempo histórico em busca de soluções. Apesar das respostas a essas questões serem sempre, de certo modo, provisórias e históricas, a busca incessante por elas é, além de necessária, também irresistível aos espíritos críticos.

É com isso em mente que apresento ao público este *A Justiça sub judice: reflexões interdisciplinares*. Neste livro os leitores encontrarão reflexões levadas a cabo por excelentes pesquisadores que, com a qualidade de seus trabalhos, fazem jus e, de certo modo, homenageiam a tradição de reflexões da qual faz parte Aristóteles, mas também filósofos e juristas como Kant, Bentham, Mill, Kelsen, Foucault, Dworkin, Alexy dentre muitos outros.

Espera-se que as reflexões interdisciplinares, plurais e democráticas que compõem este livro possam contribuir, mesmo que modestamente, para a construção de uma sociedade mais justa.

Vitor Amaral Medrado

# SUMÁRIO

# A GNOSIOLOGIA DA INTELIGÊNCIA ARTIFICIAL APLICADA AO DIREITO

**César Albenes de Mendonça Cruz**
http://lattes.cnpq.br/1459198997238731
https://orcid.org/0000-0001-5662-5665

**Pedro Henrique Pandolfi Seixas**
http://lattes.cnpq.br/3883643610191445
https://orcid.org/0000-0001-5229-9567

**RESUMO:** O uso da inteligência artificial no Direito é cada vez mais corriqueiro, impactando diretamente a atuação das profissões jurídicas. O presente artigo busca investigar a possibilidade da IA superar a capacidade humana de julgar, buscando entender como funciona a forma de obtenção de conhecimento pelo algoritmo e sua forma de processamento. Para isso, parte-se de uma definição de Inteligência Artificial a partir do teste de Turing, que prediz que a IA não pensa igual o humano, mas sim simula e performa igual a um humano. Para entender o fenômeno, faz um breve relato da algoritmização do Direito, passando pelos problemas e desafios a serem superados, para chegar a um entendimento de como o conhecimento é obtido por um robô e como se dá sua lógica de processamento, utilizando como base teórica, Aristóteles, Heráclito e João Maurício Adeodato.

**PALAVRAS-CHAVE:** Inteligência Artificial. Conhecimento. Juiz robô.

## INTRODUÇÃO

O corrente avanço tecnológico da quarta revolução industrial impacta diretamente a vida do ser humano no Século XXI. A revolução 4.0, como também é chamada, é pautada numa virada tecnológica em toda a vida humana, aumentando a produtividade e retirando do controle humano tarefas antes impensáveis. Os computadores agora se revelam aliados em quase todas as formas de produção humanas, podendo realizar análises complexas de temas relevantes ao cotidiano.

De idêntica forma se deu a invasão dos computadores na atividade jurisdicional. Na virada do século XXI, a utilização de processos judiciais na modalidade eletrônica era basicamente inexistente. Hoje, cerca de 20 anos depois, o processo judicial eletrônico é a regra.

Dessa mesma forma, rápida e sem retorno, o principal avanço tecnológico da Revolução 4.0 vêm sendo implementado no cotidiano dos operadores jurídicos. Trata-se da inteligência artificial (IA). Atualmente, a IA já é regra nas grandes firmas de advocacia mundiais, realizando tarefas que antes eram relegadas aos paralegais ou estagiários, como organização de documentos, pesquisa jurisprudencial e até mesmo confecção de petições simples.

Essa invasão da IA no cotidiano forense levanta inúmeros questionamentos, sejam de caráter ético, quando se questiona quais as ramificações de deixar um caso ser cuidado por um algoritmo computacional; seja de caráter técnico, quando se observa as limitações da técnica computacional; ou de caráter filosófico, quando se investiga se é possível que a inteligência artificial realmente supere a capacidade humana de julgar.

Para realizar um julgamento o magistrado precisa, antes de tudo, obter conhecimento, seja do fato ocorrido, seja da tese jurídica argumentada pelas partes. O presente artigo busca entender como funciona o conhecimento da inteligência artificial e quais seus limites. Ou seja, como se dá a obtenção e processamento de conhecimento da máquina. Essa investigação é feita buscando responder ao seguinte questionamento: É possível que a máquina supere de forma eficaz a figura do juiz humano?

Em razão do caráter recente da pesquisa envolvendo tecnologia e inteligência artificial e da diferença da abordagem tradicional do direito com a abordagem computacional, é necessário, antes de entrar no problema da epistemologia em si, entender como funciona a inteligência artificial e o que a difere do humano.

Assim, no primeiro item do presente artigo, intitulado *A Inteligência Artificial – Uma abordagem do teste de Turing*, investiga-se o que é uma inteligência artificial e a dificuldade de sua definição. A IA, então, é explicada a partir do teste de Turing, mostrando que sua finalidade não é que o computador pense igual ao humano, mas sim que consiga performar como um humano quando necessário.

No segundo item, *A Algoritmização do Direito – Breves relatos de experiências com Inteligência Artificial no Direito brasileiro e estrangeiro*, se busca demonstrar que a utilização da IA é uma realidade corrente em todas as esferas do Direito e que os problemas advindos de sua utilização são sérios e sua implementação necessita de grande cuidado.

No item seguinte, denominado *Como o robô obtém conhecimento?*, entra-se nas questões filosóficas em si. Primeiro, aborda-se a lógica do processamento de dados de um algoritmo de inteligência artificial e de como isso difere do pensamento humano. Após, investiga-se a limitação do conhecimento, dos sentidos e da representação da informação de forma interna, utilizando como base o pensamento de Aristóteles, Heráclito e Adeodato, com a finalidade de responder ao questionamento principal.

## 1.     A INTELIGÊNCIA ARTIFICIAL – UMA ABORDAGEM DO TESTE DE TURING

Conceituar um evento complexo como a inteligência artificial é bastante difícil. Tanto o é que não há consenso entre os especialistas quanto a uma definição precisa sobre o que é uma IA. Stuart Russel a define como "o estudo dos métodos para fazer os computadores se comportar de forma inteligente" (PEIXOTO e SILVA, 2019, p. 74), englobando atividades como aprender, raciocinar, planejar, perceber e compreender.

Noutra definição, Miles Brundage coloca a "IA como um corpo de pesquisa e engenharia com o objetivo de usar a tecnologia digital para criar sistemas aptos a desempenhar atividades para as quais se costuma exigir inteligência, ao ser realizada por um indivíduo." (PEIXOTO e SIL-VA, 2019, p. 75).

A dificuldade em definir o termo *inteligência artificial* parece, então, resultante de uma impossibilidade técnica anterior: definir o que é inteligência. Ao que tudo indica, a definição de inteligência possui um gargalo técnico e filosófico. A própria inteligência humana será aquilo que irá definir o que é inteligência, de forma que esse conceito será um conceito interno, autorreferenciado.

A despeito da dificuldade de definição clara, conseguimos identificar qualidades ou aspectos que nos indicam que algo é detentor de inteligência ou não. Quando observamos uma pedra e, independente do que acontece ao seu redor, esta se mantém inerte, sabemos, intuitivamente, que não possui inteligência.

Quando observamos um ser humano realizando complexos cálculos matemáticos, conseguimos, também de forma intuitiva, inferir que este possui inteligência. A dificuldade, no entanto, não está nos extremos da escala.

Ao observar uma estrela do mar, vemos que ela interage com seu ambiente, reagindo a diferenças em seu habitat. No entanto, dificilmente falaríamos que a estrela do mar é dotada de inteligência. Golfinhos, por sua vez, são classificados como animais extremamente inteligentes, capazes de resolver problemas e se comunicarem. O mesmo acontece com corvos, chimpanzés e bonobos. Apesar de menos evidente que o ser humano, é possível convencionar que estes animais são dotados de inteligência.

Ao analisar animais no meio do espectro, como por exemplo, uma galinha ou um peixe beta de aquário, a resposta fica mais complicada. Estes animais são dotados de inteligência ou simplesmente respondem de forma direta aos seus instintos?

Quando transmutamos o problema para a ceara computacional, fica ainda mais difícil essa definição. Computadores – aqui tidos como algoritmos e não como o aparato físico – não são objetos naturais, mas construções humanas artificiais e, em razão disso, não há como ter um conhecimento intuitivo a respeito de sua natureza de inteligente ou não.

É exatamente aí que surge o chamado *teste de Turing*. Alan Turing foi um matemático e cientista da computação britânico responsável por quebrar o código de criptografia utilizado pelos nazistas na segunda guerra mundial, chamado de *enigma*. Sua história foi retratada no filme *The Imitation Game* (2014), traduzido como *O Jogo da Imitação*.

Além do grande avanço que permitiu à ciência da computação, Turing é tido como "pai da Inteligência Artificial", em razão de um artigo publicado na revista Mind, Vol. 49, intitulado "Maquinário Computacional e Inteligência"[1] (tradução nossa). Neste artigo, Turing (1950, p. 433) questiona "As máquinas conseguem pensar?"[2] (tradução nossa).

Para responder a essa pergunta, Turing explica que é necessária uma forma de avaliar se a máquina consegue pensar. Questiona-se então, "o que é inteligência para uma máquina?".

O teste de Turing, então, para responder a essa pergunta, estipula um jogo, nos quais há três participantes: sendo dois humanos e um computador. Um dos humanos assume o papel de avaliador e deverá fazer perguntas abertas aos outros dois jogadores, sendo um humano e um robô e irá avaliar as respostas. Se o avaliador não conseguir distinguir entre o humano e a máquina, presume-se que a máquina é inteligente.

Neste aspecto, de acordo com a definição de Turing, a inteligência para a máquina não representa a mesma inteligência humana. Assim, conforme ensina Taulli (2020, p. 18), "não há necessidade de verificar se a máquina realmente sabe algo, é autoconsciente ou mesmo se está correta. Em vez disso, o teste de Turing indica que uma máquina pode processar grandes quantidades de informações e interpretar a fala e comunicar-se com seres humanos.".

O teste estipulado por Turing se mostrou, principalmente nas últimas décadas, com o avanço do poder de processamento computacional, difícil de falhar. Em 2014, pesquisadores criaram um algoritmo chamado *Eugene Goostman*, que simula um jovem ucraniano de treze anos. O algoritmo escrevia errado e fornecia até informações sabidamente erradas, com a finalidade de simular uma conversa em idioma inglês de um jovem ucraniano. O resultado foi que o programa convenceu 33% dos juízes de que era humano.[3]

---

1    No original: *Computing Machinery and Intelligence*

2    No original: *Can machines think?*

3    https://www.bbc.com/news/technology-27762088

Turing era tão confiante no potencial computacional e no avanço da capacidade de processamento, que nesse seu artigo onde trata da IA, concluiu que "Nós podemos esperar que as máquinas eventualmente irão competir com os homens em campos puramente intelectuais"[4] (tradução nossa) (TURING, 1950, p. 460).

Ao que tudo indica, o futuro imaginado por Turing já chegou. Fato é que a IA já é uma realidade na vida cotidiana. Desde a compreensão de algoritmos de busca da internet, que se moldam ao usuário de forma a fornecer anúncios mais condizentes com a necessidade de quem utiliza, à complexos softwares utilizados na pesquisa científica, passando pela utilização nos tribunais, seja no Brasil ou no exterior, seu impacto é inegável.

## 2. A ALGORITMIZAÇÃO DO DIREITO - BREVES RELATOS DE EXPERIÊNCIAS COM INTELIGÊNCIA ARTIFICIAL NO DIREITO BRASILEIRO E ESTRANGEIRO

A importância da virada tecnológica que colocou a Inteligência Artificial no centro do debate se deve à alguns aspectos intrínsecos da computação. Em especial, se dá em razão da possibilidade unir a força bruta computacional, capaz de um processamento de dados sobre-humano, com uma característica humana, inerentemente criativa. Conforme lecionam Peixoto e Silva (2019, p. 75), "mais importante do que os feitos da IA em uma tarefa específica é o fato de esta combinar as propriedades das tecnologias digitais em geral com as propriedades que se pensavam serem unicamente humanas, como a competência.".

Essa simulação da atividade humana, no entanto, não parece substituir o humano. A capacidade bruta de processamento de dados da IA substitui, e até performa de forma superior ao humano em certas tarefas. No Direito, não é diferente. A utilização de IA já é uma realidade tanto na atividade privada, dos escritórios de advocacia, quanto no poder público, auxiliando a tomada de decisão dos magistrados. Conforme bem coloca Susskind (2019, p. 263):

---

4    No original: *We may hope that machines will eventually compete with men in all purely intellectual Fields.*

Contemplando a segunda geração de cortes online, seria difícil de ignorar o recente surgimento do interesse em inteligência artificial (IA) para advogados e juízes. Dificilmente passa uma semana sem notícias de 'uma IA' ou 'advogado robô' que possui desempenho superior ou pretende substituir advogados tradicionais humanos em uma atividade legal ou outra. A maioria das grandes firmas de advocacia do Reino Unido, por exemplo, já assinou licenças e contratos com fornecedores de IA e estão otimistas com seus investimentos.[5] (tradução nossa)

Apenas para se ter ideia de como já se encontra avançada a utilização dessa tecnologia como auxiliar nas profissões legais, em 2018 realizou-se um experimento no qual vinte advogados renomados foram desafiados para identificar erros em contratos de confidencialidade, com a maior precisão possível e tempo cronometrado, enquanto a mesma tarefa seria realizada pelo *software LawGeeks*. Conforme explicaram Peixoto e Silva (2019, p. 111), "os advogados demoraram, na média, 92 minutos para realizar a revisão das 5 NDAs, enquanto o *LawGeex*, consumiu 26 segundos para a mesma tarefa.". Além disso, os advogados acertaram apenas 85% dos erros, enquanto o robô conseguiu 94% de acertos. Apesar do resultado, Peixoto e Silva (2019, p. 111-112) explicam que:

> são inteligências incomparáveis e a competição tratou apenas de uma parcela das competências e habilidades de um advogado. Entretanto, a experiência indica uma capacidade de contribuição da IA para a atividade do advogado, agilizando tarefas e permitindo a dedicação e concentração do profissional em atividades mais complexas, relevantes e estratégicas.

---

5    No original: In contemplating the second generation of online courts, it would be hard to ignore the recent upsurge of interest in artificial intelligence (AI) for lawyers and judges. Scarcely a week passes without news of 'an AI' or a 'robot lawyer' that is outperforming or poised to replace traditional human lawyers in some legal task or other. Most leading law firms in the UK, for instance, have signed license arrangements with AI providers and are effusing optimistically about their investments.

Não só na advocacia a inteligência artificial possui impactos diretos. Na magistratura, a IA pode ser usada como ferramenta auxiliar no processo de decisão, ajudando o magistrado a se concentrar em pontos mais importantes de sua atividade. No exterior há algumas experiências utilizado IA que merecem algum destaque, especialmente por demonstrarem os riscos de um algoritmo mal construído.

Nos estados de Nova York, Wisconsin, California e Florida, nos Estados Unidos da América, foi implementado um *software* chamado COMPAS, acrônimo para *Correctional Offender Management Profiling for Alternative Sanctions*, que pode ser traduzido como Gerenciamento de Perfis de Infratores Correcionais para Sansões Alternativas, para auxiliar no processo de tomada de decisões dos juízes no tocante à reincidência de um acusado.

O algoritmo calcula a probabilidade um acusado reincidir, utilizando como base de dados as acusações a que estão sendo submetidos os acusados, causas pendentes de julgamento, antecedentes criminais, estabilidade residencial, empregos, laços comunitários, abuso de substâncias, histórico de violência ou de desobediência, problemas educacionais, idade, etc.[6]. Com esses dados, aplica-se uma fórmula matemática e o resultado indica a probabilidade de um acusado ser reincidente ou não.

Com a finalidade de testar a capacidade do algoritmo, pesquisadores forneceram as informações necessárias sobre os réus a 400 pessoas, que deveriam decidir sobre a reincidência ou não do acusado. Na média, as pessoas acertavam em 63% das vezes. O algoritmo, por sua vez, acertava em 65% das vezes. A conclusão do estudo foi de que "quase não era melhor que chutes individuais, e pior que uma multidão" (YONG, 2018).

No Brasil, por outro lado, também há experiências utilizando inteligência artificial no judiciário.

O Superior Tribunal de Justiça implementou o Projeto Sócrates, que utiliza inteligência artificial que "faz a análise semântica das peças processuais com o objetivo de facilitar a triagem de processos, identificando casos com matérias semelhantes e pesquisando julgamentos do tribunal que possam servir como precedente" (STJ, 2020). Trata-se do

---

6   https://s3.documentcloud.org/documents/2840784/Practitioner-s-Guide-to-
    -COMPAS-Core.pdf

uso de inteligência artificial como ferramenta auxiliar ao julgamento, possibilitando ao julgador que foque em partes mais importantes da atividade jurisdicional.

O Supremo Tribunal Federal, por sua vez, utiliza um software de IA para identificar teses de Repercussão Geral. O sistema chamado *Victor*, batizado em homenagem ao Ministro Victor Nunes Leal e realiza uma análise preliminar dos Recursos Extraordinários apresentados à Corte para verificar se se enquadram em alguma tese de Repercussão Geral.

Em ambos os casos brasileiros, a inteligência artificial atua como um verdadeiro assessor, uma ferramenta auxiliar aos julgadores, que permite que foquem em atividades mais essenciais para a tarefa de julgar, como a construção de teses e argumentos, relegando a pesquisa de precedentes ou casos similares ao robô.

No entanto, apesar do caráter atual de ferramenta auxiliar, somente a capacidade de processamento atual ou a qualidade da programação impedem que um algoritmo capaz de efetivamente tomar decisões de um caso concreto ou até mesmo fundamentar uma sentença seja construído e performe em qualidade superior ao juiz humano.

Conforme visto da experiência estadunidense do *software* COMPAS, a implementação de inteligência artificial com caráter decisivo necessita de cuidados, levantando-se diversos questionamentos éticos, filosóficos e técnicos. No presente estudo, foca-se apenas em um deles. A epistemologia da inteligência artificial. De que forma o robô obtém conhecimento e como esse conhecimento se relaciona com o conhecimento humano.

## 3. COMO UM ROBÔ OBTÉM CONHECIMENTO?

A teoria do conhecimento é uma das disciplinas da filosofia, a gnosologia. Em oposição à lógica, também matéria da filosofia que se ocupa das "formas e leis gerais do pensamento humano, a teoria do conhecimento dirige-se aos pressupostos materiais mais gerais do conhecimento científico" (HESSE, 2012, p. 13).

Para ao conceito de conhecimento que se trabalha no presente artigo, não se olha o procedimento de pensamento em si, mas sim a sua relação com o objeto do pensamento. Ainda conforme coloca Hessen (2012, p. 13), na distinção de lógica e conhecimento, "enquanto a primeira prescinde da referência do pensamento aos objetos e considera o pensamento puramente em si, a segunda tem os olhos fixos justamente na referência objetiva do pensamento, na sua relação com objetos".

Procedimentalmente, a lógica da inteligência artificial é bastante simples. Trata-se de uma lógica racionalista, dedutivista e quantificada. Diz-se racionalista em razão de seguir um método fixo, cartesiano de operações matemáticas que levarão a um resultado.

Dedutivista em razão de ser pautada uma sequência lógica de passos entre o *input*, informação fornecida, e *output*, resultado da operação, sendo derivado de conceitos superiores. Trata-se, do caráter matemático da inteligência artificial que se reflete na sua lógica dedutivista. Hessen (2012, p. 49) afirma que "É obvio que um determinado tipo de conhecimento serviu de modelo à interpretação racionalista do conhecimento. E não é difícil dizer qual seja: é o conhecimento matemático. Ele é predominantemente dedutivo e conceitual.".

Por fim, a característica de ser quantificado. Quantificado significa que não há espaço para meios termos. Toda informação armazenada no algoritmo possui o caráter de positivo ou negativo. É uma característica inerente da computação, completamente pautada na lógica binária de zero ou um, positivo ou falso.

Essas três características diferenciam muito o conhecimento fornecido e processado por uma IA do conhecimento humano. O conhecimento humano não é tão preciso ou pautado numa lógica tão bem fundamentada como um algoritmo de computador. A despeito disso, o computador é capaz de simular a atividade julgadora de um juiz.

Seguindo a lógica explicada, uma operação da IA funciona da seguinte forma. Parte-se de premissas maiores para premissas menores por meio de operações matemáticas de verdadeiro ou falso, deduzindo assim, um resultado.

Com grande poder de computação, a força bruta de um grande número de tais operações chega ao ponto de vencer o teste de Turing, já citado anteriormente, podendo ser caracterizada como uma inteligência artificial, simulando com perfeição um juiz humano.

Trazendo especificamente para a aplicação da IA no Direito, principalmente em seu caráter de ente capaz de tomar decisão, mesmo que de forma auxiliar ao magistrado humano, há de se compreender como a IA obtém esse conhecimento, seja dos fatos ou da tese jurídica.

O ponto de partida dessa investigação é o evento. O evento é a premissa menor, que aplicada na operação lógica de silogismo, no qual a lei – seja no caráter normativo ou como interpretação legal – será a premissa maior. Se a premissa menor se enquadrar com perfeição na premissa maior, temos um resultado, caso contrário, teremos um resultado diferente.

No entanto, isso não diz muito a respeito da relação entre o objeto de que a inteligência artificial internalizou e o resultado de sua operação. Com as operações matemáticas, somente pode-se entender a relação do dado já internalizado pela máquina e o resultado. Não se entende a forma de internalização da informação.

A investigação aqui é sobre o processo de internalização do evento, a informação. Trata-se do problema basilar da filosofia. Conforme coloca Adeodato (2017, p. 65) "O problema de como o ser humano 'conhece' aquilo que percebe a seu redor é o primeiro problema, a questão que deu origem à filosofia ocidental". Apesar de ter sido formulado como um problema do conhecimento humano, a criação da IA trouxe esse questionamento para o campo da ciência da computação também.

O conhecimento é a representação interna do evento, experimentado pelo observador por meio de seus sentidos e internalizado por meio de um processo de abstração. Conforme ensina Castro Junior *et al* (2018, p. 158-159):

> O sujeito imerso no mundo dos eventos só pode começar a compreendê-lo por meio deste processo de abstração, em que o sujeito cognoscente obtém uma ideia (ou conceito, juízo – usados como sinônimos) a partir de uma seleção de aspectos particulares dos eventos. Isto é, se os eventos aparecem, enquanto tais, envoltos em uma infinidade de traços, é preciso que alguns desses traços sejam deixados de lado e que outros sejam priorizados e transformados em uma ideia, que é única e geral. (2018, p. 158-159)

Essa abstração, no entanto, é completamente dependente dos sentidos do observador. Os sentidos, conforme coloca Aristóteles, são essenciais para o conhecimento. Em fragmento de sua obra Metafísica, chega a expor:

> Por natureza, todos os homens desejam o conhecimento. Uma indicação disso é o valor que damos aos sentidos; pois, além de sua utilidade, são valorizados por si mesmos e, acima de tudo, o da visão. Não apenas com vistas à ação, mas mesmo quando não se pretende ação alguma, preferimos a visão, em geral, a todos os outros sentidos. A razão disso é que a visão é, de todos eles, o que mais nos ajuda a conhecer coisas, revelando muitas diferenças. (ARISTÓTELES apud MARCONDES, 2011, p. 46).

Ou seja, aplicando isso à inteligência artificial, temos que o robô julgador, será extremamente sensível à sua forma de obtenção de conhecimento, sendo possível que a imprecisão na obtenção do conhecimento/informação, prejudique bastante o resultado do julgamento.

Nesse aspecto, também é importante destacar que a partir do momento que o conhecimento é internalizado ele será representado internamente por categorias que a IA já conhece, ou seja, por casos que já tenham sido julgados ou por categorias pré-programadas pelo autor do algoritmo. Heráclito, o mais importante pré-socrático, avisa, no entanto que o mundo é pautado pelo dinamismo. Quando afirma que "Tu não podes descer duas vezes no mesmo rio, porque novas águas correm sempre sobre ti" (HERÁCLITO apud SOUZA, 1996, p. 32), ou, conforme outras traduções, "Não se pode entrar duas vezes no mesmo rio" (HERÁCLITO, 2017, p. 95), em verdade está afirmando que não há como dois eventos serem idênticos. Ou seja, o evento não é replicável, pelo menos não em sua plenitude. É exatamente aí que aparece o problema para a obtenção de conhecimento da IA:

> Se duas pedras não podem ser iguais, tampouco haverá dois homicídios, adultérios, contratos de trabalho, atos administrativos ou matrimônios iguais, as palavras somente generalizam semelhanças segundo critérios determinados. Todos os eventos e coi-

sas são diferentes e a igualdade é uma ideia da mente humana que não se revela aos órgãos dos sentidos, isto é, não faz parte da "realidade". (ADEODATO, 2017, p. 67)

A igualdade, conforme colocado por Adeodato, não existe. No entanto, o ser humano, por ser dotado de características de inteligência real e não apenas de poder processamento, consegue suprir essas diferenças, realizando operações que não são baseadas na lógica dedutivista, racionalista ou binária quantificada. Mas sim com um caráter intuitivo e capaz de propor uma solução criativa.

## CONSIDERAÇÕES FINAIS

Não há como evitar o crescimento da utilização de softwares de inteligência artificial no direito, seja na advocacia privada ou na esfera pública, auxiliando magistrados no processo de decidir. Equivalente aos que pugnavam pelo banimento da máquina de escrever, afirmando que a decisão tinha que ser escrita a próprio punho, ou os que afirmavam que a utilização de computadores tirava a humanidade do magistrado, lutar contra a utilização dessas novas tecnologias é um exercício de futilidade.

O inteligente a se fazer é entender, com clareza, como elas funcionam e propor um uso racional e consciente, buscando evitar quaisquer injustiças ou violações aos direitos e garantias fundamentais do jurisdicionado. A experiência do COMPAS deve servir de alerta para uma implementação pautada no aumento da qualidade da prestação jurisdicional e não uma simples ferramenta capaz de aumentar a produtividade a qualquer custo.

É apenas uma questão de tempo para que a computação avance o suficiente para que um software jurídico consiga, de forma reiterada, bater o teste de Turing e simular a atuação de um juiz humano. No entanto, a atuação do juiz robô é essa. Uma simples simulação e, como qualquer simulação, não é perfeita. Diante de casos diferentes ou que não se enquadre com perfeição nos quadros armazenados no algoritmo, um juiz humano, cujo conhecimento não se limita ao direito, mas possui uma formação humanística, que goza de conhecimentos empíricos e intuitivos, certamente poderia fornecer uma solução mais adequada ao caso.

## REFERÊNCIAS

ADEODATO, João Maurício. O Problema do Conhecimento do Direito e a Proposta Retórica Realista. **Revista Duc In Altum Cadernos de Direito**, vol. 9. n. 18, pp. 65/86, maio/ago. 2017

ANAXIMANDRO; PARMÊNIDES; HERACLÍTCO. **Os pensadores originários**. Rio de Janeiro: Vozes, 2017.

CASTRO JR., Torquato da Silva; LACERDA, Victor; DOS SANTOS, João Amadeus Alves. Uma crítica ao conceito de abismo gnoseológico na teoria retórica de João Maurício Adeodato. **Revista Acadêmica da Faculdade de Direito do Recife**, v. 90, n. 2, p. 155-176, jul. - dez. 2018. ISSN 2448-2307. Disponível em: <https://periodicos.ufpe.br/revistas/ACADEMICA/article/view/238354>

HESSEN, Johannes. **Teoria do Conhecimento**. 3. ed. São Paulo: Editora WMF Martins Fontes, 2012.

MARCONDES, Danilo. **Textos Básicos de Filosofia**: Dos pré-socráticos à Wittgenstein. 7. ed. Rio de Janeiro: Zahar, 2011.

PEIXOTO, Fabiano Hartmann; SILVA, Roberta Zumblick Martins da Silva. **Inteligência Artificial e Direito**. Vol. 1. Coleção Direito, Racionalidade e Inteligência Artificial. 1. ed. Curitiba: Alteridade Editora, 2019.

SOUZA, José Cavalcante de. **Os Pré-Socráticos**: Vida e obra. São Paulo: Nova Cultura, 1996

SUPERIOR TRIBUNAL DE JUSTIÇA – Notícias STJ. **"Revolução tecnológica e desafios da pandemia marcaram gestão do ministro Noronha na presidência do STJ"**. Disponível em: <https://www.stj.jus.br/sites/portalp/Paginas/Comunicacao/Noticias/23082020-Revolucao-tecnologica-e-desafios-da-pandemia-marcaram-gestao-do-ministro-Noronha-na-presidencia-do-STJ.aspx>. Acesso em: 15 ago 2021.

SUSSKIND, Richard. **Online Courts and the Future of Justice**. 1. ed. Oxford: Oxford University Press, 2019.

TAULLI, Tom. **Introdução à Inteligência Artificial:** Uma abordagem não técnica. 1. ed. São Paulo: Novatec Editora Ltda, 2020.

TURING, Alan M. Computing Machinery and Intelligence. **Mind.** Vol. 49. 1950. pp. 433-460. Disponivel em: https://www.csee.umbc.edu/courses/471/papers/turing.pdf Acesso em: 15 ago 2021.

YONG, Ed. **A Popular Algorithm Is No Better at Predicting Crimes Than Random People**. 2018, Disponível em: <https://www.theatlantic.com/technology/archive/2018/01/equivant-compas-algorithm/550646/> acesso em: 15 ago 2021.

# A INSTITUCIONALIZAÇÃO DO DOMÍNIO PELO ESTADO MODERNO E O MITO DA RAZÃO UNIVERSAL

## LA INSTITUCIONALIZACIÓN DEL DOMINIO POR EL ESTADO MODERNO Y EL MITO DE LA RAZÓN UNIVERSAL

## THE INSTITUTIONALIZATION OF DOMAIN BY THE MODERN STATE AND THE MYTH OF UNIVERSAL REASON

Flávia Alvim de Carvalho

Mestranda pelo PPGD PUC Minas em "Teoria do Direito e Teoria da Justiça", área de concentração "Democracia, Liberdade e Cidadania"; especialista em Direito Público e em Direito Internacional Aplicado; secretária geral da Comissão de Direito Ambiental da OAB – ES e coordenadora do grupo de estudos sobre mudanças climáticas na mesma instituição.

**RESUMO:** O presente trabalho de revisão crítica de literatura visa apresentar reflexões sobre as bases da formação burguesa do Estado Moderno, abordando o caráter histórico das desigualdades sociais, em um contexto de exclusão e dominação em detrimento dos povos originários da América Latina, em especial sobre o despovoamento da ilha de Cuba pelos espanhóis. A racionalidade instrumental e a pretensão da Europa moderna em se tornar centro da história mundial demonstram que a razão não é neutra, não é impassível e muito menos atemporal. Dessa forma este artigo apresenta uma abordagem crítica de conceitos como democracia e direitos humanos considerados, pelo paradigma da simplicidade, como verdades universais. O sistema capitalista e as políticas neoliberais construíram cenários comparados aos previstos por literaturas distópicas, contribuindo para o conformismo e apatia dos indivíduos na sociedade de risco mundial, o que reflete a crise do sujeito coletivo e o êxito da modernidade no que diz respeito à situação de atomismo que separa o indivíduo do corpo social.

**PALAVRAS-CHAVE:** Estado Moderno; capitalismo; universalismo; crise do sistema neoliberal.

**RESUMEN:** El presente trabajo de revisión crítica de la literatura tiene como objetivo presentar reflexiones sobre las bases de la formación burguesa del Estado moderno, abordando el carácter histórico de las desigualdades sociales, en un contexto de exclusión y dominación en detrimento de los pueblos originarios de América Latina, en particular sobre la despoblación de la isla de Cuba por parte de los españoles. La racionalidad instrumental y la intención de la Europa moderna de convertirse en el centro de la historia mundial demuestran que la razón no es neutral, no es impasible y mucho menos atemporal. Así, este artículo presenta una aproximación crítica a conceptos como democracia y derechos humanos considerados, por el paradigma de la sencillez, como verdades universales. El sistema capitalista y las políticas neoliberales construyeron escenarios comparados con los pronosticados por las literaturas distópicas, contribuyendo al conformismo y la apatía de los individuos en la sociedad global del riesgo, que refleja la crisis del sujeto colectivo y el éxito de la modernidad frente a la situación del atomismo que separa al individuo del cuerpo social.

**PALABRAS-CLAVE:** Estado Moderno; capitalismo; universalismo; crisis del sistema neoliberal.

## INTRODUÇÃO

A expansão colonial da modernidade oculta injustiças que, se desencobertas, impossibilitariam qualquer fundamentação politicamente ética sobre o domínio europeu em países do "Sul – global". A instituição do Estado e a apropriação do Direito como mecanismos de controle para legitimar uma razão "universal", revelam o projeto de acumulação construído pela modernidade ao longo de séculos, que se inicia quando Colombo se lança ao Atlântico em busca de ouro e acaba encontrando o "Outro" livre da ambição que o movimentava e desprovido do deus em nome do qual dominava.

O presente trabalho reivindica, portanto, a complexidade para compreender os pressupostos históricos encobertos pela indústria cultural e pelo paradigma da simplicidade, que apresenta conceitos como democracia e direitos humanos como algo concedido a todos e não como conquistas, ocultando as lutas cotidianas e a memória de países periféricos que, como Cuba, foram completamente despovoados, vítimas do progresso e do discurso civilizacional.

Almeja-se adotar certa ordem na exposição das ideias, de forma a desenvolver um estudo que conecte as bases capitalistas da formação do Estado Moderno às consequências de uma modernidade reflexiva, apática, individualista e desconexa.

Por fim, a literatura distópica apresentando uma realidade que transcende teorias e experiências, serve de instrumento para questionar visões reducionistas que, indiferentes à realidade catastrófica na qual nos colocamos em âmbito ambiental e conflitiva em âmbito social, mantêm toda uma engenharia controladora de comportamentos desviantes e legitimadora do lucro das classes dominantes nessa arquitetura moderna construída pelo *modus operand* capitalista e neoliberal. Relacionando ficção e direitos humanos, distopia e realidade, percebemos que a absolutização do mercado pela cultura ocidental e o mito da razão universal nos colocaram diante de um presente conformado na sociedade de risco mundial.

## 1.    AS BASES DA FORMAÇÃO BURGUESA DO ESTADO MODERNO

O espírito da modernidade tradicionalmente é relacionado à ideia de progresso, como sinônimo de liberdade, desenvolvimento econômico e emancipação. Sem a pretensão de negar os avanços, principalmente científicos, capazes de propiciar melhorias na qualidade de vida de uma parcela da humanidade, podemos afirmar que associações falaciosas como essas revelam o encantamento dos modernos em relação às perspectivas apontadas para o futuro pela racionalidade instrumental, como o domínio da Natureza, a produção de riquezas, a industrialização e a ilusória autonomia que, regulada pelo mercado, progressivamente, passa a refletir a mecanização da vida. Apesar de ser indicado por vários historiadores como um período da história ocidental que se inicia após o Renascimento, ou seja, a partir do século XVII, a arquitetura desse projeto de arquétipo filosófico, econômico e político "modernos", que promove a Europa a "centro" da sua história, tem início, ou como prefere Enrique Dussel "nasce", em 1492, quando a Europa se confronta com o "Outro" o encobrindo como "si mesmo", ou seja, a constituição da subjetividade moderna se inicia por meio de um processo violento de exploração e encobrimento do não – europeu (DUSSEL, 1993).

Em 1552, Bartolomé de las Casas em *"Brevísima relación de la Destrucción de las Indias"*, denuncia ao príncipe da Espanha, Dom Felipe, as matanças e estragos cometidos de forma tirânica contra os povos originários da América Latina, suas províncias e reinos. Descrevendo os espanhóis como animais cruéis e famintos, o frei retrata décadas de selvageria e extermínio, chegando ao despovoamento de territórios inteiros, como foi o caso da ilha de Cuba, vítima de obras desumanas cometidas pelos *"cristinianos"* contra os "indígenas", "selvagens", "bárbaros":

> *"En estas ovejas mansas, y de las calidades susodichas por su Hacedor e Criador así dotadas, entraron los españoles, desde luego que las conocieron, como lobos y tigres y leones cruelísimos de muchos días hambrientos. Y otra cosa no han hecho de cuarenta años a esta parte, hasta hoy, y hoy en este día lo hacen, sino despedazarlas, matarlas, angustiarlas, afligirlas, atormentarlas y destruirlas por las entrañas y nuevas y varias y nunca otras tales*

> vistas ni leídas ni oídas maneras de crueldad, de las cuales algunas pocas abajo se dirán, en tanto grado, que habiendo en la isla española sobre tres cuentos de ánimas que vimos, no hay hoy de los naturales de ella doscientas personas. La isla de Cuba es cuasi tan luenga como desde Valladolid a Roma; esta hoy cuasi toda despoblada". (CASAS, 2018. p.11)

Nosso presente, como afirma Reyes Mate, está construído sobre os vencidos, que são nossa herança oculta, onde o equívoco moral do Ocidente pode ser percebido e compreendido, por suas grandezas e misérias, sonhos e pesadelos, liberação e opressão. É através do "Outro" esquecido que podemos descobrir o nosso verdadeiro "eu".[1] A razão eurocêntrica que se pretende neutra, impassível e atemporal, na verdade carrega consigo um longo período de domínio marcado por movimentos de destruição das culturas consideradas, por essa razão que se pretendia universal, débeis e pré-históricas.

> "La memoria de los marginados rechaza toda identificación entre realidad y facticidad porque de la primera también forma parte lo que no ha logrado ser, lo que ha quedado en las cunetas de la historia. (…) Para los historiadores, la memoria no es de fiar, por eso prefieren los archivos a los testimonios; le conceden una función privada, pero no aceptan sus pretensiones políticas."[2]

Reunindo seus testemunhos sobre as calamitosas práticas dos espanhóis, fiéis ao cristianismo, contra todos os senhores da província de Havana e demais regiões, o bispo dom Frei Casaus, continua sua denúncia, descrevendo o massacre praticado contra aqueles povos e suas gerações:

> "Una vez, saliéndonos a recebir con mantenimientos y regalos diez leguas de un gran pueblo, y llegados allá, nos dieron gran cantidad de pescado y pan y comida con todo lo que más pudieron; súbitamente se les revisitó el diablo a los cristianos y meten a cuchillo en mi presencia (sin motivo ni causa que tuviesen) más de tres mil

---

1    MATE, Reyes. *La herencia del olvido*. Madrid: Errata Naturae Editores, 2008.

2    Ibidem, p.27.

*ánimas que estaban sentados delante de nosotros, hombres y mujeres y niños. Allí vide tan grandes crueldades que nunca los vivos tal vieron ni pensaron ver. (...) Después de que todos los indios de la tierra desta isla fueron puestos en la servidumbre y calamidad de los de la España, viéndose morir y perecer sin remedio, todos comenzaron a huir a los montes; otros, a ahorcarse de desesperados, y ahorcándose maridos y mujeres, e consigo ahorcaban los hijos; y por las crueldades de un español muy tirano (que yo conocí) se ahorcaron más de doscientos indios. Pereció desta manera infinita gente. Oficial del rey hubo en esta isla que le dieron de repartimiento trescientos indios e a cabo de tres meses había muerto en los trabajos de las minas los doscientos y setenta, que no le quedaron de todos sino treinta, que fue el diezmo. (...) En tres o cuatro meses, estando yo presente, murieron de hambre, por llevarles los padres e las madres a las minas, más de siete mil niños. Otras cosas vide espantables. Después acordaron de ir a montear los indios que estaban por los montes, donde hicieron estragos admirables, e así asolaran y despoblaron toda aquella isla, la cual vimos ahora poco ha y es una gran lástima y compasión verla yermada y hecha toda una soledad.*" (CASAS, 2018. p. 31-32)

"Fomos a primeira 'periferia' da Europa moderna; quer dizer, sofremos globalmente desde nossa origem um processo constitutivo de 'modernização' (embora naquele tempo não se usasse essa palavra) que depois se aplicará à África e a Ásia" (DUSSEL, 1993, p.16). Esse processo de colonização e marginalização do "Novo Mundo", que dominou o Ocidente impondo sua justiça, sua cultura e sua razão abstrata e instrumental, permitiu ao colonizador construir as bases para a formação de um modo de produção capitalista alimentado pela exploração de "recursos" naturais e humanos vindos das colônias, projetando uma nova geografia espaço – temporal capaz de, com o passar dos anos, desenvolver novas técnicas que uniformizassem o tempo, controlando a produção e otimizando-a por meio da inserção das máquinas e da divisão do trabalho que foi, por sua vez, (re)definida para servir aos interesses da emergente sociedade industrial que não sustentava mais o sistema escravagista, optando, na sequência da escravidão, por um modelo de mão de obra "livre", barata, consumidora e, por isso, assalariada.

"A descoberta das terras auríferas e argentíferas na América, o extermínio, a escravização e o soterramento da população nativa nas minas, o começo da conquista e saqueio das Índias Orientais, a transformação da África numa reserva para a caça comercial de peles negras caracteriza a aurora da era da produção capitalista." (MAX, 2013. p.821)

O aprimoramento do *modus operandi* capitalista, que envolve a instrumentalização de uma sociedade necessariamente organizada, conduzida pela razão objetiva e motivada por mecanismos reificantes do novo sistema econômico, ainda inominado, transformou todas as atividades humanas em mercadorias, tornando as regras do mercado mais eficientes do que as do próprio Estado. O projeto da modernidade se fortaleceu à medida que a propriedade privada ganhou espaço em detrimento de seu caráter comunitário e o individualismo surgiu fomentando a competição e a ânsia pela superação de "obstáculos". Nesse contexto de avanço de ideias liberais, o Estado Moderno é pensado e estruturado para garantir aos "novos proprietários" "direitos". O Estado e a configuração do Direito surgem, portanto, como fonte de segurança à essa nova classe burguesa em ascensão, refletindo os interesses de um grupo economicamente dominante, se tornando instrumento de legitimação das condições de produção. "O domínio de uma classe sobre a outra, que é a essência do Estado, é idêntico à exploração de uma classe pela outra, sendo a classe dominante essencialmente a classe exploradora.". (KELSEN, 2021, p.16)

Assim, a evolução histórica da propriedade privada está intrinsecamente relacionada à formação moderna do Estado, diante de um determinado modo de produção e de uma determinada forma de divisão do trabalho, o que transforma o Estado no ente político instituído a fim de lhes fornecer proteção. A reorganização social aliada à reconfiguração do trabalho em um cenário de industrialização, ao contrário das sociedades pré-capitalistas que fundiam o social e o político, separa o Estado da sociedade civil e desenvolve os pilares de sustentação dessa nova ordem política aclamada pelos iluministas como "emancipação". A vida passa a ser dividida em esferas que separam o ser humano do cidadão, tornando as relações econômicas, independentes do Estado, o que passa a provocar novas contradições.[3]

A estruturação e a nacionalização do Estado representado pela soberania, pela legislação, pela centralização do poder e pela representação, envolvem o ideário homogeneizador que vê a história como um processo linear e regulamentador das relações de produção. Ordem, sujeito e razão são termos modernos que asseveram a uniformização das ações humanas e estão interligados a um vocabulário dogmático desvinculado de intersubjetividades. Conteúdos axiomáticos produzidos pelo Estado enquanto produtor de uma ordem jurídica centralizada (que o qualifica), (re)afirmaram o distanciamento do "Outro" e definiram a norma jurídica como único critério válido de deliberação e decisão. Controlar comportamentos desviantes determinando valores padronizados, legitimando o enclausuramento e expurgação daquilo que não deve contaminar o corpo social, separando o legal do ilegal, o igual do diferente, ou o "joio do trigo", passa a ser função dos órgãos estatais que perseguem a finalidade que lhes foi estabelecida por normas que, por sua vez, integram um processo de codificação cingido pela ideia de especificação, individualização, burocratização e coação. Fica, portanto, reservado ao Estado o direito de legislar sobre os modos de trabalho, determinando as regras que governam as relações de produção, assim como o poder de cobrar tributos, auxiliando o processo de acumulação a favor de determinados grupos (o que torna cada vez mais desigual a distribuição), e, o poder de punição daqueles "tipos" previstos pela lei.

O Estado Moderno se define, segundo Marx, como um "Estado separado", porque as esferas políticas e não políticas ganham destaque e se distinguem com a modernidade, sendo que nos Estados antigos o que se apresentava era uma unidade substancial entre a vida do povo e a vida do Estado, não ocorrendo qualquer separatividade[4]. Na arquitetura do Estado, os pensamentos se relacionam com seu tempo e a interpretação do mundo revela as origens do conhecimento e o porquê de determinados tipos de interesses ganharem proteção. Maquiavel,

---

3    POGREBINSCHI, Thamy. *O enigma do político: Marx contra a política moderna.* Rio de Janeiro:Civilização Brasileira, 2009.

4    Ibidem, p.40.

em "*O príncipe*", demonstra a necessidade de desenvolver estratégias capazes de manter a estabilidade do poder e separa a moral individual ou o sentimento ético – subjetivo dessas finalidades. O poder de dizer as regras do jogo político deve acontecer de forma praticamente técnica para a manutenção do poder exercido sobre determinado povo em determinado espaço. Thomas Hobbes, destina seu pensamento a serviço da segurança, defendendo a unidade do poder estatal como forma de conservação do todo, ou seja, transfere-se ao soberano o poder de governar em nome da pacificação (domesticação ou uniformização) de sociedades plurais. Alegando que "o homem é o lobo do homem", Hobbes fundamenta sua visão por meio de uma espécie de monstro-ficção, acima de todos e de tudo, com poderes e ofícios que deve distingui-lo (Estado Moderno) de suas partes (cidadãos). No entanto, o conceito moderno de soberania expressa o que Esposito denomina "paradigma social imunitário". Nessa acepção, o soberano ao mesmo tempo em que pode manter a ordem punindo aqueles que descumprem o pacto social, se coloca fora desse pacto que o funda, transformando o poder soberano em poder biopolítico, capaz de políticas instrumentalizadas por ideais de ordem destinados a condicionar a exponenciação da vida à materialização da morte (FOUCAULT, 1999, p.286).

Esposito ao analisar o papel do paradigma soberano em Foucault esclarece que sua importância está em "reconhecer seu real mecanismo de funcionamento: o qual não é a regulação entre os indivíduos, ou entre eles e o poder, mas sim o da sujeição a um determinado ordenamento ao mesmo tempo jurídico e político". (ESPOSITO. 2021, p.47) Por consequência, o direito passa a ser um "instrumento utilizado pelo soberano para impor seu domínio e, correspondentemente, o soberano só o será com base no direito que legitima a operação".[5]

O discurso de que o Direito é o único meio válido de introduzir o uso da força (força da lei - aparato estatal), reafirma a ligação entre a razão universal e a violência praticada pelo Estado. Este sistema de dominação e exclusão, onde somente o Estado ("Estado de Direito", ou

---

5     Ibidem, p.47.

Estado que tem uma ordem jurídica)[6], por meio de um rito considerado eficaz e justo, detém o poder de coação e o monopólio da verdade, traduz políticas de segregação e extermínio.

> *"Esta reticencia a pensar un más allá del derecho y del contrato por parte de la teoría jurídica cuando se trata de resolver controversias de orden político abona las dificultades que tiene la teoría jurídica para la investigación del papel de la fuerza como sustento del discurso, así como para realizar la crítica del carácter absoluto del vínculo absoluto entre derecho y violencia y de los conceptos, como el de soberanía, que le sirven de justificación."[7]*

O lugar dos seres humanos na ordem social define sua identidade e o que lhes é devido, como devem ser tratados, o que demonstra

---

6    Hans Kelsen defende a identidade entre Direito e Estado, ou seja, a ausência de dualismos entre Estado e Direito, alegando que a representação do Estado enquanto pessoa diversa do Direito teria uma função ideológica, qual seja, a de que este pudesse justificar aquele que o cria e que a ele se submete. Dessa forma, a natureza originaria e essencialmente distinta, permite que o Direito justifique o Estado, como ordem que se contrapõe ao poder e é pressuposta como como correta ou justa. O Estado sob essa compreensão tradicional, se transforma em mero fato de poder, em um "Estado de Direito", que se justifica por produzir o direito, o tornando objeto do conhecimento jurídico, ao mesmo tempo em que não pode ser apreendido juridicamente por ser considerado essencialmente diverso. Kelsen ressalta que contradições como essas são inerentes às teorias ideológicas e que o Estado representa, portando, a mais elevada ordem jurídica, com validade limitada a um determinado território e a determinados objetos, o que denomina de competência soberana. Assim, "a tentativa de legitimar o estado como estado de direito mostra-se, então, completamente inapropriada, pois todo estado precisa ser um estado de direito, na medida em que por 'estado de direito' se entenda um estado que tem uma ordem jurídica." Kelsen, Hans. 1881-1973. *Teoria Pura do Direito: uma introdução à problemática jurídico – científica.* Tradução e estudo introdutório Alexandre Travessoni Gomes Trivisonno. 1. Ed. Rio de Janeiro: Forense Universitária, 2021, p.111.

7    LEROUX, Jaime Eduardo Ortiz. *Desobediencia y Derecho: ¿principio de validez o forma de lucha?* In: ROCHA, Blanca Estela Melgarito; CERVANTES, Daniel Sandoval; ROCHA, Alma Guadalupe Melgarito (Org.). *Crítica del derecho y del estado frente la configuración del capital: pensamiento y praxis.* Ciudad Autónoma de Buenos Aires: CLACSO; Curitiba: CEPEDIS; Ciudad de México: ANEICJ, 2021, p.48. Libro digital, PDF.

que as aspirações da modernidade à uma universalidade liberta de toda e qualquer particularidade são ilusões. Neste sentido Marx se refere aos revolucionários franceses de 1789 como 'porta – vozes da burguesia', sendo necessária uma análise das leis proibitivas em seu contexto cultural. [8]

A codificação dos comportamentos sociais, ou seja, as regras do direito, criam mecanismos de manutenção de privilégios por trás de um ideal fictício de uma ordem jurídica neutra. Construída para assegurar proteção à propriedade, as normas jurídicas, que serviam aos interesses do príncipe, passam a ser aplicadas pelo Estado, que, de maneira não neutra, institucionaliza a vingança e se torna detentor exclusivo do *jus puniendi*, selecionando aqueles que devem ser excluídos, ou seja, os indignos do pacto social. Critérios raciais, estritamente biológicos ou mesmo culturais processaram-se por linhas de pensamento deterministas que utilizando teorias evolucionistas, defenderam absurdos como a "higienização" do Estado, ou seja, o determinismo biológico e cultural fundamentou a escravidão de algumas raças e justificou o subdesenvolvimento das "sub- regiões". Destarte, a personificação dos indesejáveis ou a criação da figura do inimigo (o estigma) foi construída sob a influência de perspectivas racistas que, por meio da estipulação do perfil fenotípico do criminoso nato, legitimavam a condução e manutenção desses corpos às prisões. Representações como essas, ao associar a criminalidade a componentes biológicos e às condições culturais, induziram que populações negras e originárias apresentariam maior tendência criminosa pela cor de sua pele ou por serem "aculturadas", forçando esses povos a modificarem suas características e abandonarem suas tradições. A docilização dos corpos pelas instituições modernas, instrumentalizando-os para que servissem de força de trabalho, enquanto formações sociais alienadas dos meios de produção que os colocam em marcha[9], contribuíram para a sustentação dessa antiga e nova ordem de "castas". A classe dominante, protegida pelo Estado, se beneficiava, inclusive, da

---

8    MACINTYRE, Alasdair. *Depois da Virtude: um estudo em teoria moral.* Tradução de Jussara Simões. Bauru, SP: EDUSC, 2001.

9    FOUCAULT, Michel. *Estratégia poder – saber.* Organização e seleção de textos, Manoel Barros da Mota. Tradução de Vera Lúcia Avellar Ribeiro. Rio de Janeiro: Forense Universitária, 2006.

possibilidade de aplicação de "medidas preventivas" contra aqueles "perfis criminosos" sem que fosse, sequer, necessário aguardar a ocorrência da infração para que se efetivassem.

A engenhosidade do legislador, revestida da racionalidade instrumental, torna admissível e ao mesmo tempo "justo" o poder de "fazer morrer e deixar viver" (FOUCAULT, 1999, p. 286) institucionalizando o racismo e trazendo para o campo político fenômenos naturais. Normas enquanto produtos de um pacto social e vetores modernos da vida moral, justificam que se coloque em risco a vida em nome da própria vida, como se a morte de uns fortalecesse a vida de outros, refletindo uma política uniformizadora que ao prometer proteger a vida transforma-se em mecanismo de intolerância, exclusão e morte.[10]

"A racionalidade jurídica 'moderna', tal como foi concebida a partir do século XVIII, fundou-se, de fato, no 'paradigma da simplicidade'[11], que exclui toda representação das interações jurídicas em termos de complexidade."[12] Pela perspectiva moderna, o Direito se torna importante instrumento para a homogeneização dos comportamentos e fabricação do modelo ideal de "homem – moderno"[13]. Normas racional-

---

10   ESPOSITO, Roberto. *Bios: biopolítica e filosofia*. Tradução de M. Freitas da Costa. Lisboa, Portugal: Edições 70, 2021.

11   Edgar Morin critica a simplicidade do método científico diante da complexidade da realidade. Para o autor o paradigma da simplicidade obedece a uma visão de mundo estática, ordenada e em constante equilíbrio, ao passo que a complexidade inerente à Natureza e à todas as coisas se prolifera em meio a desordens e desequilíbrios que se convertem em várias outras ordens múltiplas.

12   ARNAUDE, André – Jean. *"Al andar se hace el camiño": história da construção do campo de estudos sócio jurídicos. Sociology of Law on the move*, Canoas/RS, p. (13 – 27), 2019, p.19.

13   "Jamais houve um mundo moderno. O uso do pretérito é importante aqui, uma vez que se trata de um sentimento retrospectivo, de uma releitura de nossa história. (...) Perceber que jamais fomos modernos e que estamos separados dos outros coletivos apenas por pequenas divisões não nos torna reacionários. Os antimodernos combatem selvagemente os efeitos da Constituição, mas aceitam-na por inteiro. Desejam defender os locais, ou o espírito, ou a matéria pura, ou a racionalidade, ou o passado, ou a universalidade, ou a liberdade, ou a sociedade, ou Deus, como se estas entidades existissem realmente e tivessem de fato a forma que lhes é atribuída pela Constituição moderna. Elas variam apenas o signo e a direção de sua indignação. Chegam mesmo a aceitar a maior esquisitice dos modernos, a ideia de um

mente justificadas por uma razão instrumental privam os diferentes do plano político, apresentando-lhes um conjunto de regras sobre as quais o "Outro" está literalmente excluído. A argumentação jurídica, revela os anseios de uma classe preocupada com a estruturação de uma ordem econômica que proteja a propriedade privada e lhe permita a acumulação incessante de capital. O Estado, enquanto instituição moderna que conta com mecanismos reificantes, propaga discursos que ocultam as desigualdades e a pluralidade cultural, utilizando-se da linguagem formal para criar modelos de direitos apresentados como algo "universal". A lei, enquanto texto, enuncia o que é proibido, o que é obrigatório e o que é normativo se torna, também, normalizante[14], permitindo que os interesses de grupos restritos, mantidos há séculos, continuem sendo favorecidos, pela ordem jurídica e política do sistema liberal.

## 2. OS PARÂMETROS NOCIVOS DA DEMOCRACIA E DOS DIREITOS HUMANOS ENQUANTO JARGÕES UNIVERSAIS

Conceitos como democracia e direitos humanos, assim como a economia de livre mercado são construídos ao longo de todo um perío-

---

tempo que passaria irreversivelmente e que anularia, atrás de si, todo o passado." LATOUR, Bruno. *Jamais fomos modernos: ensaio de antropologia simétrica.* Tradução de Carlos Irineu da Costa. Rio de Janeiro: Editora 34, 1994, p.51.

14  O pensamento foucaultiano aponta uma diferença interessante entre normatividade e normalização. "Enquanto o primeiro, apesar dos 'movimentos' que envolve, está sempre se referido a limites e interdições, ou seja, a um plano do 'deve-ser', o segundo reporta-se às noções de 'média' ou 'medida', estando referido a um plano do 'ser'. De um lado, a 'normatividade' da lei responde aos critérios de 'medida' dados pela norma. De outro lado, a norma se reporta 'as formas da lei' para atuar concretamente. Em direito penal, por exemplo, a responsabilidade do indivíduo está tradicionalmente fundada sobre a falta, e a sensação consiste em punir tal falta. Mas a ideia de segurança leva a se considerar menos a falta que a 'periculosidade' do indivíduo que a cometeu, inclusive para efeitos de pena e liberação. O condenado, em certos tipos de crimes em que entra em jogo o problema da sanidade mental, é encarcerado para ser punido de uma falta, mas não pode ser liberado sem o parecer médico sobre sua periculosidade. Desse modo, se vê o 'deslizamento' recíproco entre a normalidade da lei e os mecanismos de normalização." FONSECA, Marcio Alves. *Michel Foucault e o direito.* São Paulo: Max Limonad, 2002, p.150.

do histórico de estruturação do sistema – mundo - moderno, marcado por guerras, domínios e acumulação de capital. No entanto, esses conceitos são apresentados como verdadeiros "princípios", valores universais invocados por grandes potências mundiais para justificar o direito de intervenção (atribuídos a si mesmos) em outros países ou regiões consideradas precárias, vítimas de governos totalitários, subdesenvolvidas ou com seus povos vulneráveis a formas de violência que colocam em risco aspectos da vida tidos, por essa perspectiva hegemônica, como humanamente fundamentais. Esse direito à ingerência, vai em desencontro aos princípios de soberania[15] e autodeterminação dos povos[16] à medida que,

---

15 A soberania simboliza um ideal de independência dos Estados no contexto global. Para o direito internacional a soberania é "compartilhada", ou seja, sugere-se cooperação entre os Estados para que não haja sobreposição de interesses de um frente ao outro. "Quando a soberania se refere ao Direito Internacional, confere aos Estados um poder independente, que não admiti subordinação a nenhum outro poder, mas que é compartido por muitos entes iguais, todos os quais dispõe do atributo da soberania; no campo internacional coexistem muitos soberanos, os quais, ao ter que se relacionar, criam um sistema de coordenação, desenvolvido a partir das ideias de compromissos mútuos e obrigação de cumpri-los de boa fé." VIGNALI, Heber Arbuet. *O atributo da soberania*. Brasília: Senado Federal, 1995, p.20.

16 A autodeterminação dos povos enquanto princípio possui relevância história e política anterior à jurídica. No século XIX serviu como fundamento para a criação de novos Estados como a Itália e a Alemanha; no final da Primeira Guerra Mundial justificou a desintegração de impérios como o Austro – húngaro e o Russo. A importância do princípio da autodeterminação dos povos para o direito internacional foi reconhecida por vários tratados internacionais, entre eles a Carta das Nações Unidas. Sobretudo, durante o período da descolonização, a autodeterminação dos povos foi consagrada levando a aplicações práticas, assim como limitações. Em relação à aplicação universal do principio em análise, Cristescu, observa de forma crítica a resolução 1514 da ONU, atentando que " a Declaração e os princípios nela proclamados foram interpretados no sentido de requerer a imediata abolição da dominação de qualquer povo por um povo estrangeiro sob qualquer forma ou manifestação; foi sustentado que a abolição da dominação ao garantir a independência deveria ser completa e deveria evitar que ocorresse qualquer outra tentativa de trazer de volta qualquer influência estrangeira sobre povos que tinham alcançado a independência; que a independência não deveria significar apenas independência política, mas também independência econômica e cultural, livre de toda influência direta ou indireta ou exercício de pressão de todo tipo sobre povos ou nações, sob qualquer forma ou pretexto; que os princípios da declaração deveriam ser universalmente aplicáveis a todos os povos do mundo, sem limitação de tempo

apropriado pelas nações mais poderosas do globo, legitimam intervenções baseadas em concepções próprias sobre o caráter humanitário de suas ações, redimensionando o conceito de soberania, antes estabelecida por critérios espaciais, à esfera ideológica, motivada por consensos entre os Estados Unidos da América e a Europa, nestes casos, representada por suas grandes potências industriais.[17]

A história do sistema – mundo – moderno se explica por meio de uma retórica do poder que converte a realidade em abstração. Ao se converter a realidade em abstração, a modernidade política instaura a alienação, distanciando o próprio conteúdo da democracia da vida do povo, o que os separa de si mesmos à medida que as formas jurídicas tomam todo o espaço em detrimento de suas ações. A democracia, enquanto conteúdo, "não pode ser aprisionada em formas", "a democracia manifesta-se molecularmente"[18] e desse movimento ativo e criativo é que nasce a autodeterminação. Por essa perspectiva marxista, a democracia real é o resultado da experiência humana cotidiana, o que a torna forma e conteúdo em mutação, sendo o Estado, apenas, uma das "formas" e a

---

ou geografia, ou limitação de raça, crença ou cor, não apenas para a realização, mas também para a preservação da plena e absoluta independência dos mesmos (...)". *"The Declarations and the principles proclaimed in it were interpreted as calling for the immediate abolition of the domination of any people by an alien people in any form or manifestation; it was held that the abolition of domination by the granting of independence should be complete, and should prevent for every any attempt to revive any alien influence on peoples which had achieved independence, but also economic and cultural, free from any direct or indirect influence or exercise of pressure of any kind on peoples or nations, in any form or on any pretext; that the principles of the declaration should be universally applicable to all the peoples of the world, without any limitation of time or geography, or limitation as to race, creed or colour; not only for the achievement, but also for the preservation of their full and absolute independence [...].* In: CRISTESCU, Aureliu. *The right to self-determination: historical and current development on the basis of United Nations instruments. United Nations pubblications. New York: United Nations,* p. 7, 1981. Disponível em: < http://www.cetim.ch/en/documents/cristescu-rap-ang.pdf>. Acesso em: 25/07/2021.

17  Estudo amparado pelas obras "O universalismo europeu: a retórica do poder" e "Capitalismo histórico e Civilização Capitalista", ambas do autor nova yorkino Immanuel Wallerstein.

18  POGREBINSCHI, Thamy. *O enigma do político: Marx contra a política moderna.* Rio de Janeiro: Civilização Brasileira, 2009, p.213.

comunidade outra. Nesse sentido, Marx afirma que somente o povo é uma realidade concreta, o Estado é uma abstração.

Wallerstein ao aprofundar no que chama de "universalismo europeu", sustenta que este é um universalismo parcial e distorcido, desenvolvido para defender os interesses das classes dirigentes ou, por uma perspectiva marxista, da classe detentora dos meios de produção. Os reais objetivos desses jargões universais, que giram em torno da implementação da democracia e da defesa dos direitos humanos, estão encobertos pelo manto do discurso desenvolvimentista[19] ou civilizacional, sob o qual se encontra um passado "esquecido" que denuncia uma rede de conquistas militares, de exploração econômica e injustiças em massa cometidas na "luta da civilização contra a barbárie". O autor esclarece que, a pretexto de defender a democracia, o Estado de Direito e os direitos humanos, grandes potências invocam o direito à ingerência para, limitando a soberania, intervir em outros Estados alegando uma "responsabilidade de proteger" outras nações de práticas intoleráveis como o terrorismo, o narcotráfico, o crime organizado, o tráfico ilícito de armas, a devastação ambiental, as epidemias etc. As grandes missões cristãs do século XVI, também, atuaram em nome de verdades universais, assim como aquelas civilizadoras do século XIX, defensoras dos direitos humanos e da democracia no fim do século XX e início do século XXI.[20] Tudo isso reflete políticas de domínio e colonização sobre a cultura e o modo de vida do "Outro", obrigado à adoção de uma língua comum, "universal", e à renúncia de todo seu passado para poder participar dessa estória sem memória, escrita pelos poderosos do cenário econômico global.

As intervenções dessas grandes potências mundiais nas periferias do mundo ou "Sul – global", são estrategicamente construídas e auxiliadas pelo paradigma da simplicidade que, desconsiderando a com-

---

19    "Vale ressaltar a diferença entre crescimento econômico, onde a medida é quantitativa e desenvolvimento econômico, que indica o bem-estar, o respeito aos ecossistemas da Terra, o combate à pobreza, a distribuição de renda, o direito à água, o equilíbrio necessário à prosperação da vida." ALVIM, Flávia. Em busca da segurança perdida. Vila de Utopia, Itabira, 24, fev.2021. Disponível em < http://www. viladeutopia.com.br/em-busca-da-seguranca-perdida/>. Acesso em: 26/07/2021.

20    WALLERSTEIN, Immnuel. *O universalismo europeu: a retorica do poder*. Tradução de Beatriz Medina. São Paulo: Boitempo, 2007.

plexidade inerente ao cenário mundial, justificam práticas como as de guerra e invasão em nome dos direitos humanos ou da implementação forçada da democracia em países que não aderiram, por vontade própria, ao definido, de forma estritamente maniqueísta, como "melhor" regime instituído pela razão universal. Obscuramente, derrubando regimes "antidemocráticos" se defendem interesses econômicos e geopolíticos classistas, utilizando uma retórica que sustenta a hegemonia das mesmas potências que estão, historicamente, no poder no desequilibrado cenário mundial.

> "Os conceitos de democracia e de direitos humanos, de superioridade da civilização ocidental – porque baseada em valores e verdades universais – e de inescapabilidade da submissão ao 'mercado' são apresentados como ideias evidentes por si sós. Mas elas não são nada evidentes. Trata-se de ideias complexas que precisam ser analisadas com atenção e despidas de seus parâmetros nocivos e não essenciais para que sejam avaliadas com sobriedade e postas a serviço de todos e não de poucos."[21]

A modernidade, por meio da técnica de simplificação e abstração da realidade, formaliza ideais universais alheios à condição humana que por natureza é plural, diversa. O Ocidente, em sua versão moderna e homogenia, concentrado na unificação do sistema capitalista, tem priorizado as criações humanas (como por ex. ideias ou valores sobre igualdade, liberdade, eficiência, civilização, desenvolvimento ou progresso) e suas instituições (Estado, Direito, Igreja, mercado, ciência etc.) em detrimento das pessoas que se tornam, de fato, seus subordinados, ou seja, pessoas se tornam objetos de políticas supostamente emancipadoras e antagonicamente padronizadas pela lógica ou dinâmica de dominação imperialista, historicamente institucionalizada e regulada pelo capital.[22]

Por uma perspectiva crítica, democracia e direitos humanos são ideias concebidas por lógicas deficientes, que uniformizam a governa-

---

21 Ibidem, p.28.

22 RUBIO, David Sanches. *Encantos e desencantos dos direitos humanos: de emancipações, libertações e dominações*. Tradução de Ivone Fernandes Morchilho Lixa, Helena Henkin. Porto Algre: Livraria do Advogado, 2014.

bilidade e os modos de vida por padrões universais que restringem as expressões cotidianas em sociedades desiguais. Democracia é forma de vida, é prática plural. O exercício da cidadania se corporifica no dia a dia e os direitos humanos não são efetivados por meio de textos escritos por grupos restritos de acadêmicos, políticos ou especialistas em linguagem formal. A racionalidade instrumental aliada à mercantilização de todos os espaços da vida gera processos de exclusão e segregação em que a noção preponderante sobre democracia e direitos humanos beneficia e compreende uma parcela pequena da sociedade, o que demonstra que todo esse universalismo pregado como algo global, além de soar arrogante, não é em nada genuíno e muito menos universal.

Por uma análise crítica, podemos perceber que a democracia é simplificada por uma linguagem formal – "universal", reduzida a procedimentos que apesar de se dizerem representativos, fortalecessem um individualismo esvaziado de sentimento político, relevância e crítica social. Nesse sentido, Sánches Rubio esclarece que a democracia se transformou em um "objeto de consumo social", tudo se centraliza na "festa das eleições", em um "ritual eleitoral", que projeta imagens para controlar a vida cotidiana e os meios de comunicação difundem a mensagem de que seu uso é generalizado, provocando um conformismo político provindo de uma falsa sensação de integração e de exercício de cidadania que simplificam sua expressão[23] revelando, na verdade, a apatia do indivíduo diante de sua comunidade, sua alienação enquanto sujeito coletivo e parte integrante do corpo social. Da mesma forma, os direitos humanos só se tornam importantes, para os grandes atores do cenário econômico mundial, quando violados, o que, a depender do caso, serve de motivo ("justificativa") para que essas grandes potências coloquem em prática o que chamam de "intervenção humanitária" em nome da "paz mundial".

> *"En el mundo en que vivimos, en materia de derechos humanos, si comparamos lo que se hace con lo que se dice, a menudo nos moveremos en el terreno de la ciencia-ficción, por el abismo que existe entre ambas dimensiones. El escritor uruguayo Eduardo Ga-*

---

23    Ibidem, p. 109 – 110.

*leano comenta que tan separados están los planos de la teoría y la práctica que, si se cruzan en una esquina, pasan de largo sin saludarse porque no se conocen. Tan constantes y sistemáticas son las violaciones de los derechos humanos en todas las parcelas de la vida social, que por mucho que en el plano de lo que debe ser y las buenas palabras se diga que el ser humano los posee, la realidad nos muestra su inexistencia.*" (RUBIO, 2005. P. 52)

Dessa forma, dar sentido à democracia envolve superar o paradigma cartesiano que que se projeta sobre a natureza dos direitos humanos, enfrentando toda pretensão de controle sobre o mundo e sobre os mundos; envolve combater essa proposta hegemônica que ainda exerce seu domínio sobre o "Outro" que, segundo Walter Benjamin, está em estado de exceção permanente, privado de direitos, encoberto e invisibilizado por políticas de império que se utilizam da superficialidade dos fatos para forjar uma ideia linear de progresso na História, preenchendo-a com um tempo inventado, sem base real e, por esse motivo, homogêneo e vazio.[24]

## 3.   DISTOPIA, IMOBILIZAÇÃO E CRISE DO SISTEMA NEOLIBERAL

"Porque tudo isso sucederá num futuro ainda bastante remoto, podemos sorrir. Porém, daqui a dez ou vinte anos parecerá, possivelmente, um pouco menos divertido. Porque o que é agora mera ficção científica, tornar-se-á um fato político de todos os dias." (HUXLEY, 2000. p. 141)

A teoria crítica e a ficção científica nos chamam atenção para constantes violações aos direitos humanos como as que acontecem quando se percebem dissolvidas inúmeras garantias trabalhistas conquistadas, a transfiguração dignidade pessoal ou a devastação ambiental. A mercantilização da vida e a impossibilidade em se imaginar outras

---

24   BENJAMIN, Walter. *Sobre o conceito de história*. Tradução de Adalberto Muller, Márcio Seligmann Silva. São Paulo: Alameda, 2020.

realidades possíveis, que não sejam as amparadas pelo sistema – mundo – capitalista, tem sido uma das principais causas dessa impotência reflexiva produto da política neoliberal, ou seja, de "um projeto político de restabelecimento das condições de acumulação de capital e de restauração do poder das elites econômicas"[25] que nos conduzem a uma crise sistêmica, sem precedentes na sociedade de risco mundial.[26]

A ficção científica muitas vezes especula nosso presente para questionar ou nos alertar sobre relações excludentes que podem envolver sacrifícios humanos e/ou ambientais. Realidades projetadas sobre nossa experiência social, política e jurídica, podem ser encontradas em obras literárias distópicas, ou seja, por meio de "sociedades imaginárias com condições piores do que as presentes na própria realidade,"[27] por meio das quais se constroem análises críticas sobre as condições de vida atuais. Podemos nos perguntar, por exemplo: qual é a diferença entre a sociedade de controle atual, melhor dizendo, a sociedade conectada no ciberespaço, daquela descrita em "1984", controlada pelo "Grande Irmão"?[28] Ou mesmo: quais são as diferenças entre as consequências da peste que assolou a cidade de Orã[29] agravadas por comportamentos individualistas diante de uma epidemia, daquelas que enfrentamos atualmente, com a pandemia do novo corona vírus, devido ao fato de julgarmo-nos "livres" e pensarmos exclusivamente em nós mesmos quando deveríamos nos tratar como sujeitos coletivos para conduzirmos de forma coerente e justa esta gravíssima situação? Para responder ambas as perguntas basta observar que: nossas "teletelas" estão constantemente conectadas à internet, nossa linguagem, assim como a "novafala", se torna cada vez mais simplificada e distante da complexidade real, o "Ministério da Verdade"

---

25  HARVEY, David. *O neoliberalismo: história e implicações*. São Paulo: Edições Loyola, 2008.

26  Referência à obra de Ulrich Beck "A sociedade de risco mundial".

27  MATOS, Andityas Soares de Moura Costa. *Direito, técnica e distopia: uma leitura crítica*. Rev. Direito GV, São Paulo, v. 9, n. 1, p. 345-366, jun. 2013, p.353. Disponível em: < https://www.scielo.br/j/rdgv/a/yLppGk3Fnh6hrnpW7Md3j4q/?lang=pt&format=pdf>. Acesso em: 26/07/2021.

28  ORWELL, George. 1984. Tradução de Alexandre Hubner, Heloisa Jahn. São Paulo: Companhia das Letras, 2009.

29  Orã, cidade fictícia francesa onde se passa a obra "A peste" de Albert Camus.

nos convence a todo tempo de que "guerra é paz, liberdade é escravidão e ignorância é força" (ORWELL, 2009. p.27) e nossos mortos pela pandemia e pelo negacionismo já ultrapassam cinco milhões.

O sistema neoliberal expressa os valores de uma sociedade extremamente consumista que, apesar de globalizada, é descompromissada com a justiça socioambiental, que mesmo em meio a uma pandemia ou à catástrofe climática tende a suprimir incertezas visando a "normalização". Os números de mortos já não nos assustam mais e a desigualdade e a miséria cada dia mais evidentes não são suficientes para sair da "ilha" e/ou quebrar a bolha da alienação. Vivemos em um mundo onde tanto as riquezas quanto os riscos são distribuídos de forma radicalmente desigual, a soberania do mercado se apresenta como uma ameaça mortal e a crença na ideia de que a modernidade poderia controlar os perigos por ela criados começa a desmoronar, tornando evidente a ineficiência do Estado em responder a desafios globais que ultrapassam as fronteiras nacionais, exigindo uma nova ética orientada para o futuro.[30]

"O neoliberalismo sempre se apoiou no Estado, apesar de tê-lo difamado ideologicamente. Isso ficou absolutamente claro durante a crise dos bancos, em 2008, quando, a convite dos ideólogos neoliberais, o Estado correu para salvar o sistema bancário".[31] A humanidade está em crise, mas diante da tela estão todos com o sorriso, postando alegria e esbanjando satisfação. Fisher afirma que o capitalismo se infiltra no inconsciente da população colonizando sonhos, formatando e moldando desejos e aspirações e contribuindo para que as "realidades" apresentadas pelo sistema sejam absorvidas e interpretadas como naturais. O realismo capitalista, sob esta ótica, trata temas como a catástrofe ambiental e doenças mentais como se fossem "naturais" e demonstra que além de antropogênicas, patologias como os distúrbios mentais estão, na verdade, intimamente relacionadas a modelos capitalistas neoliberais que atribuem aos indivíduos a responsabilidade de lidar com seus

---

30    BECK, Ulrich. *A sociedade de risco mundial: em busca da segurança perdida.* Tradução de Marian Toldy e Teresa Toldy. Lisboa, Portugal: Edições 70, 2015.

31    FISHER, Mark. *Realismo capitalista: é mais fácil imaginar o fim do mundo do que o fim do capitalismo?* Tradução de Rodrigo Gonçalves, Jorge Adeodato, Maikel da Silveira. São Paulo: Autonomia Literária, 2020, p.10.

problemas e frustações. A privatização do estresse e as reformas neoliberais na educação "pra toda a vida", típica de sociedades de controle (focadas em metas de desempenho, frequência e retenção de alunos) são outros tipos de práticas que pioram o estado de saúde do ser humano, ao ponto de desestimularem as possibilidades de politização, ao mesmo tempo em que o sistema de consumo estimula falhas de compreensão em jovens que estão constantemente "conectados demais para se concentrar".[32] Se a sociedade da disciplina era, antes, retratada pela imagem do trabalhador/presidiário, hoje, sua representação se dá por meio da figura do endividado/viciado. "O capital do ciberespaço opera viciando seus usuários".[33] Adolescentes, consumidores - conectados, reconhecem facilmente *slogans*, mas se apresentam cada vez mais iletrados; a escrita não é o foco do capital e, assim como Winston[34], não estão habituados a escrever à mão.

As causas estruturais que produzem tais efeitos e tornam seres humanos objetos controlados, incapazes de compreender as causas reais de suas ações, está nesse processo desumanizante proveniente do capitalismo, que os tornam passivos, conformistas e aprisionados a um mundo de "falsas verdades". "Em vez de terem de se confrontar com outros pontos de vista em um espaço público contestado, estas comunidades *on-line* recuam para circuitos fechados" (FISHER, 2020. p. 126) refletindo instrumentos sedativos, programações. Parece ironia, mas na sociedade de risco mundial os indivíduos culpam a si mesmos sem, contudo, responsabilizarem as instituições, uma espécie de "depressão coletiva" aparece como resultado da subordinação às classes dominantes. Percebe-se uma verdadeira sedução das pessoas para que se coloquem de fora dessa consciência de classe, para que pratiquem a autovigilância, destruindo a inteligência coletiva e se distraindo em momentos entediantes para que não compreendam a gravidade do momento em que vivemos e, simplesmente, aceitem esse "novo padrão de realidade".

---

32    Ibidem, p. 46.

33    Ibidem, p.21.

34    Winston, um "herói angustiado" refém de um mundo de simplificação e opressão; personagem central da obra futurística "1984" de George Orwell.

"O realismo capitalista é uma expressão da decomposição de classe, e uma consequência da desintegração da consciência de classe. Fundamentalmente, o neoliberalismo deve ser visto como um projeto que buscava atingir esse fim. Seu compromisso – pelo menos na prática – não era libertar os mercados do controle estatal. Tratava-se, na verdade, de subordinar o Estado ao poder do capital ."[35]

O capitalismo esculpido pela modernidade demonstra uma distorção da imagem da própria sociedade diante das instituições; essas transformações acarretam crises generalizadas no Estado – nação que não consegue realizar seu poder regulador sobre os processos econômicos e sociais. Nesse sentido, a cidadania vai perdendo sua vivacidade e passa a refletir a fragilidade das funções estatais que vão sendo alteradas de múltiplas formas por aquilo que Beck chama de "modernização reflexiva"[36], que demonstra, cada dia mais, que a crença moderna em um progresso linear possui inúmeras contradições e que um vírus, circulando boa – a – boca consegue o que não conseguimos: suspender o sistema produtivo.[37] Como ressalta Latour, não se trata de "retomar ou de transformar um sistema de produção, mas de abandonar a produção como o único princípio de relação com o mundo".[38]

---

35   Ibidem, p.144.

36   *"Ahora bien, es precisamente este entramado de exclusiones y pertenencias, concebido normalmente en claves de Estado nacionales, lo que, tanto el interior de cada país como internacionalmente, está siendo minado o alterado por procesos de 'modernización reflexiva': en el interior, debido a que la identidad de lo proprio – regional, nacional o individual – por causa de múltiples procesos de movilidad, se desvanece, cuestiona o conoce nuevas mezclas: y hacia fuera, porque son cada vez más las relaciones y situaciones internacionales o transnacionales: desde la economía a las redes de información pasando por las telecomunicaciones y del deterioro de la naturaleza o él tránsito sin fronteras de materias tóxicas en el aire, el agua y los alimentos. Esta fase en la modernización industrial es lo que llamo la 'modernización reflexiva".* BECK, Ulrich. *La democracia y sus enemigos.* Barcelona: Paidós, 2000, p. 137 – 138.

37   LATOUR, Bruno. *Onde aterrar? Como se orientar politicamente no Antropoceno.* Tradução de Marcela Vieira. Rio de Janeiro: Bazar do Tempo, 2020.

38   Ibidem, p. 131.

## CONSIDERAÇÕES FINAIS

O pensamento vigente burguês que estrutura o Direito e funda o Estado Moderno possui suas origens em um passado ocultado, distorcido por aqueles que contaram a História. Os vencidos pagam, ainda hoje, o preço de se inserir em uma abstração construída pela racionalidade instrumental que conduziu a Europa e grandes potências militares ao "centro" de controle da política – econômica global, coordenando os sistemas de produção, controlando a mão de obra, definindo a linguagem "universal" e encobrindo a memória, que desobrigaria povos "atrasados" a seguirem seus passos "desenvolvidos" e "civilizados".

Nesse contexto o capitalismo cresceu criando mãos, pernas e braços. O capitalismo se tornou onipresente e contratou, de acordo com seus interesses privados, o Estado, estruturando o Direito e o tempo, que passaram a ser uniformizados, à serviço da proteção da propriedade privada e da produção que, passou, com o avanço da tecnologia, a ser controlada de qualquer lugar do planeta (espaço).

O novo cenário de globalização e a crise do sentido de cidadania cooperaram para que acelerássemos os efeitos catastróficos, consequências das vitórias da modernidade, no âmbito ambiental, social, econômico, cultural, sanitário e, entre outros, políticos. A sociedade global concentra os lucros e divide os riscos, mantendo a prática exploratória e racista da época colonial. A democracia cercada de inimigos parece mais uma ficção mal concebida pela sociedade industrial e os direitos humanos ao invés de emancipar causam danos, geram uma falsa segurança e conformismos sustentados por discursos "apaziguadores" e "universais". Junto à produção do lucro vem a produção do lixo. O capitalismo e as políticas neoliberais conseguiram trazer para o presente distopias como aquelas em que a humanidade se vê obrigada a sair da Terra por falta de condições naturais e existenciais. Acontece que a realidade tem se mostrado pior do que a própria literatura distópica e que muitos filmes de ficção-cientifica, quando nos coloca diante de cenários como o de pandemia, miséria, perda de biodiversidade e aquecimento global. Os desequilíbrios ambientais, hoje, possuem reflexos mundiais e colocam em risco as condições necessárias à nossa existência e a manutenção da vida. Então fica a pergunta: "É mais fácil imaginar o fim do mundo do que o fim do capitalismo?"[39] [40]

## REFERÊNCIAS

ARNAUDE, André – Jean. **"Al andar se hace el camiño": história da construção do campo de estudos sócio jurídicos. Sociology of Law on the move,** Canoas/RS, p. (13 – 27), 2019.

BECK, Ulrich. *A sociedade de risco mundial: em busca da segurança perdida.* Tradução de Marian Toldy e Teresa Toldy. Lisboa, Portugal: Edições 70, 2015.

BECK, Ulrich. **La democracia y sus enemigos.** Barcelona: Paidós, 2000

BENJAMIN, Walter. **Sobre o conceito de história.** Tradução de Adalberto Muller, Márcio Seligmann Silva. São Paulo: Alameda, 2020.

CASAS, Bartolomé de las. **Brevísima relación de la Destrucción de las Indias.** FV Éditions, 2018.

CAMUS, Albert. **A peste.** Tradução de Valerie Rumjanek Chaves. Rio de Janeiro: Record, 2020.

CRISTESCU, Aureliu. **The right to self-determination:** historical and current development on the basis of United Nations instruments. United Nations pubblications. *New York: United Nations*, p. 7, 1981. Disponível em: < http://www.cetim.ch/en/documents/cristescu-rap-ang.pdf>. Acesso em: 25/07/2021.

---

39    FISHER, Mark. *Realismo capitalista: é mais fácil imaginar o fim do mundo do que o fim do capitalismo?* Tradução de Rodrigo Gonçalves, Jorge Adeodato, Maikel da Silveira. São Paulo: Autonomia Literária, 2020.

40    "Para resistir a essa perda de orientação comum, será preciso aterrar em algum lugar". Será preciso que redefinamos "não apenas os afetos da vida pública, mas também suas bases". LATOUR, Bruno. *Onde aterrar? Como se orientar politicamente no Antropoceno.* Tradução de Marcela Vieira. Rio de Janeiro: Bazar do Tempo, 2020, p.11.

DUSSEL, Enrique. *1492*: **o encobrimento do outro: a origem do mito da modernidade: conferências de Frankfurt**. Tradução de Jaime A. Clasen. Petrópolis, RJ: Vozes, 1993.

ESPOSITO, Roberto. **Bios: biopolítica e filosofia**. Tradução de M. Freitas da Costa. Lisboa, Portugal: Edições 70, 2021.

FISHER, Mark. **Realismo capitalista:** é mais fácil imaginar o fim do mundo do que o fim do capitalismo? Tradução de Rodrigo Gonçalves, Jorge Adeodato, Maikel da Silveira. São Paulo: Autonomia Literária, 2020.

FONSECA, Marcio Alves. **Michel Foucault e o direito**. São Paulo: Max Limonad, 2002.

FOUCAULT, Michel. **Em defesa da sociedade**: *curso no Collège de France (1975 – 1976)*. Tradução de Maria Ermentina Galvão. São Paulo: Martins Fontes, 1999.

FOUCAULT, Michel. **Estratégia poder – saber**. Organização e seleção de textos, Manoel Barros da Mota. Tradução de Vera Lúcia Avellar Ribeiro. Rio de Janeiro: Forense Universitária, 2006.

HARVEY, David. **O neoliberalismo**: história e implicações. São Paulo: Edições Loyola, 2008.

HUXLEY, Aldous. **Regresso ao admirável mundo novo**. Tradução Eduardo Nunes Fonseca. Belo Horizonte/Rio de Janeiro: Itatiaia, 2000.

KELSEN, Hans. *A Teoria Comunista do Direito*. Tradução de Pedro Davoglio. São Paulo: Editora Contracorrente, 2021.

_____. 1881-1973. **Teoria Pura do Direito**: uma introdução à problemática jurídico – cientifica. Tradução e estudo introdutório Alexandre Travessoni Gomes Trivisonno. 1. Ed. Rio de Janeiro: Forense Universitária, 2021.

LATOUR, Bruno. **Jamais fomos modernos**: ensaio de antropologia simétrica. Tradução de Carlos Irineu da Costa. Rio de Janeiro: Editora 34, 1994.

_____. **Onde aterrar? Como se orientar politicamente no Antropoceno**. Tradução de Marcela Vieira. Rio de Janeiro: Bazar do Tempo, 2020.

MACINTYRE, Alasdair. **Depois da Virtude**: um estudo em teoria moral. Tradução de Jussara Simões. Bauru, SP: EDUSC, 2001.

MATE, Reyes. **La herencia del olvido**. Madrid: Errata Naturae Editores, 2008.

MATOS, Andityas Soares de Moura Costa. **Direito, técnica e distopia**: uma leitura crítica. Rev. Direito GV, São Paulo, v. 9, n. 1, p. 345-366, jun. 2013, p.353. Disponível em: < https://www.scielo.br/j/rdgv/a/yLppGk3Fnh6hrnpW7Md3j-4q/?lang=pt&format=pdf>.

MAX, Karl. **O capital**: crítica da economia política. Livro I. São Paulo: Boitempo, 2013.

Morin, Edgar. **Introducción al pensamiento complejo**. Gedisa, Barcelona, 1990.

ORWELL, George. **1984**. Tradução de Alexandre Hubner, Heloisa Jahn. São Paulo: Companhia das Letras, 2009.

POGREBINSCHI, Thamy. **O enigma do político**: *Marx contra a política moderna*. Rio de Janeiro: Civilização Brasileira, 2009.

ROCHA, Blanca Estela Melgarito; CERVANTES, Daniel Sandoval; ROCHA, Alma Guadalupe Melgarito (Org.). **Crítica del derecho y del estado frente la configuración del capital: pensamiento y praxis. Ciudad** Autónoma de Buenos Aires: CLACSO; Curitiba: CEPEDIS; Ciudad de México: ANEICJ, 2021. Libro digital, PDF.

RUBIO, David Sánchez. **Ciencia- ficción y derechos humanos: una aproximación desde la complejidad, las tramas sociales y los condicionales contrafácticos**. VV.AA., Suturas y fragmentos. Cuerpos y territorios em la ciencia-ficción, Fundación Antonio Tapies – Constant, Barcelona, 2005.

_____. **Encantos e desencantos dos direitos humanos**: de emancipações, libertações e dominações. Tradução de Ivone Fernandes Morchilho Lixa, Helena Henkin. Porto Algre: Livraria do Advogado, 2014.

VIGNALI, Heber Arbuet. **O atributo da soberania**. Brasília: Senado Federal, 1995, p.20.

WALLERSTEIN, Immanuel. **Capitalismo histórico e Civilização Capitalista.** Tradução de Renato Aguiar. Rio de Janeiro: Contraponto, 2001.

_____. **O universalismo europeu:** a retorica do poder. Tradução de Beatriz Medina. São Paulo: Boitempo, 2007.

# A LIBERDADE ENTRE A VERDADE E A MENTIRA EM TEMPOS DE FAKE NEWS

Luciano Morgado Guarnieri

Luciano Morgado Guarnieri. Mestrando pela PUC-SP (núcleo de Filosofia do Direito), Especialista em Direitos Humanos e Acesso à Justiça pela FGVLaw/SP, Defensor Público no Estado de Minas Gerais. E-mail: luciano.guarnieri32@gmail.com

**RESUMO:** O artigo procura abordar a pensamento de Jean Paul Sartre, delimitado no livro "A Imaginação" de 1936 e de Umberto Eco em sua obra "Entre a mentira e a ironia", a fim de destacar a liberdade como opção individual de escolha, entre a mentira e a verdade. A detenção do discurso da verdade gerou disputas sangrentas através dos tempos, pois se relaciona diretamente ao espectro de poder. No entanto, em tempos de informação em tempo real, com as redes sociais, notícias inverídicas (*fake news*), a indagação que se faz é de que se a liberdade de escolha está reservada apenas ao indivíduo e suas escolhas pessoais.

**PALAVRAS-CHAVE:** Sartre; Fake News; Epstemologia; Umberto Eco; Política.

**ABSTRACT:** The article seeks to approach the thought of Jean Paul Sartre, outlined in his 1936 book "The Imagination" and Umberto Eco in his work "Between Lies and Irony", in order to highlight freedom as an individual option to choose between lies and truth. The holding of the truth discourse has generated bloody disputes throughout the ages, as it relates directly to the power spectrum. However, in times of real-time information, with social networks, untrue news (fake news), the question is whether freedom of choice is reserved only to the individual and his personal choices.

**KEYWORDS:** Sartre; Fake News; Epistemology; Umberto Eco; Politics.

## INTRODUÇÃO

A liberdade é um princípio fundamental da democracia e tema em discussão desde tempos imemoriais. A liberdade é pedra basilar nas relações entre o povo e o Estado e nas relações entre particulares. A *Magna Charta Libertatum* de 1215 já determinava que:

> *"Nenhum homem livre será preso ou privado de uma propriedade, ou tornado fora-da-lei, ou exilado, ou de maneira alguma destruído, nem agiremos contra ele ou mandaremos alguém contra ele, a não ser por julgamento legal dos seus pares, ou pela lei da terra."*[1]

Evidentemente que o tema liberdade é anterior ao documento histórico acima apresentado, mas através dos tempos ocorreram modificações do próprio conceito do termo. Na antiguidade os gregos possuíam um conceito diverso de liberdade ao dos iluministas, isso impulsionado pela realidade dos contextos.

O próprio cristianismo experimentou modificações dos seus conceitos dogmáticos através dos denominados Cismas da igreja de Cristo, isso em nome da liberdade da fé.

Conforme narra Lynn Hunt em "A invenção dos Direitos Humanos", o insigne Thomas Jeferson ao esboçar a Declaração da Independência dos Estados Unidos (1776), escreveu que são direitos inalienáveis a todos os homens: "A Vida, a Liberdade e a Busca da Felicidade."[2]

Por mais que se valorize a vida como valor essencial aos demais, impossível seria imaginar uma vida feliz sem a liberdade. A liberdade é *conditio sine qua non* para o avanço dos valores, da interpretação desses, da produção da arte do pensamento etc.

---

1   **Biblioteca Virtual de Direitos Humanos** – Universidade de São Paulo – USP.

2   **Biblioteca Virtual de Direitos Humanos** – Universidade de São Paulo-USP. Página 13.

Não há como imaginar algo bom sem a liberdade, entretanto, a liberdade leva muitas das vezes a caminhos tortuosos. A própria democracia pode ser colocada em dúvida pela liberdade.

Nos dias atuais esse tema ganha muita relevância, principalmente devido à criação de meios de comunicação pela internet, através de redes sociais, notícias em tempo real e a rapidez de sua propagação. A divulgação da informação é livre, somos livres para recebê-las, inclusive. Agora como distinguir uma notícia falsa de uma verdadeira? O ser humano está livre para decidir sobre a veracidade dessas notícias?

O uso da mentira nas relações humanas sempre existiu, faz parte da vida em sociedade, mas até que ponto deve ser tolerada quando for evidentemente lesiva? O século XXI, traz novas complexidades para a sociedade se debruçar e discutir. O filósofo Jean-Paul Sartre desafiou e convidou a reflexão do que é ser livre na verdade. De outro lado, Umberto Eco refletiu sobre a mentira e seus reflexos.

Dentro da reflexão de Sartre e Eco atualmente em meio as denominadas Fake News, surge a indagação da liberdade entre a verdade e a mentira. Qual seria a influência da ideologia nesse processo? Será possível dizer que há liberdade de escolha numa sociedade que guarda explicações estruturais para seus preconceitos invisíveis?

A ideia do artigo é fazer refletir sobre esses temas que, claramente, não possuem respostas fáceis, objetivas e como alerta o saudoso Umberto Eco, nunca dessas respostas serão absolutas!

## 1.    A LIBERDADE EM SARTRE

O filósofo francês Jean-Paul Sartre, na gênese de seu pensamento existencialista, mais especificamente em sua obra "A Imaginação", tem como objetivo elaborar um conceito de consciência à luz da fenomenologia. O projeto é inspirado em seus estudos sobre a fenomenologia em Edmund Husserl.

Esse projeto existencialista, que é posteriormente desenvolvido por toda a vida acadêmica de Sartre, visava compreender a ontologia fenomenológica não como mero efeito cognitivo, mas relacionado a intencionalidade já que ela se apresenta como movimento pré-reflexivo anterior ao próprio pensar. Logo, o objetivo de Sartre na obra consiste em explicar a dimensão ontológica na qual o ser é aquele que possui consciência da sua existência.

O autor propõe, em perspectiva semelhante a Husserl e Heidegger, a suspensão do juízo fenomenológico (a compreensão), discriminação entre a existência como uma coisa e a existência como uma imagem. E é esse problema que leva Sartre a dedicar-se a pensar a imaginação como condição fenomenológica proveniente da experiência do vivido. A imaginação para Sartre não é meramente um processo mental, mas sim o desdobramento de uma apreensão entre o agir de nossa consciência do mundo e a maneira pela qual elaboramos nossas experiencias daquilo que nos é oferecido.

Para Sartre o ser humano é também um ser que se representa o mundo e a si mesmo, e não apenas um mundo novo. Nesse sentido, enquanto a imaginação remete a consciência imaginante, o pensar está ligado a profusão da experiência reflexiva. Logo a consciência existe desdobrada no mundo em ato, pois toda consciência é consciência de alguma coisa.

A consciência é muito mais do que um mero processo reflexivo. Na realidade, ela seria uma presunção da ação já que ela não pertence a um indivíduo, nem é a matéria prima pela qual separamos o mundo interior do exterior, mas, simplesmente, está dada no mundo. Dessa forma, utilizando Sartre dos contornos da fenomenologia proposta por Husserl, parte do pressuposto de que a imagem reflete o fenômeno da consciência percebida como intencionalidade, não estando fora do mundo e fora da realidade.

Nesse sentido, seria nossa percepção sempre superior a razão. Em razão disso, é que uma psicologia da imaginação deve levar em conta o papel fenomenológico dos sentidos e não de pura especulação. A imaginação é sempre da ordem do vivido, embora esse vivido não esteja inscrito na categoria do pensamento, já que suas características envolvem os contornos daquilo que é pré-reflexivo. Por consequência, não se pode confundir consciência com racionalidade, pois a consciência se encontra no plano fenomenológico e como tal deve ser compreendida como uma condição ontológica.

A partir dessas reflexões, Sartre parte para construção e desenvolvimento intelectual mais maduro de suas propostas. Para Sartre, a formação da consciência virá com o desenvolvimento da existência, lembrando que *a existência precede a essência!*[3]

Para Sartre, não existe um plano ou destino maior, em que seríamos apenas atores de um roteiro definido, logo, a autenticidade e, principalmente, a liberdade de cada ser humano são essenciais. A vida seria uma construção em que nós somos os agentes. Não existe uma razão metafísica para a existência, não existe natureza humana, existe sim, as essências singulares.

O ser é o que é contingente, logo, para Sartre, nós escolhemos o nosso fim, devemos criar nossos valores para a construção de nossa essência. Entretanto, sendo o homem livre e responsável para tomar suas decisões de forma individual, terá e se deparará com a liberdade. E a liberdade, sendo nosso maior valor, pode nos levar a experimentar sua maldição e essa maldição trazida pela liberdade é o que nos leva a angústia.

Em apertada sinopse, o ser humano é livre para decidir, reage de forma diferente (pessoal) às situações, pois tem como característica a contingência, é o único responsável por suas decisões, pois sempre restará a liberdade de decidir, motivo pelo qual pode levar a inquietação, a ansiedade.

Conforme o pensamento Sartreano, no que tange às possíveis Fake News em nossas redes sociais, sempre haverá uma escolha em aderir ou não a essas notícias. Pois somos contingentes, livres para escolher, logo, a responsabilidade sempre será individual, mesmo que angustiante.

Mas Sartre, ao responder indagações sociológicas e ligadas a psicologia social a respeito do agir, alegou que as influências externas ao ser individual não se justificam pois, em última análise, quem decide é o indivíduo. Em resposta asseverou: *"Não importa o que fizeram conosco, importa o que fazemos com o que fizeram conosco!"* (Sartre, 2014. p. 23).

Entretanto, o próprio Sartre observa que a liberdade de decidir pode desencadear uma inquietação e, muitas pessoas frente a essa situação, podem agir "em renúncia". Para Sartre, essa renúncia seria o que denominou má-fé. Essa má-fé seria a negativa da própria liberdade, aceitando imposições sociais a si mesmo ou atribuindo suas escolhas a fatores exteriores a sua essencialidade.

---

3   Sartre Jean- Paul. **O Ser e o Nada**. Editora Bertrand Brasil, 1989.

## 2.     A MENTIRA EM UMBERTO ECO

O acervo de Umberto Eco é vasto, motivo pelo qual o presente artigo vai se deter a uma análise a respeito da mentira, especificamente na obra *"Entre a mentira e a ironia"*. O piemontês Umberto Eco foi um grande estudioso da semiótica, acadêmico, escritor e intelectual ativo na cultura italiana e europeia.

O autor em análise sempre alertou em suas obras e palestras para o perigo das verdades absolutas, pois a verdade absoluta, por si só, já é uma mentira. Logo, o conhecimento está em saber que não é possível existir tal condição. A questão da construção dessas "verdades" sempre foi objeto de estudo de Eco.

Na obra supramencionada, Eco oferece quatro textos, todos eles com estratégias de mentira, travestimento, abusos de linguagem, inversão irônica de tais abusos, como bem define o próprio autor, na apresentação do livro. Em *Migrações de Caligliostro*, Eco aborda como as lendas transformaram tal personagem um pequeno aventureiro, curioso, ocultista e alquimista em homem culto, com poderes especiais, enigmático, imortal. A lenda de Cagliostro se une a outro personagem controverso, o Conde de Saint Germain. Esse último, figura conhecida nas cortes europeias por motivos semelhantes a Cagliostro. Conforme a lenda, Saint Germain teria iniciado Cagliostro em rituais ocultistas na cidade de Londres, revelando ao último, fórmulas secretas do elixir da juventude e da imortalidade. Quando do retorno de Cagliostro à Itália, ele funda lojas de instituições secretas com base nos ensinamentos egípcios e de outros países por onde passou, com objetivo da busca pela verdade pelo conhecimento. A surpresa de Eco de como a figura de um "charlatão" se transformou em mito é, realmente, a difusão da mentira através da magia. A utilização da narrativa através de histórias fantasiosas de que Cagliostro possuía poderes metafísicos, o tornaram numa figura desejável. Deve-se adicionar a isso o interesse de sociedades secretas na divulgação dessas histórias fantasiosas atribuídas a um líder integrante. Os interesses transformaram uma figura controversa do século XVIII em ser mitológico, respeitado, admirado até hoje, ao ponto de pessoas levarem flores ao local onde, em tese, teria falecido (Castelo de San Leo).

Em "A linguagem mendaz em Manzoni", em análise semiótica da obra *"Os noivos"*, realizada em conferência realizada na Universidade de Bologna, onde Eco era professor Catedrático, observa *uma oposição entre a linguagem verbal, veículo de mentira e engano, e signos naturais através dos quais os humildes compreendem, mesmo quando os poderosos os enganam com um latinorum* (ECO, 2006. p. 72). O pensamento de Eco traduz que a mentira é utilizada por Manzoni sem medida razoável ao colocar as classes sociais da época com a mesma linguagem e, principalmente, participando do mesmo espaço público.

Em uma passagem na crônica sobre Manzoni, Eco destaca: *(...) Delírio da razão, é certo, mas o modo como o autor lhe dá razão é a descrição de um processo de teratologia semiótica, uma história de falsificação de significantes e substituição dos significados (...).*[4]

Deve-se ressaltar que a obra de Manzoni *"Os noivos"* é um clássico, extremamente valorizado devido ao seu contexto histórico e, que de certa forma, significa a convergência da literatura italiana à época. Para Eco tem que existir um limite entre a ficção e a mentira. A ficção pode imaginar, mas deve ser verossímil e, principalmente, fiel a linguagem, a comunicação, a história, ao verdadeiro sentido dos signos. Eco destaca o esforço do autor em dizer com palavras o que não existe, ou o que não é. Por fim, Eco destaca a capacidade que tem a linguagem de evocar aquilo que não é verbal. Isso em retórica tem um nome: hipotipose.[5]

Na abordagem sobre *Campanile "O cômico como estranhamento"*, Eco se refere a esse famoso roteirista e escritor conhecido pelo humor surreal e a utilização de trocadilhos que, segundo Eco, *joga com a linguagem e seus clichês, vira frases feitas do avesso como luvas, provoca efeitos de estranhamento. (...) Campanile mente por ironia (...).*[6]

O autor se refere ao uso da ironia para mentir, pois a ironia não deixa de ser um artifício para não dizer o que se realmente pensa. Para Eco a forma utilizada por Campanile supera o razoável, pois recicla vá-

---

4    Ob. Vit. Pág. 84.

5    HIPOTIPOSE: **descrição de uma cena ou situação com cores tão vivas, que faz o ouvinte ou leitor ter a sensação de que as presencia pessoalmente** – Dicionário Larrousse).

6    **Ibid.**,96.

rias vezes o mesmo material para mentir de formas diferentes. O humorista que utiliza de artimanhas para contar a mesma piada e fazer rir da mesma coisa de formas diferentes. Para Eco, não passa de uma farsa.

Na geografia imperfeita de Corto Maltese[7] – Corto Maltese é um personagem fictício de quadrinhos criado por Hugo Pratt em 1967. Nesse texto, Eco destaca que, geralmente, não confia nos autores pois estes mentem com frequência e que confia apenas nos textos. Ao abordar as aventuras de Corto Maltese, Eco detêm suas maiores críticas ao autor, pois a este, segundo ele, lhe falta precisão geográfica, motivo pelo qual torna a personagem contestável pois suas aventuras estão desconectadas com a razão lógico verossímil. Apesar de dizer que confia mais nos textos, atribui a responsabilidade de suas imprecisões ao seu autor, Hugo Pratt, pois o personagem, na maioria das vezes, é o autor.

O intelectual Umberto Eco teve como sua principal ocupação os limites da interpretação. A dificuldade da comunicação entre a intenção do autor e a recepção do leitor. Na maioria das vezes, se preocupa em descobrir como o autor do texto trabalha com os signos dentro de um sistema semiológico a ser interpretado. O texto tem autonomia, mas o autor também deve ser considerado, pois tudo isso faz parte do processo de conhecimento.

O erudito Umberto Eco era polifacético. A tarefa de interpretar seus textos sempre será um desafio, entretanto, aparentemente, é um crítico do uso desmedido da mentira. Aquela fábula com o objetivo de enganar com desígnios ocultos, incomodavam, e muito, a Eco. A transformação de personagens comuns em mitos, cenários históricos imprecisos e inverídicos, utilização de narrativas enganosas, dentre outras artimanhas são para Eco inaceitáveis e devem ser combatidas.

Em 2015, Eco declarou que a internet poderia tomar o lugar do mau jornalismo.[8] Em seu último romance "Número Zero", crítica de forma direta a informação no século XXI e a internet. Para Eco, a internet é um verdadeiro campo de batalhas das ideias, das verdades e das mentiras.

---

7    **CORTO MALTESE é um personagem fictício de quadrinhos criado por Hugo Pratt em 1967.**

8    Acessado em: https://brasil.elpais.com/brasil/2015/03/26/cultura/1427393303_512601.hml. Data:15/06/2021.

Como detectar as mentiras? Esse é o grande desafio desse século para Eco, pois os meios de comunicação devem e servem para a preservação da democracia, da pluralidade e, principalmente, garantidor da liberdade.

## 3.   A LIBERDADE ENTRE A VERDADE E A MENTIRA DENTRO DAS PERSPECTIVAS APRESENTADAS DE SARTRE E ECO

O sentido da palavra liberdade possui diversos sentidos. Desse modo, no presente artigo se objetiva referir-se ao grau de independência legítimo que um cidadão, possui uma nação o elege como supremo valor (conceito de liberdade – dicionário).

A liberdade é um dos slogans utilizados durante a Revolução francesa, é uma espécie de clamor da democracia constitucional liberal. As reivindicações liberais provenientes das ideias iluministas superaram o autoritarismo da monarquia absolutista do *Ancien Régime*.

Desde então, no não tão longínquo 1789, a liberdade nas democracias ocidentais, ainda que recentes como a brasileira (1985), reivindicam a liberdade como um verdadeiro cânon da república.

Na Constituição Federal de 1988, foram elencados no artigo quinto e seus incisos, os direitos individuais fundamentais da República Federativa do Brasil. E a liberdade está mencionado no caput do artigo mencionado, dado sua importância.

Entretanto, no que se refere ao ser humano propriamente dito, a liberdade traz responsabilidade. É natural que seja assim, tanto nas decisões pessoais onde se pontua a liberdade de escolha, como valor a ser garantido nas relações sociais.

Para dialogar com Sartre e Eco na questão da verdade ou da mentira, o enfrentamento do significado da liberdade se faz salutar. Para Sartre o ser humano é inteiramente livre para decidir. Através do método fenomenológico, propôs com fundamento na teoria de Husserl a compreensão da consciência (intenção) através da Epocké (suspensão do juízo). Para Sartre, o problema está concentrado na vontade (HUSSERL, 2008). O ser humano deve decidir, dentro de sua liberdade ou renunciá-la (má-fé). Essa renúncia seria adesão a uma decisão de outrem ou de algum grupo social etc. Nesse sentido, Sartre se aproxima muito das ideias de Heidegger no que este entendia por decidir a ter uma vida autêntica ou inautêntica.

Para Umberto Eco, a mentira parece ser uma escolha para quem a fábrica e, nem tanto, para quem a adere. Entre aquele que se utiliza da mentira para com o receptor existe a linguagem comunicativa, na maioria das vezes. Provavelmente Eco, analisaria, no caso concreto, se a notícia enganosa teria capacidade de enganar.

O mais importante seria alocar a liberdade entre essas duas possibilidades e em posições de proponente e receptor da notícia verdadeira ou mentirosa. Num primeiro momento pode-se indagar qual o poder de discernimento do receptor, como das qualidades de persuasão de quem emite a informação sendo verdade ou mentira.

Para Sartre a verdade é a liberdade em decidir[9]. Em última análise, seria uma ação comissiva, seria o agir. A mentira seria a renúncia, pois eivada de má-fé, ato quase que omissivo, pois de acordo ou em acordo com outras pessoas, contaminando a própria liberdade pessoal, bem mais valioso do ser humano.

Em Umberto Eco, percebe-se, principalmente, de que sua crítica se dá sobre a verdade absoluta, que por si só, já seria uma mentira para o autor.

## 4. A CONSTRUÇÃO DA NARRATIVA DA VERDADE NOS TEMPOS HODIERNOS (A PARTIR DA MODERNIDADE)

A disputa de narrativas na comunicação (linguagem) do que seria verdade e por sua consequência lógica, a mentira, data de tempos imemoriais pois, pertencente a esfera de poder. As religiões por muito tempo, detiveram por assim dizer essa prerrogativa.

Com a Reforma Protestante há um verdadeiro rompimento com a cosmovisão de mundo no ocidente. Como bem destaca Luis Fernando Barzotto *(o positivismo jurídico Contemporâneo – uma introdução a Kelsen, Ross e Hart. Livraria di Advogado segunda edição, Porto Alegre, 2007, fls.,31/32)*, fora possível encontrar pessoas no mesmo espaço geográfico com visões e valores de mundo diversos (FERNANDO BARZOTTO ,

---

9    **Ibid.**, p.

2007). Com o movimento de reforma, não há mais valores pragmáticos que tenham anuência difusa. A discordância em relação a interpretação dos valores dirigiu-se para a esfera da intimidade familiar a compreensão da verdade teológica.

Em a Ética Protestante no Espírito do Capitalismo, Max Weber destaca a influência religiosa no próprio desenvolvimento do capitalismo europeu e norte-americano. A forma de compreensão do trabalho e da acumulação patrimonial diferenciada entre cristãos católicos e cristãos protestantes, principalmente aos de tradição calvinista, renderam caminhos opostos aos países em que o autor se debruçou a analisar (WEBER, 2019).

Na Alemanha, percebeu Weber, que havia uma diferença econômica e política entre católicos e protestantes no final do século XIX e início do século XX. O profícuo Weber, filho de um pai político e de uma mãe cristã de tradição protestante luterana, apesar de se declarar ateu, desde cedo atraiu-se pelo estudo das religiões para a compreensão da sociedade, influenciado pelos estudos de Karl Marx e pelos escritos de seu contemporâneo o francês, Emile Durkheim. Atualmente, se considera, na sociologia Karl Marx, Emile Durkheim e Max Weber um verdadeiro tripé de estudo obrigatório dessa jovem ciência humana.

Nos estudos de Weber, principalmente naqueles reunidos na obra, a Ética protestante e o espírito do Capitalismo, o autor destaca a constatação de uma diacronia linguística no que tange a compreensão da palavra predestinação. Para os católicos, com fundamento na doutrina patrística de Santo Agostinho, a predestinação possui características com avaliação ético-religiosa de uma vida e, em última análise, quem faz as escolhas é o ser humano através de seu livre-arbítrio (WEBER, 2019). Logo, os motivos que levam uma pessoa a salvação eterna, será sua livre escolha entre o certo e o errado.

Na reforma protestante, Martin Lutero propõe um conceito diferente para a predestinação. Para Lutero, Deus é onisciente, onipresente, conhecedor de tudo e de todos, logo, é sabedor daqueles que merecerão a salvação. Através da compreensão proposta por Lutero nada que seja feito pelo homem poderá alterar esse destino. O ser humano já nasce predestinado para a salvação, ou não.

Outro grande autor estudioso do século do século XVI e XVII, Walter Benjamim, em sua obra "O drama do barroco alemão", retrata que essa nova concepção causou nítido abatimento no homem alemão e europeu à época. Essa situação se deu devido a interpretação cognitiva de que nada que a pessoa pudesse fazer durante a vida, por mais valiosa que fosse, não alteraria seu destino (BENJAMIM,1984).

Entretanto, surge uma proposta nova em meio à discussão, o que ocasionaria o nascimento de um novo paradigma interpretativo. A proposta de Jean Calvino cria um novo cenário no continente europeu de então. O movimento Calvinista concorda com quase tudo que fora proposto pelo movimento Luterano: Deus é onisciente, onipresente, sabe todas as coisas, inclusive àqueles que são os escolhidos (predestinados) para a salvação eterna (BENJAMIM, 1984).

No entanto, pondera que a vida nos dá sinais, indícios para a identificação desses predestinados à salvação divina. E esses sinais seriam, de forma geral, o controle, a resistência ao pecado e o prosperar econômico-financeiro. A acumulação de patrimônio, de riquezas, seria um sinal forte, pois a manifestação divina de bênçãos aos escolhidos.

Para Weber, essa diacronia linguística do termo predestinação, principalmente através da proposta de Calvino, influência, de forma direta o nascedouro do capitalismo, num primeiro momento no continente europeu e posteriormente na américa do norte, mais propriamente nos Estados Unidos da América.

Na Europa, Weber observa que países de maioria protestante se adaptaram melhor e mais rapidamente ao novo sistema de produção de estava em seu nascedouro, o capitalismo, como a Holanda e países do Reino Unido. Nos Estados Unidos da América, país que Weber visitou *in loco*, esse autor destaca que a imigração em massa para aquele país fora constituída de imigrantes protestantes puritanos (de matriz Calvinista), se adaptou rapidamente aos princípios capitalistas de formação de um estado liberal, inclusive. Na Alemanha da época, Weber constata que os protestantes em sua maioria, possuía condições financeiras melhores que os católicos e que ocupavam a maioria dos cargos estatais dito de poder.

O obstinado Max Weber ainda constata que na Europa, países em sua maioria católica como Espanha, Portugal, França, tiveram uma dificuldade maior para se adaptarem e se desenvolverem no capitalismo.

Evidentemente, Weber se refere a origem do capitalismo e o que contribuiu para a melhor adaptação dos países, hoje os denominados de primeiro mundo, e sua acomodação ao atual meio de produção capitalista. Na atualidade, com a laicização dessa origem mencionada, a forma proposta por Calvino transformou-se em verdadeira cultura capitalista, principalmente nos dias hodiernos, onde o mercado de consumo influencia a tudo e todos na sociedade ocidental.

A narrativa da verdade na contemporaneidade, em meio a toda essa influência histórica, acaba por se influenciar, sobremaneira, a partir de uma visão institucionalizada. É por assim dizer uma verdade utilitária, que deve servir a algum objetivo ou a alguém. Uma pergunta mais provocativa seria feita por Michel Foulcault: quais seriam os efeitos dessa colocação de verdade? (FOULCAULT, 2012). Certamente, efeitos múltiplos e contraditórios, pois a forma maniqueísta e binária de se imaginar e criar a verdade nos levaria a isto. Para Foulcault a verdade é fruto de uma criação convencional e histórica (FOULCAULT, 2012). Certamente, serviu para determinado momento histórico para controle, detenção do poder, dentre outros interesses existentes à época. Nessa perspectiva, nota-se pouco espaço para a liberdade em decidir entre a verdade e a mentira, pois conforme as informações debatidas até aqui, a verdade foi através dos tempos, forma de detenção de poder. E essa verdade era prerrogativa de uma razão metafísica que não poderia ser enfrentada.

## 5.    A IDEOLOGIA COMO VERDADE (OU MENTIRA)

O significado da palavra ideologia é equívoco, ou seja, possui mais de um sentido. Entretanto, nesse artigo se utilizará do conceito fornecido por Norberto Bobbio, Nicola Matteucci e Gianfranco Pasquino na obra Dicionário de Política (BOBBIO, 2001). Segundo os autores, o conceito de ideologia em meio a uma gama de sentidos, se divide em dois significados mais destacados. O primeiro determinado por Bobbio como "significado fraco" e o segundo como "significado forte". No seu significado fraco:

> *"ideologia designa o genus, ou a species de forma diferente definida, dos sistemas de crenças políticas: um conjunto de ideias e de valores*

*respeitantes à ordem pública e tendo como função orientar os comportamentos políticos coletivos."* (BOBBIO, 2001.p. 585.

O significado forte tem origem no conceito de Ideologia de Karl Marx, entendido como:

> *"falsa consciência das relações de domínio entre as classes, e se diferencia claramente do primeiro porque mantém no próprio centro, diversamente modificada, corrigida ou alterada pelos vários autores, a noção de falsidade: a ideologia é uma crença falsa"* (BOBBIO, 2001. Pág. 585)

No significado fraco, ideologia é um crédito equânime que dispensa o caráter eventual e ludibriante das crenças políticas. E a natureza da ideologia é atribuída a uma convicção, a um ato ou a uma tendência política pela aparição neles, *"de certos elementos típicos, como o doutrinarismo, o dogmatismo, um forte componente passional, etc., que foram diversamente definidos e organizados por vários autores"* (BOBBIO, 2001. Pág. 586).

O conceito utilizado de ideologia pelo senso comum e também no cotidiano pelos profissionais da política, sociologia e do direito, se refere ao conceito "fraco de ideologia" (BOBBIO, 2001. Pág. 586) conforme Bobbio.

Como demonstrado acima, a palavra ideologia sofreu modificações em seu conceito original, sendo agregado novos significados. Hodiernamente, o termo ideologia tem sido mais utilizado para identificar uma forma de pensamento político. Os noticiários televisivos dividem a ideologia como pensamento liberal de direita e social-democrata de esquerda, entre outros marcadores associados ao pêndulo direita e esquerda.

Desde 2014 o Brasil vem passando por crises políticas e econômicas frequentes, ora ocasionadas pelo cenário internacional, ora pela instabilidade política interna. Com o impedimento da Presidenta Dilma em 2016, houve uma ruptura no cenário político brasileiro, ocorrendo uma espécie de polarização das ideias e objetivos republicanos.

Os extremos políticos, tão raros no país desde a democratização em 1985, vieram à tona. Os discursos de intolerância contra as minorias tão combatidos pela maioria de outrora, voltaram com força e com um apoio pouco previsível, inclusive por parte da imprensa. As declarações de intolerância passaram a ser interpretadas como livre manifestação do pensamento garantido pela Constituição Federal.

O país teria uma nova razão para reafirmar a democracia e a república: o combate a corrupção. O partido do governo que sofreu o impedimento passou a ser sinônimo de corrupção e, esse rótulo, possibilitou o surgimento de novos (não tão novos no cenário político nacional) políticos e o fortalecimento de determinadas instituições.

As instituições competentes para investigar, processar e julgar criminalmente, os denominados corruptos foram elevados à condição de paradigmas de atuação para um modelo de um país que almeja ser sério e livre da corrupção. A imprensa deu seu total apoio participando, inclusive, de detalhes das investigações quase em tempo real. A advocacia criminal experimentou um golpe nunca visto nos piores dos cenários a ponto de o próprio órgão de classe à época declarar apoio a relativização de direitos individuais fundamentais dos investigados e até de seus advogados.

A imprensa, profissionais do direito, a população em geral, todos unidos pelo combate a corrupção não importam os meios. A obra "*O Príncipe*, de Nicolau Maquiavel", volta a ser referência como forma de conduta para o fim específico de exterminar com a corrupção no Brasil.

A narrativa de combate a corrupção, alcançou seu apogeu com os resultados das eleições de 2018. Além da eleição de um novo Presidente da República, eleito com um discurso oposto ao partido outrora governante, ouve uma renovação de aproximadamente, 50% (cinquenta por cento) do Congresso Nacional. Deve-se salientar que o maior nome do combate a corrupção, então juiz da Operação Lava-Jato, aceitou o cargo de Ministro da Justiça ofertado pelo atual Presidente da República.

Em meio a todo esse cenário, anteriormente às eleições, deflagraram muitas denúncias a respeito da credibilidade das urnas eletrônicas pelas redes sociais em geral e, principalmente, pelo novo modo de comunicação, novidade dos smartphones, o sistema WhatsApp. Após as eleições as denúncias perderam força, retornando apenas no atual momento, devido à proximidade com o novo pleito eleitoral marcado para 2022.

A ideologia em seu conceito fraco, como anotado por Bobbio, é muito forte na realidade. As redes sociais não param de emitir informações numa velocidade alucinante e, claramente comprometida com interesses direcionados e diversos. É possível identificar o veículo com os interesses de determinado partido ou político simplesmente pela linguagem e forma com a qual se de comunica.

A ética tão discutida nos bancos acadêmicos, acabou por sofrer certa flexibilização com o fundamento de uma necessária "transmissão da verdade". O interesse em dividir as opções políticas em duas apenas, prejudica a democracia no debate de ideias e rotula o pensamento a opções modulares estanques. Na verdade, tal recurso de narrativa não é novo, o que assusta é que esses recursos foram outrora utilizados historicamente por personagens nem um pouco saudosos. A democracia é também a arte da tolerância de escutar, conviver e aceitar àqueles que não concordamos com seu ideário político.

Num cenário tão beligerante das ideias de verdade e da mentira vem à baila a discussão da liberdade de escolha entre essas possibilidades em tempos de Fake News.

## 6. A LIBERDADE DE ESCOLHA ENTRE A VERDADE E A MENTIRA EM TEMPOS DE FAKE NEWS

Como narrado anteriormente, pode-se perceber que dentro do cenário atual a liberdade de escolha entre a verdade e a mentira não parece ser missão tão simples como poderia parecer sem uma detida reflexão sobre o contexto social político atual. O caráter ideológico, a formação da subjetividade pessoal, visão de mundo, experiências vividas, oportunidades, dentre outros motivos, influenciam sobremaneira nas decisões dos seres humanos.

O autoconhecimento é essencial para entender nossas decisões, entretanto existe coisas que nos são dadas desde a infância, a formação e educação familiar até o fim de nossos dias. O ser humano é um ser político por sua essência e gregário por sua natureza, não há como se imaginar no mundo sem o outro um. O nascimento já nos coloca numa relação dual com a mãe ou com quem faça o papel dela. Não se pode esquecer que o ser humano é um ser contingente, ou seja, pode reagir de formas diversas às mesmas situações.

O ser humano não é uma máquina, felizmente. Possui sentimentos, sensações, emoções que também influenciam nas decisões. Mas, como bem assinala Elias Canetti, em sua obra "Massa e Poder": "(...) é *fundamental ler e refletir, caso contrário a informação não abre horizontes, mas escraviza"* (CANETTI, 2008).

A formação do ser humano é essencial para a melhor interpretação da informação. Essa formação não se trata apenas de uma formação educacional escolar e sim, numa educação para a cidadania. A conscientização de que o ser não é único e de que necessita do outro para praticamente todos os atos em sociedade, tem que levar a um hábito mais coletivo.

O grande filosofo grego Aristóteles, em "Ética a Nicômaco", recomenda o hábito como forma de aprimoramento das virtudes[10]. A virtude tem que ser praticada para ser desenvolvida. É o hábito que transforma um homem virtuoso para a polis. Logo, é necessário praticar uma educação cidadã, com consciência de que o interesse coletivo deve estar acima dos interesses individuais.

O hábito de não repassar notícias as quais não se tem certeza de sua veracidade, não difamar nas redes sociais a quem não coaduna com suas opiniões e não partilha do gosto de determinados candidatos aos quais você admira, já seria, por si só, um combate efetivo em relação ao ódio nas redes sociais e as Fakes News.

A liberdade de escolha existe entre as condições verdadeiramente expostas. Qualquer influência de caráter opinativo injusta já transforma a situação em carente de veracidade. A política é essencial para a sociedade e deve ser levada com a seriedade que a situação recomenda. Como bem relata Hannah Arendt em sua obra "A Política": *(...) a política é o espaço público para reivindicar as nossas igualdades e para pleitear nossas diferenças"* (ARENDT, 1998). A política é a ontologia da pluralidade, é o espaço de ação, de desejos, não pode existir uma opinião única.

Quando Martin Heidegger, em seu primeiro período de seu estudo da fenomenologia, com clara influência em Edmund Husserl, propõe a Teoria do Ser (HEIDEGGER, 2015). Muitas coisas interessantes são colocadas como propostas para uma sociedade mais humana, principalmente em uma de suas conclusões salutares. Deve-se ressaltar que

---

10   ARISTÓTELES. **Ética à Nicômaco.**

Sartre fora claramente influenciado pelas ideias de Heidegger também, além de Husserl.

Para Heidegger, o fundamento da existência é o ser. Não existe nada além disso, logo a metafísica fracassou. O único ser que pode entender o fundamento de todos os seres é o homem. O homem que se relaciona com o mundo, o homem já é um ser no mundo. É o que ele denominou Dasein – Ser aí.

A proposta é de estudar o ser a partir de sua existência humana, dentro de sua factibilidade, inseridos no mundo (todos os problemas existentes) e a transcendência. Nada mais é do que a nossa capacidade de nos projetarmos, é o ser que se constrói no tempo, a consciência de liberdade, a capacidade para dar sentido a minha consciência.

A única certeza da vida é a morte. Essa é inexorável. Diante dessa certeza as pessoas podem reagir de duas maneiras. As pessoas podem ficar indiferentes a essa realidade, entenderem que esse dia demorará a chegar ou até que não chegará. Ou outros podem se angustiar. Entretanto, essa angústia, segundo Heidegger, é um elemento essencial para o conhecimento de nossa finitude[11]. Esse conhecimento traz a liberdade para o desenvolvimento da capacidade de dar sentido à vida.

Logo, a consciência da finitude é o caminho para traçar uma vida autêntica. Claro que todos possuem liberdade para traçar um projeto tendo uma vida autêntica ou optar por uma vida inautêntica e viver no que Heidegger denominou de anonimato. O anonimato seria o não procurar o sentido último das coisas, da existência humana.

A natureza do relacionamento com os outros, o Dasein, como bem denominou Heidegger, ou traduzido ao português por Ser-Aí, nos leva obrigatoriamente a perceber que somos seres sociais e essa é a condição originária básica para desenvolver o cuidar.

A vida autêntica nos dá consciência que somos seres sociais, logo devemos cuidar uns dos outros como cuidamos de nós mesmos.

Talvez, a filosofia possa trazer um pouco de reflexão para todos da importância do outro nas relações sociais. Não há sociedade sem cidadania, sem civismo, sem a política. O discurso de ódio, as Fakes News, dentre outros atos violentos, não têm quaisquer conexões lógico-racio-

---

11   **Idib.**

nal numa sociedade que busca respeitar a liberdade de todos, mesmo porque, para existir liberdade teremos que ter uma igualdade maior, ainda que relativa, pois a igualdade absoluta não é possível em respeito a condição humana e das particularidades de cada um.

## CONCLUSÃO

O tema da liberdade entre opções claras e diferentes parece ser unicamente um processo de escolha pessoal. No entanto, quando se coloca a decisão entre a verdade e a mentira é sedutor entender que a melhor opção sempre será a verdade. A forma binária de nossa formação do pensamento, parece sempre trabalhar com o certo e o errado, e parece claro que entre decidir pela verdade e por algo mentiroso devemos ficar ao lado da verdade. O problema é que nem sempre a verdade é boa e nem sempre somos capazes de detectar a mentira, a farsa, a fábula.

A formação humana pessoal e coletiva passa por várias etapas, desde a formação da subjetividade até a construção das ideologias visíveis as quais podemos aderir de forma espontânea, até as invisíveis, aquelas que nos fazem aderir, sem perceber.

A vida faz com que o ser humano esteja constantemente num processo de escolhas. E, infelizmente, a ignorar outras situações que poderiam ser incluídas nesse processo. O filosofo Jean-Paul Sartre nos alerta da responsabilidade de nossas decisões e da importância de fazer as escolhas certas dentro de nossa liberdade individual. Em última análise, somos responsáveis pelo nosso sucesso e pela nossa desgraça. Somos livres para isso, ainda que seja angustiante.

Para Umberto Eco, a mentira é um problema que deve ser combatido. Uma mentira sempre possui uma espécie de trapaça, de desonestidade pois, se trata de meio enganador. O mentiroso está sempre querendo levar alguma vantagem através do artifício empregado. Como literário que foi também criticou as verdades absolutas, pois sempre há uma relação de poder nisso. A detenção da verdade não deve ser prerrogativa de ninguém, pois toda verdade absoluta, já se traduz numa mentira.

O que esses dois autores contribuem para analisarmos o momento em que vivemos? Atualmente existe um clima de desconfiança presumida em relação a todos. A sociedade se divide em grupos, instituições com o objetivo de se proteger e a busca pelos "iguais" nunca foi tão clara.

A evolução tecnológica contribui para isso na medida que através das redes sociais é possível, inclusive, detectar seus gostos e interesses através de algoritmos.

Em tempos de Fake News a liberdade de escolha passa a ser mais delicada, pois até que ponto aquela notícia é falsa, se me interessa? A vontade de que tal notícia seja verídica pode levar, inclusive, a divulgação em massa da Fake News. Nesse sentido, Sartre diria que a responsabilidade sempre será nossa.

Mas, quando a notícia é mentirosa, mas veiculada em um veículo aparentemente isento ou proveniente de uma pessoa confiável? Como devo proceder pois se verdadeira for a notícia estaremos por realizar um ato de cidadania. Nesse caso, Eco diria para se precaver no limite máximo de nossas forças, pois uma mentira pode destruir uma reputação em segundos.

O tema é enigmático, pois não existem respostas simples para soluções numa sociedade complexa.

A necessidade de regulamentação de regras para utilização das redes sociais é uma realidade, entretanto, é sabido que a liberdade deve ser respeitada, dentro dos ditames legais.

Mais importante que a regulamentação legal é a educação cidadã para os valores. O outro tem que ser visto como um ser necessário para a minha existência em sociedade. Não somos nada sozinhos. Não há sentido algum a discussão da felicidade individual apenas. A busca da felicidade parece ser uma constante em todos os seres vivos ao redor do mundo, todos querem ser felizes. A única constatação nesse sentido é de que não há forma de ser feliz sem a presença de outro alguém.

## REFERÊNCIAS

ARENDT, Hannah. **O que é Política?**. Rio de Janeiro: Bertrand Brasil, 1998.

ARENDT, Hannah. **Entre o passado e o futuro**. São Paulo: Perspectiva, 1972.

ARENDT, Hannah. **A Condição Humana.** 9ª edição. Rio de Janeiro: Forense Universitária, 1999.

ARISTÓTELES. **Ética a Nicômaco.**

ARISTÓTELES. **La Politica.** Madrid: Editorial Gredos, 1995. Acessado em: https://brasil.elpais.com/brasil/2015/03/26/cultura/1427393303_512601.html. Data 15/06/2021.

BAUMAN, Zygmunt. **Modernidade Liquida.** Rio de Janeiro: Zahar, 2001.

BERGEL, Jean-Louis. **Teoria Geraldo Direito.** São Paulo: Martins Fontes, 2001.

Biblioteca Virtual de Direitos Humanos - Universidade de São Paulo – USP.

Biblioteca Virtual de Direitos Humanos - Universidade de São Paulo – USP. Pag. 13.

BENJAMIM, Walter. **O Drama do Barroco Alemão.** Tradução, apresentação e notas: Sergio Paulo Rouanet. Editora Brasiliense, 1984.

BOBBIO, Norberto. **Dicionário de Política.** Editora Universidade de Brasília, primeira edição, 2001.

BOBBIO, Norberto. **Dicionário de Política.** Editora Universidade de Brasília, primeira edição, 2001. Pág. 585.

BOBBIO, Norberto. **Dicionário de Política.** Editora Universidade de Brasília, primeira edição, 2001. Pág. 586.

BOBBIO, Norberto. **A era dos direitos.** 10ª ed. Rio de Janeiro: Campus, 1992.

CANETTI, Elias. **Massa e Poder.** São Paulo: Companhia das Letras, 2008.

CASCARDI, A. et alii. **Retorica e comunicação.** Porto Edições ASA, 1994.

CASSIN, Barbara. **Ensaios sofísticos.** São Paulo: Siciliano, 1990.

CICERO. **De l'invention.** Paris: Garnier, 1932.

CHOMSKY, Noam. **A Minoria Prospera e a Multidão Inquieta.** Brasília: UnB,1999.

ECO, Umberto. **Entre a Mentira e a Ironia.** Rio de Janeiro: Record, 2006.

EPICURO. **Carta sobre a Felicidade.** São Paulo: UNESP, sd.

FLAUBERT, Gustave. **Madame Bovary.** São Paulo: Nova Alexandria, 2007.

FOULCAULT, Michel. **Arqueologia do Saber.** 8ª edição, editora Forense Universitária, 2012.

FERNANDO BARZOTTO, Luiz. O Positivismo Jurídico Contemporâneo – **uma introdução a Kelsen, Ross e Hart. Livraria do Advogado.** Fls: 231/232 – 2ª Edição – Porto Alegre, 2007.

GARCIA MAYNEZ, Eduardo. **Logica Del Raciocínio Jurídico.** Mexico: Fondo de Cultura Económica, 1964.

HABERMAS, Jurgen. **Conhecimento e interesse.** Rio de Janeiro: Guanabara, 1987.

HABERMAS, Jurgen. **Comentários a ética do discurso.** Lisboa: Instituto Piaget, 1991.

HAN, Byung Chul. **Agonia de Eros.** Petrópolis: Vozes, 2017.

HOBBES, Thomas. **Elementos do Direito Natural e Político.** Porto: RES Editora, sd.

HUSSERL, Edmund. **A ideia de Fenomenologia.** Editora Edições 70-Brasil, 2008.

KANT, Emmanuel. **Crítica da Razão Pura.** Paris: Alcan, 1927.

LA BOETIE, Etienne De. **Discurso da Servidão Voluntaria.** São Paulo: Martin Claret. 2015.

LAFER, Celso e FERRAZ, T. S. coord. **Direito Política Filosofia Poesia.** São Paulo: Saraiva, 1992.

LIPOVETSKY, Gilles e CHARLES, Sebastien. **Os Tempos Hipermodernos.**

LUHMANN, Niklas. **Sociologia do Direito** I. Rio de Janeiro: Tempo Brasileiro, 1983.

MACHADO DE ASSIS, Joaquim Maria. **Dom Casmurro.** São Paulo: abril, 2010.

MAQUIAVEL, Nicolau. **O Príncipe.** São Paulo: Cultrix, 1995.

MAQUIAVEL, Nicolau. **Escritos Políticos.** Bauru: EDIPRO, 1995.

MARITAIN, Jacques. **Sete Lições Sobre o Ser.** 3ª ed., São Paulo: Loyola, 2005.

MILL, John Stuart. **Sobre a liberdade.** Petrópolis: Vozes, 1991.

MONTAIGNE. **Sobre a Vaidade.** São Paulo: Martins Fontes, 1998.

MORE, Thomas, **Utopia.**

PERELMAN, Cha'im. **Ética e Direito.** São Paulo: Martins Fontes, 1996.

PERELMAN, Cha'im. **Retoricas.** São Paulo: Martins Fontes, 1997.

PERELMAN, Cha'im. **Tratado da argumentação.** São Paulo: Martins Fontes, 1996.

PLATÃO. **O Banquete.** Bauru: Edipro 1996.

PLATÃO. **Fedro.**

REALE, Miguel. **Filosofia do Direito.** São Paulo: Saraiva, 1996.

REALE, Migue. **Cinco temas do culturalismo.** São Paulo: Saraiva, 2000.

REBOUL, Olivier. **Introdução a Retorica.** São Paulo: Martins Fontes, 1998.

ROTTERDAM, Erasmo de. **Elogio da Loucura.** Bauru: Edipro, 1995.

ROUSSEAU, JJ. **Emilio ou Da Educa ao.** 3a ed., Rio de Janeiro: Bertrand Brasil, 1995.

ROUSSEAU, JJ. **Discurso Sobre a Origem e os Fundamentos da Desigualdade entre os homens.** São Paulo: Ática, 1989.

SARTRE, Jean Paul. **A Imaginação.** 8ª ed., Rio de Janeiro: Bertrand Brasil, 1989.

VOLTAIRE. **O Preço da Justiça.** São Paulo: Martins Fontes, 2001.

WEBER, Max. **A Ética Protestante e o espírito do Capitalismo.** Editora Cia Das Letras, 2019.

# A MENTALIDADE ARMAMENTISTA NOS CLÁSSICOS DA POLÍTICA E SUAS REFLEXÕES NAS RAÍZES DA SOCIEDADE RELACIONADO À DEFESA DOS BENS

## THE MENTALITY OF WEAPONS IN THE CLASSICS OF POLITICS AND THEIR REFLEXES IN THE ROOTS OF SOCIETY RELATED TO THE DEFENSE OF GOODS

**Gleyson Oliveira Santos**
Graduando em Direito.
E-mail: gleysons46@gmail.com

**Matheus Cardoso da Costa**
Graduando em Direito.
E-mail: matheuscardoso.mc890@gmail.com

**RESUMO:** O texto trata de uma concepção armamentista presente nas obras dos pensadores da filosofia política clássica, com ênfase no pensamento de Maquiavel, e embasado em uma visão Hobbesiana de Estado Moderno. Dessa forma, o texto tem o intuito de ressaltar uma concepção constitucional em relação ao pensamento histórico do porte de armas na sociedade contemporânea. A partir de uma análise de como como tais pensamentos permaneceram solidificados na sociedade - seja por questionamentos de grandes pensadores ou por conta de uma forte propaganda armamentista - para pontuar, assim, quais foram seus reflexos, e evidenciar os desdobramentos dessas discussões, em cima de questões constitucionais.

**PALAVRAS-CHAVE:** Arma; Estado; Poder.

**ABSTRACT:** The text deals with an armamentalist conception present in the works of thinkers of classical political philosophy, with emphasis on the theorist's thinking: Machiavelli, and as the basis of the Modern State a Hobbesian view. Thus, the text intends to emphasize a constitutional conception in relation to the historical thought of the possession of weapons in contemporary society. Based on an analysis of how such thoughts remained solidified in society - either by questions from great thinkers or because of strong arms propaganda - to score, thus, what were their reflexes, and to evidence the consequences of these consequences, over issues of constitutional requirements.

**KEYWORDS:** Gun; State; Power.

## INTRODUÇÃO

O autodefesa é um direito resguardado pelo Constituição Federal de 1988, porém para ser devidamente protegido, necessita que o Estado assegure isso, ou seja, fornecendo os recursos necessários para sua real concretização. Assim, o porte de armas seria um dos meios necessários para os cidadãos sentirem-se seguros (AFONSO; JÚNIOR, 2016). Nesse sentido, é importante ressaltar o pensamento de Thomas Hobbes, uma vez que essa figura histórica tornou-se destaque a partir de sua análise sobre a concepção do estado de natureza do homem, sendo essa uma "guerra de todos contra todos" (HOBBES, 1651, p.47), onde o indivíduo necessitaria de um contrato social que regulasse o seu espírito de conquista, e que o fizesse incorrer em uma forma submissão.

No que concerne a esse contexto, ainda com a intervenção do Estado sobre a segurança dos homens, a história expõe que nem sempre ele irá ser efetivo, de modo que o indivíduo em situação de risco, pode encontrar se em uma situação, na qual faz-se presente a ausência de uma autoridade por perto, e está recorreria a uma lógica de legítima defesa, já que o cidadão passaria a ter autonomia de se proteger no determinado contexto.

Assim, vale mencionar que o discurso sobre a utilização de armas traz à tona uma narrativa cultural, na lógica de se conceber a importância desse bem, de modo que torna-se presente uma dicotomia dos argumentos, e também um campo de discussão polarizado, uma vez que ao tratarmos de uma sociedade com a concepção pautada em preceitos armamentistas, retoma-se a visão que deriva dos clássicos como o Maquiavel (O Príncipe, 2007, p. 20 ), posto que a tradição clássica irá se ater com mais veemência ao posicionamento das armas como medida de derrocada de governos tirânicos e também como uma medida de fortalecimento da voz popular frente as impunidades do Estado.

Segundo dados do Jornal Nacional [1](2020), de 2009 a 2018 o número de circulação de armas aumentou cerca de 50 mil e no primeiro ano do Governo do Bolsonaro registrou-se um aumento de 74 mil, na qual mais da metade era para cidadãos comuns e o mesmo vem tomando medidas como decretos, portarias e projetos de lei que torne as armas mais acessíveis. Além disso, pesquisas do Instituto Datafolha [2](2019), evidenciou-se que de 2.806 pessoas entrevistadas, cerca de 66% dos brasileiros eram contra o porte de arma e 31% eram a favor, que isso deveria ser um direito do cidadão se defender. Desse modo, nota-se que a rejeição do porte de arma é majoritária, com exceção das pessoas com renda alta que o índice em favor do porte de armas é alto, especialmente entre as mulheres, que o número é de 75% em relação aos homens que é de 57%. Assim, a proposta que o artigo visa responder é: Qual a importância e a função das armas na estrutura de organização do Estado e da sociedade, como os problemas decorrentes da sua falta ou uso inadequado, bem como tal pensamento perpetua na sociedade, seja a favor ou contra?

Nesse sentido, convém abordar no trabalho, que esse será dividido em cinco partes, bem como o estado de natureza em Hobbes; a visão armamentista para o Maquiavel; propriedade privada para o Locke;

---

1    Https://g1.globo.com/jornal-nacional/noticia/2020/07/13/em-seis-meses-numero-de-armas-novas-se-aproxima-do-total-de-todo-o-ano-de-2019.ghtml.

2    Http://datafolha.folha.uol.com.br/opiniaopublica/2019/07/1988232-66-sao-contra-posse-de-armas.shtml.

papel das armas como um direito individual do homem e por último a propriedade privada para o Estado como defesa dos bens individuais, de modo que se propôs criar uma forma de vincular essas questões para o melhor entendimento. A metodologia utilizada é a revisão bibliográfica, que se compreende, a partir da utilização de livro, artigos e pesquisas de autores nacionais e estrangeiros, tais como os filósofos clássicos, a exemplo do Hobbes, Maquiavel, Locke e autores como Aline Afonso, Weffort, Fernando Capez, Rogério Grego e Zaffaroni, bem como materiais jornalísticos, como a BBC, The Guardian e a CEPEDES. Desse modo, o método de pesquisa utilizado para a produção do artigo é o hipotético-dedutivo.

Nos atemos a visão de natureza do homem dada por Maquiavel, onde retrata os homens como seres ingratos, volúveis, falsos, dissimulados, avessos ao perigo e ávidos de ganhos, bem como a sua experiência de como um Estado deve funcionar ao utilizar das armas. Nesse sentido, também nos debruçamos sobre a ideia do benefício das armas para a resolução de situações conflituosas. Ademais, nos atemos ao ideal de natureza do homem, e a consolidação do Estado em uma visão Hobbesiana, já que trata de um homem mau em sua essência, sendo necessário um contrato social como limitador do indivíduo ao exercício de sua liberdade, por meio de um pacto de submissão dos homens. Desse modo, analisamos os pensamentos de John Locke acerca da propriedade privada, para que dessa forma pudéssemos tratar das questões armamentistas que incorrem nesse campo de discussão, ou seja, nos atemos ao apego do proprietário para com sua terra, dando ensejo a uma lógica de proteção da mesma, bem como as justificativas dadas pelo filósofo para essa criação do laço do homem para com seu bem.

Dessa forma, o artigo busca compreender a discussão acerca do porte de arma para o Estado e para a sociedade, uma vez que faz-se pertinente em âmbito global, e leva as reflexões dos filósofos clássicos, na qual tornam se necessários para compreender o surgimento da concepção armamentista. Nesse sentido, nos aprofundamos nos questionamentos colocados nas obras de grandes pensadores, tais como Hobbes, Maquiavel e Locke, uma vez que suas teorias transcorreram por gerações, assim como, observamos o auxílio da propaganda para a consolidação do imaginário armamentista, e por sua vez, quais foram seus modos de influenciar os indivíduos.

Além disso, evidencia-se que esse meio de combater os abusos tornam-se necessário, posto que só se pode tolher um entrave (abuso de poder estatal) quando se tem uma força equiparada ou maior que a do próprio Governo - e esta força só pode ser fundada na utilidade das armas, sendo elas um potencializador do poder, uma vez que é um grande artifício no combate a repressão estatal - de modo que assim possamos manter a estabilidade do regime democrático e a conservação dos direitos individuais. Desse modo, saber-se-á que é notório o fato de que as armas são, antes de tudo, uma forma de fortalecer uma nação em períodos de guerra, e também uma via de reforço ao poderio policial, já que os cidadãos estariam aliando forças ao poder do Estado.

Dessa forma, compreende- se que os debates acerca do porte de armas pelo cidadão cresceram nos últimos anos, trazendo à tona uma série de discussões sobre a sua legalização ou não. Assim, esse artigo buscou apontar as principais questões sobre o porte de armas como proteção individual, fundamentado essa ideia com as concepções dos filósofos clássicos, assim como uma perspectiva jurídica, no âmbito constitucional, para a melhor compreensão, tanto de professores ou estudantes de diversas áreas do conhecimento, bem como para a população em geral, devido a relevância social desse tema e tais resultados mostraram-se eficientes no que diz a importância ou não das armas como forma de garantir sua proteção.

## 1.    ESTADO DE NATUREZA E A SOBREVIVÊNCIA DOS HOMENS

Antes mesmo de qualquer concepção de contrato, as armas já eram existentes, uma vez que era a única fonte de proteção dos homens. Nessa perspectiva, o estado da natureza do homem é o que Hobbes propôs tratar, no caso, um estado de guerra de todos contra todos, onde os indivíduos viviam em constante alerta e com medo de uma morte preeminente (HOBBES, 1651). Nessa perspectiva, imperava a força do maior (mais forte) como o melhor para se governar, porém até o homem mais forte poderia ser morto, pois esse indivíduo segue o ciclo da natureza, alimentação, necessidades fisiológicas, sono e envelhecimento, dando ensejo para que nesse espaço de tempo ele torne-se vulnerável para outrem.

Nesse sentido, necessitava da construção de algo forte, e indestrutível perante o tempo. E assim surgiu a ideia do Estado, pois ela não passa por limitações naturais e tampouco morrerá, uma vez que o Estado é uma ideia, e partindo desse pressuposto, sabemos que ela é imortal. Os homens por sua vez observaram que essa ideia poderia ser benéfica para todos, modo que abriram mão de parte das suas liberdades e as transferiram para o Estado, reconhecendo o poder a essa instituição, uma vez que ela será a única instituição legítima a utilizar o monopólio da força (WEFFORT, 2011).

Apesar da construção do Estado, o homem ainda sofria com problemas ligados a segurança, de modo que o levou a utilizar de artifícios para sua própria proteção. Na obra "Las armas en la historia en la Reconquista", foi retratado que de início era utilizadas armas brancas - machados, espadas e facas, mas com o advento da modernidade, esses equipamentos evoluíram para armas de fogo (HOFFMEYER, 1988). Ademais, segundo Garcia (2015) - ''Leviatã: o Estado forte, cruel e violento'', o medo e o perigo permanente que derivam da insegurança, causava um clima de desconfiança, posto que os indivíduos tinham receio de serem afetados. Em um estado de natureza, a melhor forma de proteger-se é acumular poder, que no caso poderia ser o ato de portar uma arma, já que essa pode transmitir uma sensação de segurança, na qual o indivíduo se prevalece em relação às outras, pois todos os homens poderiam ser um perigo preeminente.

Em suma, se este estado de natureza é "uma guerra de todos contra todos" (HOBBES, 1651, p.47), evidencia-se que a nossa vida está em constante perigo, e por conta dessa situação o homem teme a morte, e para se precaver a essa situação, ele utilizará artifícios para aumentar seu poder, uma vez que sua premissa é uma forma de garantir a sua segurança.

Para Thomas Hobbes, a arma é um dos artifícios que o estado utiliza para manter sua soberania, já que para garantir o respeito ao pactuado, o Estado deve impor, pelo medo, tal obediência, por isso ele deve ser forte, cruel e violento. Nesse sentido, as armas tornam-se um caminho de controle do homem bárbaro, bem como uma frente de libertação, visto que as armas nas mãos do povo fortalecem o Estado e também traz a autoproteção dos indivíduos. (GARCIA, 2015).

A partir dos fatos supracitados, é válido pontuar novamente que o homem é um ser mau por natureza e para sanar esse entrave ele precisa de algo que o regule. Nesse sentido, cria-se a importância do estado para coibir as práticas do excesso de liberdade dos indivíduos. Por sua vez, esse Estado falha, pois tende a tratar de inúmeras problemáticas, sendo essa situação uma dificuldade extrema, pois assaltos, mortes e estupros ocorrem diariamente, e por vezes, não há a presença de autoridades que apliquem a coerção, tampouco que impeçam que isso ocorra. Nesse sentido, o seu poder não consegue ser aplicado em todas as situações, dando ensejo a lógica armamentista, pois saber-se-á que o 'o homem é o lobo do próprio homem', dessa maneira, a autoproteção visa-se como um bem essencial para a vida do homem, evidenciando a utilidade das armas.

## 2.    A VISÃO ARMAMENTISTA NA CONCEPÇÃO DE NICOLAU MAQUIAVEL

Nicolau Maquiavel, sem dúvidas, foi um gênio político que buscou tratar dos limites que o governante deve ter para obter sua glória perante o povo. No que concerne a esse contexto, Maquiavel também instruiu os cidadãos sobre como um governante deve atuar, e quais ferramentas podem ser cruciais para a derrubada de um governo moralmente injusto. Nesse sentido, as armas funcionam como um instrumento fundamental para combater as adversidades, obtenção de poder e segurança no principado, apontadas como o único instrumento capaz de proporcionar a segurança do príncipe e ponderando a importância das armas na estabilidade e integridade de um Estado (BERBEL, 2009).

As armas acabam funcionando como um elemento indispensável para garantir a solidez de todos os principados, como mostrado na obra "Discursos sobre a Primeira Década de Tito Lívio", sendo as armas apontadas como um dos principais motivos que possibilitaram a Roma atingir sua grandeza, no qual uma República necessita de um número grande de homens armados para conquistar novas terras (MAQUIAVEL, 1531). O príncipe necessita das armas para manter-se no poder, pois sem elas o principado fica vulnerável a ataques internos ou externos. Desse modo, o papel das armas é fundamental em um cenário político, sendo um dos fundamentos do Estado ter boas leis e boas armas, e que ambos precisam estar em consonância para o bom funcionamento do Estado.

## 2.1.    Manutenção da ordem política no principado

Segundo Maquiavel (2007), a ordem interna do principado baseia--se na relação direta entre as boas leis e as boas armas, pois existem dois gêneros de combate, uma com as leis e a outra com a força, sendo o primeiro o próprio homem e o segundo os animais. Contudo, apenas o primeiro não é o suficiente para manter a ordem, por isso é importante o príncipe saber conciliar tanto o homem quanto o animal, então somente as boas leis sem o uso da força são insuficientes, o principado iria ficar em uma desordem. Dessa forma, para que as boas leis sejam eficientes e capazes de combater atos que prejudiquem a ordem política, elas necessitam de boas armas para assegurar o bem-estar do principado, e somente o uso de boas armas sem a presença de boas leis, ocasionaria em um governo tirano. Com essa estrutura, o príncipe teria a possibilidade de conferir eficiência as boas leis para combater a predisposição do homem ao mal. (BEBEL, 2009).

No que concerne a esse contexto, essa predisposição pode ser evidenciada por conta das seguintes características dos indivíduos, no qual Maquiavel afirma que os homens são "ingratos, volúveis, simuladores, tementes do perigo e ambicioso de ganho" (2007, p. 65). Desse modo, o príncipe necessitaria de boas ferramentas para inibir essas características que manifestam-se no homem e podem acabar ocasionando em problemas na organização da ordem política dentro do principado. Além disso, a ausência das armas para Maquiavel é um dos fatores para o fracasso político, como mostrado na obra "O Príncipe", em que Frei Girolamo Savonarola, fracassou nas suas reformas, no momento em que a multidão começou não acreditar nele, por conta dele não possuir meios para manter firmes aqueles que haviam acreditado nele e nem para fazer com que os descrentes passassem a crer (MAQUIAVEL, 2007).

Por conta, dessa ausência de armas como instrumento coercitivo capaz de fornecer força o suficiente para manter os homens obedientes a nova ordem política instaurada, ficando apenas à mercê de suas palavras e quando elas passaram a não ser mais eficazes, ele não detinha os meios para manter-se no poder.

## 2.2. Consequências de retirar o poder do povo no principado

Em primeiro plano, nota-se que a retirada das armas ocasionaria em um estado de vulnerabilidade, sendo assim, ao retirarmos o poder do povo, damos margem a um poder maior, pois o povo não pode ficar sem proteção e tampouco seu governante. Nesse sentido, essa situação poderá discorrer em um efeito colateral, pois se observarmos a ganância dos homens, nota-se que não é garantido à total lealdade dos mesmos, podendo ocasionar em uma tomada de poder ou em uma traição. (MAQUIAVEL, 2007)

Para Maquiavel (2007), deve-se deixar os cidadãos armados, porém disciplinados, do que apenas desarmados, pois se eles estiverem legalmente armados e mantidos na ordem por seus comandantes, eles não vão cometer qualquer dano ao governo, já que um Estado forte não tem medo de armar os seus cidadãos, pois jamais fundou-se uma monarquia ou república sem que os seus súditos estivessem bem armados, sempre prontos para defender seu príncipe.

O despotismo não decorre em armar os cidadãos, mas sim de um Estado desconsolidado, pois enquanto o Estado for bem consolidado não terá medo de armar os seus súditos. Maquiavel ao pontuar isso, traz à tona a ideia de que as armas - em posse do povo - servem como um potencializador de tal poder, já que o povo lutará em prol de seu próprio Estado, tendo em vista, que um príncipe sempre deve armar os seus súditos, pois isso possibilita com que ele seja amado, tornando fiéis os súditos suspeitos de sua desconfiança, e os que já eram fiéis tornam-se seus partidários (MAQUIAVEL, 2007).

Além disso, o príncipe deve confiar apenas nos soldados que forem seus próprios súditos, pois com a contratação de forças mercenárias, os príncipes não tinham autoridade para agir de maneira autônoma, ficando à serviço de quem eles contratavam. Dessa forma, para a segurança e poder do Estado é importante não apenas a força bélica, mas também que os súditos tenham amor ao seu Estado e que estejam prontos para defendê-lo, para que o príncipe não tenha que recorrer às forças mercenárias para defender o Estado, pois estes são movidos por dinheiro e não por amor, por isso eles podem facilmente trair o príncipe, já que o dinheiro gera ganância, então eles sempre estarão do lado de quem pagar mais (MAQUIAVEL, 2007).

Em uma perspectiva contemporânea, muitas civilizações deixaram de se preocupar com o quesito da invasão dos territórios. Nesse sentido, a ideia de aliar forças ao governo se daria de outra forma, no caso, se tornaria possível em uma situação em que um cidadão vai utilizar das armas em prol de sua defesa pessoal ou na proteção a vida de outrem, já que o Estado não tem capacidade de se prontificar a todos os entraves da sociedade.

### 2.3.   A natureza dos homens como princípio da desconfiança.

Os homens não são dignos de confiança, pois "o homem nasce mau por natureza, a menos que ele precise ser bom". Nesse sentido, a desconfiança torna-se uma marca característica da natureza dos indivíduos, já que necessitam de algo que os garanta um sentimento de segurança pessoal, posto que o Estado não pode dirimir todos os conflitos, como foi o caso do Antonino que apesar de ser um excelente comandante era cruel, isso proporcionou com que ele fosse odiado pelo povo, que acabou ocasionando na sua morte (MAQUIAVEL, 2007).

Assim, seja amado ou odiado, o homem jamais poderá se desvincular dessa desconfiança, a qual é proveniente do estado de natureza do indivíduo. Nessa perspectiva, pontua-se que os homens são ávidos por lucro, e essa situação torna se uma predisposição a traição. O poder e o dinheiro, compram a lealdade de alguns homens. Sob tal ótica, é válido ressaltar que a traição é um estado cíclico, e em um panorama histórico ela sempre estará posta. Seja representada na morte de Antonino Caracala como ressaltada na obra ou no caso da figura histórica Júlio César que foi traído por seu aprendiz.

### 3.   PROTEÇÃO DA PROPRIEDADE PRIVADA NA CONCEPÇÃO DE LOCKE

Sob a ótica de John Locke (1996), os indivíduos em seu estado de natureza, mantinham uma realidade antecedente à razão social e política, posto que os direitos inerentes do homem eram ilimitados. Nesse sentido, o estado de natureza ressalta um momento de relativa conformidade, equilíbrio e união, pontuando uma visão pacífica dos homens, onde estes gozavam da propriedade e partilhavam conhecimento. Nessa perspectiva, Locke expôs de maneira primordial o espaço conjunto dos direitos naturais, como bens, liberdade e vida, bem como uma segunda maneira, pautada sobre o seu posicionamento acerca da propriedade, onde essa perpassa por um sentido estrito, ou seja, o ato de obter bens móveis ou imóveis. (LEONEL, Itassu Almeida Mello, 2011).

Dessa forma, a propriedade já existente no estado natural dos homens, torna-se uma entidade antecedente a civilização e essa mostra-se como um direito inalienável do cidadão, visto que não pode ser transgredido pelo Estado. Desse modo, o indivíduo em seu estado de natureza, era originalmente livre e proprietário de sua personalidade e de seu labor, posto que a terra foi entregue aos seres humanos por Deus, e essa mostrou-se acessível a todos, uma vez que ao anexar seu labor ao solo - que encontrava-se em seu estado originário, esse indivíduo acabava por transformar o espaço em sua propriedade privada, determinando a esse local um direito individual, onde tornava excluso os outros indivíduos. Assim, saber-se-á que o labor, no julgamento de John Locke, fundamenta-se no resultante da propriedade (LOCKE, 1996).

Sob tal perspectiva, o surgimento da concepção de dinheiro modificou essa conjuntura, de modo que viabilizou a cambio de coisas essenciais, mas transitórios, por bens duráveis como (metais preciosos), o qual foi firmado, ou seja, admitido pelos próprios indivíduos, que por sua vez, também criaram o comércio e uma maneira inovadora de se obter a propriedade, sendo essa, fora do campo do labor, pois poderia perpassar pela compra. Por fim, o uso da moeda transcorreu até a acumulação de capital e a partilha desigual desses bens entre os indivíduos que formam o corpo social. Para Locke (1996), esse foi o ponto crucial para a transformação da propriedade limitada, pontuada no trabalho, à propriedade ilimitada, baseada no acúmulo de bens, essa sendo possibilitada pela criação do capital. (LEONEL, Itassu Almeida Mello, 2011).

## 4. ARMAS COMO MEIO DE PROTEGER OS DIREITOS E GARANTIAS INDIVIDUAIS

Durante o século 19, houve um crescimento exponencial do número de armas na posse dos civis, de modo que torna-se importante apresentar a empresa Colt, na qual podemos afirmar que revolucionou a venda de armas, já que praticamente todo cidadão tinha uma arma Colt na sua propriedade privada. Nessa Perspectiva, Samuel Colt formulou o seguinte slogan, "Abraham Lincoln tornou todos os homens livres, mas Samuel Colt os tornou iguais", isto significava que o fraco poderia enfrentar o forte, numa condição de igualdade e diante dessa concepção fica notório que todos os homens tinham as mesmas chances de defender-se, já que todos possuíam armas.

Dessa forma, tal pensamento tornou-se presente na sociedade, de modo que os cidadãos ficaram perceptíveis aos entraves, de cunho governamental em proteger os direitos fundamentais, e diante de uma exigibilidade jurídica ao modelo constitucional moderno, onde era reivindicado o direito à liberdade, no qual fez com que as pessoas exigissem a revogação do estatuto do desarmamento, essa discussão perpassa por critérios éticos e filosóficos em relação ao desarmamento civil, como também de preceitos jurídicos que ponderam a relação existente entre os direitos e garantias individuais em prol da segurança pública. Segundo Aline Valério Bueno Pereira Afonso (2016), o porte de armas de fogo nas mãos do indivíduo, está no intuito de defender-se, e essa afirmação não se caracteriza como fator de criminalidade, de modo que a ação de proibir as armas de fogo para o cidadão brasileiro é uma violação constitucional dos direitos individuais à vida e à segurança, previstos pelo artigo 5 (BRASIL, 1988), pois a ação defensiva do próprio indivíduo é autorizada pela Constituição.

> O porte de arma é direito individual, conforme interpretação que se extrai da análise sistemática do Texto Maior em conjunto com o ordenamento jurídico vigente, constituindo-se num todo harmônico que busca normas jurídicas justas, atendendo aos anseios dos cidadãos enquanto elementos interessados por uma sociedade justa, livre e segura (Afonso, 2016, p.12).

Segundo o artigo 5 da Constituição da República Federativa do Brasil, todos têm o direito à vida, à liberdade, à igualdade, à segurança e à propriedade. A lei garante que o Estado não tirará esses direitos inerentes ao homem. Nesse sentido, vale pontuar que o governo não criou esses direitos e também não conseguirá mantê-lo 100% seguro, o artigo 5 apenas garante que o Estado não irá acabar e nem mesmo reduzir o seu direito natural de se defender.

Desta maneira, reconhecer os direitos fundamentais que a Constituição propõe-se proteger, que por conta de sua importância necessitam de uma relevância maior, e mesmo esses direitos sendo reconhecidos como importantes, tendo previsão legal no ordenamento jurídico, essa medida não seria suficiente para que esses direitos sejam devidamente protegidos, como por exemplo o direito à vida e segurança, que mesmo resguardados institucionalmente, apenas isso não seria o suficiente para eles serem protegidos e respeitados, necessitando também de outros recursos para serem assegurados. Assim, mesmo que esses direitos fundamentais estejam previstos na Constituição, a promulgação de norma infraconstitucionais podem acabar "dificultando" sua efetivação, uma vez que o dilema em questão não é que esses direitos sejam apenas reconhecidos, como também protegidos adequadamente (AFONSO, 2016).

O direito de portar armas revela-se como direitos humanos da primeira geração[3], por conta de serem instrumentos para se opor a resistência do estado e garantir a liberdade do cidadão. (FONTES, Rafael Vasconcelos, 2020). Além disso, durante o Brasil Império, a Constituição autoriza os cidadãos de portar armas para sustentar sua independência, integridade do império e defender o território.

> Art. 145. Todos os Brazileiros são obrigados a pegar em armas, para sustentar a Independência, e integridade do Império, e defendê-lo dos seus inimigos externos, ou internos.

---

3    A primeira geração dos direitos humanos tinha como elemento principal a ideia clássica de liberdade individual, concentrada nos direitos civis e políticos, na qual o primeiro protege a integridade humana contra o abuso de poder ou qualquer outra forma de arbitrariedade estatal, e o segundo assegura a participação popular na administração do Estado.

Os direitos humanos da primeira geração são aqueles que visavam proteger a integridade do indivíduo contra os abusos do Estado, que segundo Paulo Bonavides (2010), esses direitos têm por titular o próprio indivíduo que são oponíveis ao Estado, na qual traduzem-se como atributos da pessoa e ostentam uma subjetividade, ou seja, seriam direitos de resistência. Segundo Celso Antônio Bandeira de Mello (2020), em prol da lei magna do país, o cidadão não pode ser proibido de tentar defender sua vida, seu patrimônio, honra, dignidade ou incolumidade física da sua família de possíveis agressões, desde que se valha por meios proporcionais.

## 4.1. Estatuto do desarmamento

A priori, cabe ressaltar as duas legislações do desarmamento (antiga – 9.437/97 e moderna– 10.826/03), em que ocorreu uma mudança no artigo 6. Na Lei 9.437/97 na qual, permitia o porte de arma, mas de forma genérica, porém com a lei 10.826/03 efetivou a proibição do porte de arma, salvo os casos previsto em Lei, e ainda impôs condições para possuir ou portar armas de fogo, como teste de aptidão psicológica e técnica para o manuseio de arma de fogo. Conforme aborda o artigo 4 da constituição.

> Art. 4o Para adquirir arma de fogo de uso permitido o interessado deverá, além de declarar a efetiva necessidade, atender aos seguintes requisitos:
> I - comprovação de idoneidade, com a apresentação de certidões negativas de antecedentes criminais fornecidas pela Justiça Federal, Estadual, Militar e Eleitoral e de não estar respondendo a inquérito policial ou a processo criminal, que poderão ser fornecidas por meios eletrônicos; (Redação dada pela Lei nº 11.706, de 2008)
> II – apresentação de documento comprobatório de ocupação lícita e de residência certa;
> III – comprovação de capacidade técnica e de aptidão psicológica para o manuseio de arma de fogo, atestadas na forma disposta no regulamento desta Lei

A Lei 10.826/2003, também conhecida como Estatuto do Desarmamento, ocorreu em diversos debates que foram estipulados no artigo 35 da Constituição da República Federativa do Brasil, proibindo a comercialização de arma de fogo e munição no país. Essa foi uma medida tomada pelo Governo para saber a opinião dos cidadãos sobre a proibição ou não, no qual Flávio Quintela (2014), em seu artigo "Mídia sem Máscara", argumentou sobre essa votação, que inclusive possibilitou todo um debate acerca do desarmamento civil.

> A população brasileira recusou o desarmamento no referendo de 2005, com 64% dos votos contrários à proibição do comércio de armas e munições. [...] Ao deixarmos o uso da força letal totalmente a cargo da polícia e do Estado estamos abrindo mão do direito mais básico do homem: o de sobrevivência (QUINTELA, 2014, p.1).

A Lei 10.286/2003 foi criada na finalidade de ter um controle da circulação das armas no país e para combater os altos índices de crimes, medidas que a legislação anterior não conseguiu combater e diminuir. Essa nova lei não conseguiu diminuir o porte de armas por parte dos cidadãos e também não conseguiu ser efetivo em diminuir a criminalidade urbana, incorrendo no aumento do número de armas ilegais, uma vez no ano de sua vigência foram registrados 34.187 homicídios por arma de fogo e no de 2014 esse número foi para 40.007, ou seja, deve um aumento significativo de homicídios com o uso de armas de fogo (CEPEDES, 2015).[4]

Ademais, segundo a ONU (2011), no seu relatorio "Global Study On Homicide" é reconhecível que apesar da legislação impor restrições ao acesso das armas de fogo, isso deve ter alguns cuidados, na qual a legislação não conseguirá reduzir o acesso às armas de fogo se não houver uma fiscalização, ou seja, não vai adiantar criar restrições legais a posse legal de armas se não tiver conciliado com uma boa fiscalização do comércio ilegal.

---

4    Https://www.cepedes.org/2015/12/apos-o-estatuto-do-desarmamento.html

## 4.2.  Falha estatal na segurança pública

A Lei 10.286/2003 surgiu para diminuir a criminalidade no país, e de fato nos primeiros anos o número de mortes diminuiu, porém nos anos seguintes os números aumentaram significativamente, logo, o Estado falhou em seu papel de promover o direito social à segurança pública, direito esse que é garantido pelo artigo 144 da Constituição Federal como dever do Estado, no qual visa garantir a preservação da ordem pública e da incolumidade das pessoas. Segundo o Instituto de Pesquisa Econômica aplicada (IPEA) e o Fórum Brasileiro de Segurança Pública (FPSP) durante o ano de 2004 a 2014, constatou que o Brasil em 2014 atingiu o nível recorde de homicídios que foram cerca de 59.627 casos, e que ainda cerca 71% foi cometido por armas de fogo, número esse superior ao de 2003, ano de criação do Estatuto de desarmamento, que foi de 48.909 homicídios. Além disso, pesquisas nacionais e internacionais ainda demonstram que o Brasil é o recordista mundial de homicídios, com números superiores à do México, que convive com o narcotráfico e uma guerra urbana. Sob tal ótica, nota-se a falha do Estado em controlar a circulação de armas e diminuir a criminalidade no país. Desse modo, os cidadãos brasileiros estão cada vez mais posicionando-se sobre os debates acerca do estatuto do desarmamento, diante da ineficácia da segurança pública.

No que concerne a esse contexto, é importante ressaltar que quando se compara o número de homicídios do Brasil com os Estados Unidos, que mesmo o Brasil tendo menos armas no posse dos cidadãos, o número de homicídios são maiores comparados com os números de homicídios dos Estado Unidos, observa-se que nos anos de 2010 existiam no Estados Unidos cerca de 270 milhões de armas de fogo, e a taxa de óbitos por arma de fogo é de 3,2 por 100 mil habitantes, enquanto que no Brasil existem cerca de 15 milhões de armas de fogo em circulação, a taxa de mortes por arma de fogo é de 18,1 por 100 mil habitantes. (BBC, 2012).[5]

---

5    Https://www.bbc.com/portuguese/noticias/2012/12/121218_armas_brasil_eua_violencia_mm.

Todavia, é importante ressaltar que segundo a Organização das Nações Unidas – ONU, no seu Global Study On Homicide (2011), é difícil atribuir cientificamente os elevados índices de criminalidade e homicídios a posse de arma legais pela população civil, e que esse número mostrar-se-ia de forma inversamente proporcional. Assim, observa-se que nos países com uma taxa de circulação alta de armas de fogo, normalmente possuem número de homicídios baixos, onde a proporção é inversa. Dessa forma, para contextualizar essa situação, pode-se utilizar o exemplo citado acima sobre o Brasil que possui uma taxa de 8 armas de fogo para cada 100 habitantes e o número de homicídios por arma de fogo é de 18, 1 para cada 100 mil habitantes, enquanto a Jamaica que proibiu o uso de arma de fogo por civis, mas o número de circulação de armas é cerca de 8,1 por cada 100 habitantes e a taxa de 39,4 homicídios por armas de fogo é de 100.000 para cada habitantes. (The Guardian, 2012).[6]

No relatório da ONU (2011, p.10), ela argumenta que "Firearms undoubtedly drive homicide increases in certain regions and where they do members of organized criminal groups are often those who pull the trigger", ou seja, as armas de fogo conduzem o incremento dos homicídios em alguns locais, e não como regra geral, mas sim que essa situação ocorre nos lugares onde geralmente tem a presença dos grupos de crimes organizados que puxam esse gatilho. Logo, neste relatório a ONU relata que esses dados não provam uma relação causal entre a disponibilidade de armas de fogo e os crimes à mão armada, na teoria, esses proprietários de armas podem ser uma consequência dos altos índices de crimes, ou seja, isso seria uma estratégia dos cidadãos para proteger-se de potenciais agressores, e isso indicaria que a relação entre o número de armas de fogo com o crime parece ser um tipo de ciclo vicioso.

> These data do not prove a causal relationship between firearm availability and gun assaults (in theory, higher gun ownership could also be a consequence of higher assault rates, i.e. a defensive strategy of citizens to deter potential aggressors). At the very least, however, the relationship between gun availability and vio-

---

6    Https://www.theguardian.com/news/datablog/2012/jul/22/gun-homicides-ownership-world-list. e dados compilados da ONU – UNODC & Small Arms Survey.

lent crime, including homicides, does appear to be something of a vicious circle (ONU, 2011, p.43).

Assim, a ONU registra nesse relatório que as armas podem funcionar como ferramenta de defesa dos cidadãos e que em um lugar onde tem a ocorrência de muitos crimes e armas, isso não significaria que as armas são utilizadas para praticar os crimes, mas que podem ser utilizadas para os cidadãos defenderem-se daqueles potenciais agressores.

## 4.3.    Legítima defesa

Segundo o doutrinador Fernando Capez (2011), a legítima defesa fundamenta-se na exclusão da ilicitude[7], sendo esse um dos critérios para determinar se conduta não vai ser considerada um crime. O Código Penal Brasileiro no artigo 25 define a legítima defesa como sendo uma reação a uma agressão injusta atual ou iminente. Inicialmente, entende-se como agressão toda conduta humana que põem em risco um bem jurídico tutelado, e seguindo a linha de pensamento da teoria finalista da ação, que a conduta é a ação proveniente da consciência e vontade do indivíduo, logo a agressão é toda ação humana, consciente e voluntária, que ameaça algum bem jurídico, essa forma de pensamento mudou a concepção que os penalistas retratavam a ação humana. Ademais, na obra Manual de Direito Penal Brasileiro (Zaffaroni; Pierangeli, 1999, p. 504), definem a legítima defesa como sendo:

> A defesa a direito seu ou de outrem, abarca a possibilidade de defender legitimamente qualquer bem jurídico. O requisito da moderação da defesa não exclui a possibilidade de defesa de qualquer bem jurídico, apenas exigindo certa proporcionalidade entre a

---

7    Prevista pelo artigo 23 do Código penal, a exclusão de ilicitude consiste em revogar o ato de condutas ilegais em situações específicas.

Art. 23 - Não há crime quando o agente (Redação dada pela Lei nº 7.209, de 11.7.1984) I - em estado de necessidade;

- em legítima defesa;

- em estrito cumprimento de dever legal ou no exercício regular de direito

ação defensiva e a agressiva, quando tal seja possível, isto é, que o defensor deve utilizar o meio menos lesivo que tiver ao seu alcance.

A legítima defesa caracteriza-se por ser um instinto básico elementar, e também um direito natural, mas acima de tudo um direito constitucional explícito. A Constituição Federal, ao garantir a segurança, a propriedade, a incolumidade pessoal, a inviolabilidade do domicílio e a dignidade da pessoa humana, mesmo que de forma implícita, ela está assegurando os meios para que todas essas garantias possam ser efetivas. O direito de defesa própria é intrínseco ao homem e certos impulsos naturais faz o homem reagir a determinadas situações e procurar defender-se daquilo que possa lhe proporcionar algum perigo, pois assim como qualquer outro animal o homem possui o instinto de autopreservação.

Assim, cabe ressaltar que se o uso da legítima defesa exceder o seu limite, ou seja, ultrapassar o limite legais de ação defensiva para cessar a agressão, tal conduta passa a ser considerada como crime. Para exemplificar melhor imagine o seguinte cenário: uma pessoa é vítima de agressão e ela tem consigo uma arma, sendo essa a sua única ferramenta para cessar a agressão, contudo após o necessário para imobilizar o agressor, a vítima continua atacando sem a real necessidade, devido essa conduta tomada pela vítima, essa deixa de incorrer a legítima defesa e torna-se o agressor, respondendo pelo excesso de golpes, já que ultrapassou os limites legais impostas pelo legislador.

Diante dessa perspectiva, cabe ressaltar o projeto de lei 3.722/2012 como uma resposta ao desarmamento civil, esse projeto não apenas facilita o cidadão brasileiro de portar armas de fogo, como também prevê os casos de penas de crime cometidos pelo uso de arma de fogo, protegendo o cidadão que comprovadamente agiu em legítima defesa ou em estado de necessidade, que para o direito penal seria de acordo com artigo 24, aquele que praticou um fato para salvar-se de um perigo atual, que não o provocou por sua vontade e nem podia de outro modo evitar seja por direito próprio ou alheio, cujo sacrifício, nas circunstâncias, não era razoável exigir-se, que embora seja razoável exigir-se o sacrifício do direito ameaçado, ou seja, nessa situação ocorre um conflito entre os bens jurídicos que estão em perigo e a pessoa que tem o dever legal de enfrentar esse conflito, podendo a pena ser reduzida de uma dois terços.

De acordo com Damásio Jesus (2011, p.411), um dos mais respeitados juristas penais, argumentou que os requisitos para o estado de necessidade seria uma situação de perigo atual ou iminente; ameaça ao direito próprio ou alheio; involuntariedade do perigo; inevitabilidade do perigo, que o agente poderá agir em detrimento do direito alheio desde que não exista outra forma de evitar o perigo; inexigibilidade do sacrifício do bem jurídico ameaçado, na qual deve ser verificada a importância dos interesses em litígio para que dê ensejo à justificativa, pois alguém só poderá agir em estado de necessidade; conhecimento da situação de estado de necessidade e dever legal de enfrentar o perigo. Segundo Fernando Capez (2007)

> Causa de exclusão da ilicitude da conduta de quem, não tendo o dever legal de enfrentar uma situação de perigo atual, a qual não provocou por sua vontade, sacrifica um bem jurídico ameaçado por esse perigo para salvar outro, próprio ou alheio, cuja perda não era razoável exigir. No estado de necessidade existem dois ou mais bens jurídicos postos em perigo, de modo que a preservação de um depende da destruição dos demais. Como o agente não criou a situação de ameaça, pode escolher, dentro de um critério de razoabilidade ditado pelo senso comum, qual deve ser salvo. (Capez, Fernando, 2012, p.299)

Além disso, cabe distinguir as espécies de legítima defesa fundamentadas por Fernando Capez (2007), sendo a primeira a real, em que a legítima defesa é exercida ao seu favor, isto é, a pessoa defende-se de determinada ação ilegal de outra pessoa, em que a mesma deve utilizar-se de mecanismo que tenham a mesma proporção dos ataques previstos pelo agressor. A segunda espécie é a putativa, em que a pessoa defende-se daquilo que acredita ser uma agressão injusta ou atual, mediante um erro justificável, em que a pessoa acredita agiu em legítima defesa, quando na verdade utilizou-se de força em excesso. Conduto, tal conduta não é fácil ser identificada como sendo dolosa ou não, e ainda se ocorreu um erro caracterizado na legítima defesa punitiva, assim, o ordenamento jurídico utiliza-se de meios para identificar tal conduta, como o princípio da verdade real ou material[8], possibilitando a livre análise de provas pelo juiz, limitando essa análise a obrigatoriedade de fundamentação, sendo esse tipo de legítima defesa previsto no artigo 20 e parágrafo 1 do Código Penal (Brasil, 1941).

> Erro sobre elementos do tipo (Redação dada pela Lei nº 7.209, de 11.7.1984)
>
> Art. 20 - O erro sobre elemento constitutivo do tipo legal de crime exclui o dolo, mas permite a punição por crime culposo, se previsto em lei.
> § 1º - É isento de pena quem, por erro plenamente justificado pelas circunstâncias, supõe situação de fato que, se existisse, tornaria a ação legítima. Não há isenção de pena quando o erro deriva de culpa e o fato é punível como crime culposo

Segundo Cezar Roberto Bitencourt (2007), a legítima defesa putativa pressupõe que o agente atuou na convicção de necessidade de repelir uma agressão imaginária. Essa modalidade de legítima defesa só existe na representação do agente, pois, objetivamente, não existe. Caso, o autor supõe erroneamente a ocorrência de uma causa de justificação, independentemente de o erro referir-se aos objetivos da causa justificante ou de sua antijuridicidade. A conduta continuará sendo antijurídica, porém se esse erro, nas circunstâncias era inevitável, vai excluir a culpabilidade do autor ou vai diminuir sua pena, na medida de sua evitabilidade.

A terceira espécie é a recíproca, na qual ocorre a agressão de ambas as partes, em outras palavras, ataque e defesa ao mesmo tempo, e consequentemente, fica difícil identificar que começou a agressão, logo o juiz reconhece a absolvição de tal ato devido à falta de provas, já que a hipótese e usar legítima defesa contra legítima defesa não é

---

8 Art. 156. A prova da alegação incumbirá a quem a fizer, sendo, porém, facultado ao juiz de ofício: (Redação dada pela Lei nº 11.690, de 2008)
I – ordenar, mesmo antes de iniciada a ação penal, a produção antecipada de provas consideradas urgentes e relevantes, observando a necessidade, adequação e proporcionalidade da medida; II – determinar, no curso da instrução, ou antes de proferir sentença, a realização de diligências para dirimir dúvida sobre ponto relevante.

aceito no ordenamento jurídico. A quarta forma é a sucessiva, em que mediante o uso da legítima defesa, o autor ultrapassa os limites impostos para defender-se de tal agressão por outrem e essa ação acaba ocasionando prejuízo ao primeiro agressor, como explicitado no exemplo acima. Assim a legítima defesa sucessiva ocorre na objeção contra o excesso e segundo Rogério Greco (2016), quando o agente conseguir o necessário para imobilizar o agressor, o mesmo deve parar com a agressão, que utilizou-se para se defender.

## 5.    PROTEÇÃO DA PROPRIEDADE PRIVADA PARA O ESTADO ALIADA A DEFESA DOS BENS.

A propriedade privada é um dos institutos basilares do direito, na qual desde o seu surgimento ela sofreu transformações no decorrer do tempo, conforme as mudanças sociais e históricas, conforme explica Bobbio (1922, p.5), "os direitos do homem são direitos históricos que nascem e se modificam de acordo com as condições históricas e com o contexto social, político e jurídico em que se inserem". Assim, a propriedade como sendo direito do homem, modificou-se e evoluiu com a evolução do próprio homem e da organização social por ele criada, podendo ainda ser considerada como um núcleo de muitas destas etapas de evolução. Além disso, tem aqueles que afirmam que a propriedade é um direito natural como Locke e outras que negam essa afirmação, que a propriedade surgiria como consequência da constituição do estado civil, como Hobbes e o Rousseau.

> Aquelas que afirmam que a propriedade é um direito natural, ou seja, um direito que nasce no estado de natureza, antes e independentemente do surgimento do Estado, e aquelas que negam o direito de propriedade como direito natural e, portanto sustentam que o direito de propriedade nasce somente como conseqüência da constituição do estado civil (BOBBIO, 1922, p.10).

Assim retomando os fatos supracitados no tópico 3, a propriedade privada para Locke pode ser vista de duas maneiras: a primeira, pautada em uma visão religiosa e a segunda acerca do determinado direito individual dado a terra. Dessa forma, faz-se necessário nos atermos a essas concepções, para que possamos pontuar a questão da defesa da propriedade privada. No que concerne a esse contexto, é importante observar a primeira justificativa da propriedade privada em Locke, já que essa se atém a uma perspectiva religiosa, onde a invasão à terra se configura como uma profanação de um solo 'sagrado', já que esse espaço fora dado por Deus, e cabe aos homens defenderem esse bem. Por sua vez, especificamente na segunda abordagem, temos uma mudança de panorama, onde a defesa da terra se daria por uma justificativa legal, posto que a propriedade do homem, vem atrelado ao direito individual e esse direito individual não pode ser transgredido (LOCKE, 1996).

Durante a Revolução Francesa e o advento da sociedade liberal, a propriedade passa a ser entendida como instrumento da liberdade humana e enquanto o homem é um sujeito de direitos, ele é caracterizado por sua liberdade de dispor de bens de acordo com o seu interesse, e não cabe qualquer intervenção de terceiros na sua esfera privada. Todavia, o conceito de propriedade privada mudou na contemporaneidade, no qual foi marcado por reformulação da postura não intervencionista do Estado e a concepção individualista da sociedade. Esse momento, ocorre a partir da Revolução Industrial e dos movimentos sindicais que passaram a requerer a proteção dos direitos sociais, exigindo uma atitude positiva do Estado, no sentido de prover determinadas necessidades básicas dos cidadãos, como saúde, ou educação e, também, impor limitações às liberdades da burguesia, inclusive limitando-se a propriedade privada. Essa evolução dos direitos no sentido de aspecto social, culmina com a constituição de Weimar de 1919, que inaugurou uma nova fase, caracterizada pelo sistema constitucional, que influenciou a organização política e jurídica na época contemporânea, essa constituição influenciou as demais a passaram a conter limitações ao direito de propriedade, afastando a concepção da ideia de propriedade absoluta.

## 5.1. Jurisdição da propriedade privada sobre a defesa dos bens

A Constituição da República Federativa do Brasil de 1988, traz a função social da propriedade como um princípio da ordem econômica e a propriedade privada como garantia individual, conforme explica Ricardo Lira (1997), que a propriedade assegurada na nossa constituição como um direito individual, cuja sua função social é declarada como um dos princípios da Justiça Social. A propriedade privada está prevista no artigo 5 da Constituição Federal, em que é garantido o direito de propriedade, sendo esse direito inviolável, atendendo sua função social, ou seja, satisfazer os interesses do seu proprietário, no qual a função da propriedade é uma instituição jurídica que formou-se para responder uma necessidade econômica (DUGUIT, 2005).

Ao tratarmos de propriedade privada, devemos nos ater no que a lei traz sobre essa determinada posse, no caso, a Constituição, bem como o Código Civil, apresenta a propriedade privada, urbana ou rural, como um bem fundamental, pleno, que visa a comodidade e gozo de seu proprietário. Dessa forma, podemos observar que esse conceito dado no Código Civil, bem como a Constituição, ressaltam uma forte influência dos ideais liberais, já que a posse da terra possibilita a contentamento das insuficiências fundamentais e suplementares do cidadão, propiciando a prosperidade progresso, bem como da cultura. (NADER, 2006). Além disso, o ato de reconhecer a terra como direito da pessoa agregasse ao compromisso da salvaguarda própria do possuidor. Nesse sentido, a propriedade privada assegura liberdade pessoal do indivíduo e seu amadurecimento, pretendendo que os direitos reais realizem o desejo pessoal do dono para com seu bem. (Chaves e Nelson Rosenvald, 2009)

Desse modo, observa-se que a propriedade se alinha com os desejos do ser humano, bem como sua personalidade, nessa ele se desenvolve, ou seja, tem-se um apego com esse bem fundamental, onde o seu proprietário estaria disposto a tudo para a proteção da mesma. De acordo com o artigo 5 e inciso 11 da Constituição Federal de 1988- "a casa é asilo inviolável do indivíduo, ninguém nela podendo penetrar sem consentimento do morador, salvo em caso de flagrante delito ou desastre, ou para prestar socorro, ou, durante o dia, por determinação judicial". O Código Civil Brasileiro, para oferecer um conceito de direito de propriedade, dispõe apenas sobre os poderes exercitáveis pelo proprietário, ou seja, seus elementos característicos, como o artigo 1.228 do Código Civil de 2002, no qual "o proprietário tem a faculdade de usar, gozar e dispor da coisa, e o direito de reavê-la do poder de quem quer que injustamente a possua ou detenha". Assim, a propriedade privada seria aquilo considerado como um direito do homem de retirar do objeto toda a sua utilidade lítica e econômica, inclusive, com a faculdade de defender e excluir outros indivíduos de usar ou tirar proveito desse bem, que é um direito inviolável. (TREVIZAN, 2016).

Nesse sentido, a Constituição protege a instituição propriedade privada, na qual deve manter um conteúdo mínimo de estrutura, que possibilite o proprietário de suprir com as suas necessidades materiais e de sua família, e ainda ter na sua propriedade um instrumento de suas realizações. O Estado Democrático de Direito, deve garantir isso ao indivíduo, na medida que protege a propriedade, assim como deve garantir que o mesmo não seja violentado no exercício de seus pressupostos protegidos pelo ordenamento jurídico.

> Assim o direito de propriedade, assegurado na Constituição da República, é um direito cujo conteúdo pode variar, como verdadeira função social, nos termos e limites fixados pela lei, como expressão da vontade coletiva, desde que não seja esvaziado em seu conteúdo mínimo (LIRA, Ricardo César Pereira, 2016, p. 114)

Nesse contexto, podemos nos debruçar sobre duas visões, a concepção Brasileira e Norte Americana de defesa dos bens, haja vista que as duas observam de maneira diferente essas discussões. Dessa forma, entra em voga um panorama frequente, incorrendo nas ações de legítima defesa, na qual é presente divergências de posicionamentos, de modo que nos trazem aos casos de invasão do patrimônio alheio. Em uma concepção pautada em cima das leis brasileiras, podemos observar que a vida do invasor, assim como a do proprietário, está acima de qualquer bem (móvel ou imóvel). Essa sendo diferente do panorama norte americano, pois as leis trazem uma concepção de que o bem é uma vida, pois dispõe do tempo gasto do trabalhador, logo, tem um valor de vida atribuída a esse móvel ou imóvel.

A invasão em domicílio no Brasil, dar ensejo a situações de risco para o proprietário ou para a família do mesmo. Nesse sentido, as armas servem como uma alternativa para sanar essa problemática, já que o indivíduo poderá utilizar da força para imobilizar o invasor, no caso, esse estará amparado sobre os termos da repulsa possessória do Código Civil Brasileiro, que é um meio judicial em que o possuidor que se sentir ameaçado, turbado ou esbulhado poderá promover a fim de ver sua posse devidamente protegida, e segundo Farias e Rosenvald (2012), "a defesa preventiva da posse, diante da ameaça de iminentes atos de turbação ou esbulho, objetivando impedir a consumação do ato de violência temido.", para impedir a consumação do ato agressivo.

A proteção da posse pode ocorrer por legítima defesa, previsto no artigo 188 do código civil que não constituírem atos ilícitos os praticados em legítima defesa ou no exercício regular de um direito, sendo um dos requisitos a violação atual ou iminente, ou ainda pelo desforço pessoal, que são modalidades de autotutela, que pode-se utilizar de mecanismo adequados para repelir ação violenta, tendo caráter de reação de resistência, podendo ainda ser viabilizado para recuperação da posse, quando atos de esbulho ( perda total da posse) ou turbação (incômodo ao proprietário, no sentido jurídico seria um fato injusto, ou todo ato abusivo, que venha ferir direitos alheios, impedindo o seu livre exercício) que estiverem ocorrendo (MÁRIO, 2004, p. 63). Sendo tal direito está previsto no artigo 1.210, inciso 1º, do Código Civil:

> O possuidor tem direito a ser mantido na posse em caso de turbação, restituído no de esbulho, e segurado de violência iminente, se tiver justo receio de ser molestado.
> § 1º O possuidor turbado, ou esbulhado, poderá manter-se ou restituir-se por sua própria força, contanto que o faça logo; os atos de defesa, ou de desforço, não podem ir além do indispensável à manutenção, ou restituição da posse.

Entretanto, vale ressaltar que a força deve ser proporcional, ou seja, se o invasor não estiver armado, ou tampouco agiu de forma que prejudicasse a integridade física de outrem, esse direito não poderá ser aplicado, já que há delimitado as situações em que a Repulsa Possessória pode ser utilizada, uma vez que o Estado visa acima de tudo a proteção da vida, logo, atentar contra a vida de outrem mesmo que ele tenha invadido a casa, não dar ensejo para que esse possa ser alvejado, tudo depende do contexto a ser aplicado. Dessa maneira, este responderá inteiramente pelos crimes, caso venha a ser preso. Entretanto, se esse for morto pelo proprietário, não será ferido seu direito à personalidade e tampouco o direito à vida, posto que o ato da invasão o deixa à mercê da reação do proprietário, este podendo alvejá-lo por questão da defesa do seu patrimônio e de sua vida, posto que o invasor torna-se um risco em potencial.

Nesse sentido, é importante frisar que o proprietário não sabe quais são as intenções do invasor, podendo esse, furtar, roubar, matar ou estuprar a família do indivíduo, sendo assim de total responsabilidade a mobilização do proprietário no dado momento, já que a polícia não chegaria a tempo para sanar o entrave, agindo assim em legítima defesa putativa. Caso o proprietário exceda a força aplicada ao agressor, devido a desestabilidade do momento, esse responderá por homicídio, e também será posto sobre esse indivíduo uma sanção, de modo que esta se dará sobre uma justificativa de vingança do mesmo e não de autodefesa, sendo previsto no artigo 345 do código penal.[9]

A partir desses fatos, podemos ressaltar que a vítima, ao passar por essa situação, não está discernindo, momentaneamente, de maneira racional; uma vez que esse tem a necessidade de agir por impulso, podendo ocasionar assim, a morte do agressor. E por sua vez, pagar por um crime que não quis cometer. Assim, é válido frisar que o estado psicológico da vítima juntamente à reação momentânea deve ser levado em conta, para que assim, não ocorram injustiças sobre um cidadão, que age sobre os parâmetros da lei.

## CONSIDERAÇÕES FINAIS

O presente artigo, conforme já explicitado teve como objeto de estudo a análise sobre os debates acerca do porte de arma, trazendo uma concepção dos clássicos da política e uma crítica no âmbito constitucional, para a lei 10.826/2003 que proibiu o porte de armas de fogo pelos cidadãos brasileiros, que tinha como finalidade diminuir a criminalidade. Contudo,

---

9    Exercício arbitrário das próprias razões
    Art. 345 - Fazer justiça pelas próprias mãos, para satisfazer pretensão, embora legítima.

nos últimos anos, diante da falha estatal em promover a segurança pública, aumentaram os debates acerca do Estatuto do Desarmamento.

A ideia inicial foi a de retomar os pensamentos sobre as armas na concepção dos clássicos da política, como uma contextualização dos debates sobre o desarmamento civil, por essa razão foi necessário resgatar os ideais do Maquiavel, Hobbes e o John Locke sobre a importância das armas tanto para segurança quanto para a manutenção do poder. O primeiro tópico desse artigo foi relembrar o estado de natureza em Hobbes, uma guerra de todos contra todos, no qual os indivíduos viviam com medo constante de uma morte preeminente, e esse medo para Hobbes causava um clima de desconfiança e insegurança em todos, a melhor maneira de garantir a segurança era acumular poder. No item referente ao Maquiavel, foi salientada a importância das armas como um instrumento fundamental tanto para segurança do príncipe quanto para manutenção do poder no principado, e consequentemente, na conquista de novas terras.

Dessa forma, para garantir a integridade do principado, o príncipe necessitaria de boas armas, pois somente as boas leis não seria o suficiente para garantir a ordem política devido à natureza do homem e que a retirada desse poder do povo proporcionará em um estado de vulnerabilidade, pois eles ficariam sem proteção. Outrossim, é ressaltado a teoria da propriedade privada embasada no filósofo John Locke, de modo que ele discorre sobre duas justificativas, sendo a primeira uma justificativa aos moldes de uma lógica religiosa, onde a matéria bruta (terra) foi entregue ao homem, e este por meio da força de seu labor, a consagrou como sua.

E a segunda lógica que incorre na questão da compra dessa terra, saindo do quesito religioso e indo para um parâmetro mercadológico, uma vez que possibilitou a compra das terras - trazendo consigo problemas estruturais como a desigualdade - por conta acumulação de capital e bens. E a partir desse panorama, fez-se evidente a necessidade da proteção dos bens móveis e imóveis. No que concerne a esse contexto, foi dada a concepção de legítima defesa para a proteção do bem, incorrendo em duas justificativas, o modelo estadunidense e o brasileiro, de modo que evidenciamos como esses dois modelos de ordenamento jurídico se portam ao tomar como objeto de estudo a invasão da propriedade privada.

A partir dos fatos supracitados podemos concluir que uma tradição foi instaurada, a partir de conceitos filosóficos - por meio da concepção dos clássicos - e dos investimentos em publicidade implementados pela marca Colt no século 19 e 20. Nessa perspectiva, criou-se um imaginário de que as armas seriam uma alternativa crucial para a manutenção da autonomia do homem, ou seja, da sua liberdade, e também servia como uma via de equiparação dos poderes entre os homens. Sob tal ótica, propusemos uma pesquisa com base em dados e concluímos que de fato, sociedades armadas têm mais liberdade, e esse fator torna o Estado mais propenso a respeitar os direitos dos indivíduos.

Evidenciamos, por sua vez, que o imaginário instaurado sobre 'as armas serem um meio de proteção do homem', não está incorreto, pois ele torna-se um meio de proteção as falhas estatais, no âmbito da segurança, de modo que ela serve como uma via de defesa pessoal e de proteção dos bens móveis e imóveis, que é prevista em lei pelo ideal democrático de liberdade de escolha sobre seu ato de direito à vida, e direito garantido pelo artigo 5 da Constituição Federal de 1988, no qual consta que todos têm o direito à vida, à liberdade, à igualdade, à segurança e à propriedade.

Ademais, as armas são meios de dirimir entraves e abusos estatais, como por exemplo: o caso de uma tirania ou ditadura, pois essa se faria crucial, visto que o povo poderia utilizar das armas no combate ao abuso de poder. E a partir de uma visão clássica, nos atemos aos teóricos Maquiavel e Hobbes, para expor a natureza do homem e a origem das desigualdades, de modo que assim, pudesse ser pontuado o panorama principal, que se dá sobre a importância das armas (sejam elas armas brancas, ou armas de fogo).

Por sua vez, tratamos das armas como meio de defesa e elucidamos questionamentos como o estatuto do desarmamento, a falha estatal na segurança pública e a legítima defesa, sendo essa um dos requisitos para a exclusão de ilicitude, ou seja, para o fato deixar de ser considerado um crime, sendo essa uma reação a uma agressão atual ou iminente, não podendo ultrapassar os limites legais da ação defensiva. Sob tal ótica, tecemos uma crítica sobre o estatuto do desarmamento, ressaltando o conflito entre direitos fundamentais e a lei instaurada, para que, desse modo, pudéssemos expor as falhas desse modelo que foi implementado. Nessa perspectiva, fizemos uma relação em âmbito nacional e internacional, comparando os índices de mortes nos anos anteriores a lei instaurada e depois da lei, bem como observamos os números de mortes em cidades dos Estados Unidos que tem as armas liberadas em contraponto com outras do mesmo país que decidiram proibir, chegando à conclusão de que essa ideia de retirar as armas potencializa o poder do crime e do estado perante a vida do indivíduo.

Além disso, propomos uma discussão sobre a legítima defesa, trazendo seus aspectos legais, bem como o panorama de como a ideia deve ser aplicada, e qual é a importância da mesma em situações de risco. Desse modo, abordamos a concepção do Estado sobre propriedade privada e traçamos uma lógica hipotética dedutiva para evidenciar como ocorre a defesa desse bem jurídico, e como essa traz um nexo de causa e efeito. Assim, pode-se evidenciar que a relação de causa e efeito foi amparado sobre os termos da repulsa possessória do código civil, previsto no artigo 1.210, onde o cidadão tem total autonomia de defender seu bem, desde que o poder exercido seja proporcional ao dano atentado.

## REFERÊNCIAS

AFONSO, Aline Valério Bueno Pereira. **O Porte de Armas Como Direito Individual e Suposto Fator de Criminalidade.** Disponível em: <http://www.cesumar.br/prppge/pesquisa/epcc2007/anais/aline_valerio_bueno_pereira_afonso.pdf>. Acesso em: 02 de setembro de 2020.

AMARAL, Ricardo. **Referendo**. Disponível em: <https://noticias.uol.com.br/ultnot/referendo/ultimas/2005/10/23/ult3258u118.jhtm>. Acesso em: 02 de setembro 2020.

ARANOVICH, Patrícia. As armas em Maquiavel. **Revista Crítica Histórica**, [S.l.], v. 6, n. 12, p. 1-16, 2015. Universidade Federal de Alagoas. Disponível em: <http://www.revista.ufal.br/criticahistorica/attachments/article/249/Dossi%-C3%AA%202.pdf>. Acesso em: 02 de setembro de 2020.

BBC. **Com menos armas, Brasil tem três vezes mais mortes a tiro que os EUA.** Brasília. Publicado em: 18 de dezembro de 2012. Disponível em: <https://

www.bbc.com/portuguese/noticias/2012/12/121218_armas_brasil_eua_violencia_mm> Acesso em: 04 de setembro de 2020

BERBEL, Marco Antonio Facione. **Armas como instrumento de ação Política em Maquiavel.** São Paulo: [s.n], 2009.

BITENCOURT, Cezar Roberto. **Tratado de Direito Penal:** Parte geral. 11ª ed., São Paulo: Saraiva, 2007, v.1, p. 320 e 321.

BOBBIO, Norberto. A Era dos Direitos. Trad. Carlos Nelson Coutinho. Rio de Janeiro, Campus, 1992.

CAMPOS, Luiz Augusto. Os pais fundadores da política moderna. **Sociedade e Estado,** [S.l],

v. 24, n. 3, p. 883-891, dez. 2009. FapUNIFESP (SciELO). Disponível em: <https://www.scielo.br/scielo.php?script=sci_arttext&pid=S0102-69922009000300011>. Acesso em: 03 de setembro de 2020.

CAPEZ, Fernando. Curso de Direito Penal. 12ª Edição. Volume 1. Editora Saraiva. São Paulo, 2007.

COELHO, Maria Francisca Pinheiro; MENEZES, Marilde Loiola de. A política da guerra em Maquiavel. **Revista Brasileira de Ciência Política,** [S.l.], n. 12, p. 127-153, dez. 2013.

FapUNIFESP (SciELO). Disponível em: <https://www.teses.usp.br/teses/disponiveis/8/8133/tde-04022010-173159/publico/MARCO_ ANTONIO_FACIONE_BERBEL.pdf>. Acesso em: 02 de setembro 2020.

DALLARI, Adilson Abreu. **O Direito Constitucional do Cidadão à Legítima Defesa.** [S.l]. Publicado em: 04 jul. 2019. Disponível em: <https://www.conjur.com.br/2019-jul-04/interesse-publico-direito-constitucional-cidadao-legi tima-defesa>. Acesso em: 03 de setembro de 2020.

DUGUIT, León apud LOPES, Miguel Maria de Serpa. **Curso de Direito Civil.** Vol. VI. Ed 5, Freitas Bastos: Rio de Janeiro, 2001.

FURTADO, Antonio. **Comissão de Segurança Pública e Combate ao Crime Organizado.** [Brasília]. Publicado em: 21 de maio de 2019. Disponível em: <https://www. camara.leg.br/proposicoesWeb/prop_mostrarintegra;jsessionid=D43FA16CA58 8FB88F26A4A063B62A1A6.proposicoesWebExterno2?codteor=1761507&filename=REQ+ 73/2019+CSPCCO> Acesso em : 04 de setembro de 2020

GRECO, Rogério. **Curso de Direito Penal**: Parte Geral. 18ª ed., Rio de Janeiro: Impetus, 2016, v.1, p. 468.

IPEA. **Taxa de Homicídios no Brasil Atingiu Recorde em 2014.** Brasília. Publicado em: 23 março de 2016. Disponível em: <https://www.ipea.gov.br/portal/index.php?option=com_content&view=article&id=27412> Acesso em: 03 de setembro de 2020.

MALCOLM, Joyce Lee. **Violência e Armas:** A Experiência Inglesa. [S.l.]: Vide Editorial, 2014.

MAQUIAVEL, niccolò. **O Príncipe:** Prefácio e Notas Lívio Xavier. Ed. 36. Rio de janeiro: Editora Ediouro, 2002.

MAQUIAVEL, niccolò. **Discursos sobre a Primeira Década de Tito Lívio.** [S.l]: Martins Fontes, 2007.

MENDONÇA, Rogério Peninha. Projeto de Lei 3722/2012. **Justificativa.** Disponível em: <https://www.camara.leg.br/proposicoesWeb/fichadetramitacao?idProposicao=541857>. Acesso em: 02 de setembro de 2020.

MENEZES, Alex Fabiane Silveira. **Direito do Cidadão de Possuir e Portar Armas.** Rio de Janeiro: Lumen Juris, 2014.

ONU. Global Study On Homicide. **UNODC:** Áustria. Disponível em: <https://www.unodc.org/documents/data-and-analysis/statistics/Homicide/Globa_study_on_h omicide_2011_web.pdf. >. Acesso em 23 de outubro de 2020.

WEFFORT, Francisco. **Os Clássicos da Filosofia Política.** 14ª Ed. São Paulo: Editora Ática, 2011.

ZAFFARONI, Eugenio Raúl; PIERANGELI, José Henrique. **Manual de Direito Penal Brasileiro:** Parte Geral. 11ª Ed. [S.l]: Revista dos Tribunais, 1999.

# A MERITOCRACIA NEOLIBERAL DA FOME

Wladimir Tadeu Baptista Soares
http://lattes.cnpq.br/6529572400662383

**RESUMO:** A pesquisa discute a questão da fome como um direito humano de todo cidadão, afirmando o dever do Estado em garantir alimentação para todos aqueles que não dispõem de meios para consegui-la. Além disso, a pesquisa sustenta a meritocracia neoliberal como um dos elementos justificadores da fome no mundo. Inicialmente, apresenta alguns aspectos históricos sobre a fome no mundo. Posteriormente, a pesquisa traz o ordenamento jurídico internacional para justificar a importância e a necessidade da existência de um Estado Social para solucionar esse grave problema mundial e essa dramática injustiça social que persiste em pleno século XXI.

**PALAVRAS-CHAVE:** fome; meritocracia; neoliberalismo; direitos humanos; estado social

## INTRODUÇÃO

A fome é um flagelo que acompanha a humanidade desde sempre, sendo uma vergonha para todos nós e um crime de nossa responsabilidade cometido contra nossos irmãos que se encontram em estado de necessidade e vivendo a morte do seu corpo por inanição. Nas palavras de Helena Silvestre,

> A fome é humana. A fome é uma praga que os homens fabricaram contra outros homens e mulheres [...]. Muito difícil pensar com fome. Muito difícil desenvolver-se com fome, cantar com fome, amar com fome, desapegar-se, estando com fome. Tudo aquilo que mora na mais rica experiência da vida vai sendo arrancado de nós e nossos corpos se atrofiam, como radares embaçados que não captam bem a luz (SILVESTRE, 2021, p. 18-19).

A fome é uma construção humana, seja como consequência das guerras, das crises migratórias, das crises climáticas, das políticas econômicas adotadas, das desigualdades sociais, da pobreza, do desemprego, da não assistência aos necessitados, da acumulação do capital, da escassez localizada de alimentos.

A fome é o retrato cruel e injusto da carência alimentar, da desnutrição e da miséria humana agravada e produzida pelas políticas públicas econômicas neoliberais mundo afora.

Há no mundo, neste momento, milhões de pessoas em estado de insegurança alimentar e milhões de pessoas morrendo de fome, enquanto sobram alimentos em muitos lugares e para muitas outras pessoas, configurando o retrato da desigualdade social da fome.

Importante reconhecer a chamada "fome oculta" – aquela que decorre da ingestão crônica de alimentos pobres em vitaminas e sais minerais, com baixo índice nutricional; ou seja, alimentos desprovidos de qualidade nutricional. Neste caso, embora a pessoa tenha o que comer, aquilo que ela come é causa da sua desnutrição e fome. Desse modo, a pessoa encontra-se em uma situação em que a fome se perpetua naquilo que ele come.

A fome expressa sempre uma condição socioeconômica de fragilidade extrema e a corrosão ética e moral da humanidade. "Quem tem fome tem pressa" e precisa comer, pois a possibilidade de continuar existindo como pessoa viva depende disso. A vida, para existir, exige um coração batendo e um cérebro funcionando; e isso exige nutrientes em quantidade e em qualidade adequadas.

A fome é o retrato do descaso da humanidade com os mais humildes e desamparados, simbolizando a certeza da nossa imperfeição. Ao mesmo tempo, a fome é resultado da estupidez e da ambição humana equivocada, que opta por gastar uma fortuna em projetos científicos tecnológicos para ocupar outros planetas, negando um prato de comida a quem suplica atenção.

A fome expressa a negação da nossa humanidade e a cegueira para as lições que um dia alguém aqui na Terra nos ensinou. Não conseguiremos curar a fome no mundo sem fortalecer os nossos laços de fraternidade, solidariedade, cuidado e compaixão. Nesse sentido, importante conhecer o pensamento de Minouche Shafik quanto a necessidade de estabelecermos um novo contrato social:

> A forma como uma sociedade está estruturada tem consequências profundas na vida de quem vive nela e na arquitetura das oportunidades que surgem. Delimita não apenas as condições materiais mas também o bem-estar, os relacionamentos e as perspectivas de vida. A estrutura da sociedade é determinada por instituições como os seus sistemas político e jurídico, a economia e a forma como a vida familiar e comunitária estão organizadas. Todas as sociedades optam por deixar que algumas coisas sejam designadas pelos indivíduos e outras pela coletividade. As normas e as regras que estabelecem como essas instituições coletivas operam é o que chamarei de contrato social, que acredito ser o determinante de maior relevância do tipo de vida que levamos. Devido à sua grande importância e porque a maior parte das pessoas não pode deixar facilmente sua sociedade, o contrato social requer o consentimento da maioria e a renegociação periódica, à medida que as circunstâncias mudam (SHAFIK, 2021, p.20-21).

Este novo contrato social implica em todos cuidarmos uns dos outros, o que requer uma consciência política de comunidade e de justiça social com igualdade.

A fome está em contradição com todas as religiões, além de ser usada, muitas vezes, como instrumento político para eleições.

Quem tem fome quer viver e não pode. Quem tem fome chama por mim e por você, e por todo mundo.

## 1. ALGUNS ASPECTOS HISTÓRICOS DA FOME:

Inicialmente, atribuía-se à fome uma vontade de Deus. Então, nada podíamos fazer contra ela; pois se era uma vontade divina, Deus sabia o porquê. Sendo assim, passar ou não passar fome dependia do senhor Deus, por razões desconhecidas por nós, mas conhecidas por Ele.

Mais tarde, houve uma compreensão de que a fome era resultado da economia – uma ciência social que estuda a questão da escassez – e dos seus efeitos na vida em sociedade. Nesse sentido, as tentativas para explicar a fome levavam em conta a escassez de alimentos decorrente de questões climáticas que prejudicariam as colheitas, períodos de guerras, falta de investimentos no setor agropecuário, entre outras razões.

Thomas Robert Malhus, ordenado pastor no Jesus College de Cambridge, defendia a tese de que a quantidade produzida de alimentos é sempre menor do que a capacidade de reprodução humana. Portanto, isso explicaria o fenômeno social da fome, intrinsicamente relacionado à uma questão biológica do ser humano. Como as classes mais pobres se reproduzem mais – têm mais filhos -, os pobres são culpados pela sua fome. Ele afirmava que "No mundo dos vegetais e dos animais, a lei natural age arruinando as sementes e semeando enfermidades e morte prematura; em relação ao homem, age por meio da miséria." (APUD in CAPARRÓS, M.; 2016, p. 239). Assim, segundo Malthus, a natureza utilizaria desse recurso – a fome - para restabelecer o equilíbrio necessário, como uma invenção da Providência Divina, de modo a colocar tudo no seu devido lugar. Fazendo isso, Deus manteria uma harmonia entre população e produção; e a fome seria garantidor dessa harmonia.

Joseph Townsend, vigário e médico, afirmava que "A fome amansa os animais mais selvagens, dá lições de decência e civilidade, obediência e sujeição aos mais brutos, aos mais obstinados, aos mais perversos. Em geral, só a fome pode submeter e esporear os pobres ao trabalho." (APUD in CAPARRÓS, M.; 2016, p. 239). Por essa tese, a fome funcionaria como uma solução para os problemas econômicos. Desse modo, o Estado jamais deveria intervir na questão da miséria porque, como elemento disciplinador, a fome seria um mal necessário a um bem maior. A culpa da fome seria dos famintos.

Em 1845, Friedrich Engels escreveu:

> "Esses operários não possuem eles próprios nada, e subsistem com um salário que só permite viver ao dia; a sociedade individualizada ao extremo não se preocupa com eles e lhes deixa a tarefa de custear suas necessidades e as de sua família; no entanto, não lhes proporciona os meios para fazê-lo de maneira eficaz e duradoura. Qualquer operário, inclusive o melhor, está, portanto, constantemente exposto à miséria, ou seja, a morrer de fome, e um bom número deles sucumbe. As casas dos trabalhadores são, por regra geral, malconstruídas, malconservadas, malventiladas, úmidas, insalubres. [...] As crianças, que só podem mitigar pela metade sua fome no momento exato em que mais precisam se alimentar, chegarão a ser, em grande proporção, homens débeis, escrofulosos e raquíticos." (APUD in CAPARRÓS, M.; 2016, p. 240-241).

A questão da fome nos remete ao conceito de *"hambruna"*: escassez generalizada de alimentos básicos que padece uma população de forma intensa e prolongada (Oxford Languages, 2021). Também pode ser definida como "uma situação que se dá quando um país ou zona geográfica não possui suficientes alimentos e recursos para prover de alimentos à população, elevando a taxa de mortalidade devido à fome e à desnutrição (WIKIPEDIA, 2021).

Segundo a Organização das Nações Unidas, atualmente, cerca de 16% de todas as mortes diárias no mundo têm como causa a fome, o que representa aproximadamente 24.000 (vinte e quatro mil) mortes diárias provocadas pela fome, particularmente decorrentes da desnutrição, sendo que 75% dessas mortes ocorre em crianças com menos de 5 meses de idade.

Hoje sabemos que o mundo produz muito mais alimentos do que a população mundial é capaz de consumir. Países exportadores de alimentos, como o Brasil, têm em seus territórios pessoas passando fome, o que nos leva a considerar que a fome tem causas econômicas, mas também sociais, culturais e políticas.

Segundo Martín Caparrós,

> Entre todos os direitos que nunca foram cumpridos, o direito à alimentação ocupa um bom lugar. Supõe-se que um direito universal está acima de qualquer outra consideração; que não se pode abandonar seu cumprimento ao "livre jogo do mercado" nem ao azar dos indivíduos. Que os Estados deveriam se ocupar de que esse direito universal se cumprisse universalmente. Entre todos os direitos que nunca são questionados, o direito à alimentação também ocupa uma boa posição. É curioso: quando se fala de direitos humanos, costumamos pensar em que não te encarcerem sem as razões habituais, não te torturem, não te matem, te permitam viajar, se expressar, revelar suas opiniões; não costumamos pensar em comida. O direito de comer é um direito humano de segunda ou terceira categoria. Quando outros são violados, se armam escândalos saudáveis, duradouros; todos os dias, centenas de milhões de pessoas estão impossibilitadas de exercer seu direito à alimentação, e a indignação – dos grandes organismos, dos pequenos cidadãos – costuma ser discreta (CAPARRÓS, 2016, p. 254).

Em pleno século XXI, a fome parece ter também uma dimensão ideológica. Explicando a concepção marxista de ideologia, assim leciona Marilena Chauí:

> A ideologia é o processo pelo qual as ideias da classe dominante tornam-se ideias de todas as classes sociais, tornam-se ideias dominantes. [...] A ideologia consiste precisamente na transformação das ideias da classe dominante em ideias dominantes para a sociedade como um todo, de modo que a classe que domina no plano material (econômico, social e político) também domina no plano espiritual (das ideias). [...] Os ideólogos são aqueles membros da classe dominante ou da classe média (aliada natural da classe dominante) que, em decorrência da divisão social do trabalho em trabalho material e espiritual, constituem a camada dos pensadores ou dos intelectuais. Estão encarregados, por meio da

sistematização das ideias, de transformar as ilusões da classe dominante (isto é, a visão que a classe dominante tem de si mesma e da sociedade) em representações coletivas ou universais. Assim, a classe dominante (e sua aliada, a classe média) divide-se em pensadores e não pensadores, ou em produtores ativos de ideias e consumidores passivos de ideias (CHAUÍ, 2001, P. 101-104).

Desse modo, se a classe dominante entende que a miséria e a fome têm por causa os próprios miseráveis e famintos, essa ideia passa a dominar na sociedade, tendo a classe média como parceira na afirmação dessa ideia, o que leva a considerar que o Estado não deve intervir para mudar essa condição de pobreza extrema e fome sofrida por milhões de pessoas em todo o mundo, pois elas são pobres e famintas porque são preguiçosas para o trabalho e só querem viver de favores do Estado. Isso diz respeito ao que pretendo chamar de "meritocracia neoliberal da fome".

## 2. NEOLIBERALISMO E MERITOCRACIA NEOLIBERAL

Segundo Pierre Sauvêtre, Christian Laval, Haud Guéguen e Pierre Dardot,

> O neoliberalismo procede, desde as origens, de uma escolha fundadora: a escolha da guerra civil. Direta ou indiretamente, essa escolha continua, ainda hoje, comandando suas orientações e suas políticas, inclusive quando não implicam o emprego de meios militares. [...] Com o recurso cada vez mais explícito à repressão e à violência dirigidas às sociedades, estamos diante de uma verdadeira *guerra civil*. [...] A guerra civil é a que se faz entre cidadãos de um mesmo Estado. [...] Ainda que as guerras civis do neoliberalismo se desenrolem em várias frentes simultaneamente e tenham por questão a dominação das oligarquias em escala mundial, elas não se fundem em uma só guerra que teria, de imediato, o mundo como arena e palco. [...] É em um sentido totalmente diferente que falamos de "guerras civis" do neoliberalismo. A primeira característica dessas guerras conduzidas por iniciativa da oligarquia é que são guerras "totais": sociais, pois pretendem enfraquecer os direitos sociais das populações;

**117**

étnicas, já que buscam excluir os estrangeiros de toda forma de cidadania, especialmente restringindo cada vez mais o direito de asilo; políticas e jurídicas, uma vez que recorrem aos meios da lei para reprimir e criminalizar toda resistência e contestação; culturais e morais, pois atacam direitos individuais em nome da defesa mais conservadora de uma ordem moral com frequência referida a valores cristãos. Segunda característica: nessas guerras, as estratégias são diferenciadas, sustentam-se umas pelas outras, nutrem-se mutuamente, mas não dão lugar a uma estratégia unitária global, da qual as estratégias nacionais ou locais seriam apenas versões particularizadas. Terceira característica: elas não opõem diretamente de uma "ordem global" de tipo imperial, mesmo que dirigida por uma potência hegemônica, a populações tomadas em bloco, da mesma forma que não opõem dois regimes políticos ou dois sistemas econômicos um ao outro; elas opõem coalizões oligárquicas a certos setores da população, mediante apoio ativo de algumas de suas frações. Mas esse apoio nunca é dado antecipadamente: ele deve ser, a cada vez, obtido pela instrumentalização das divisões existentes, em particular as mais arcaicas. Por isso, essas estratégias frustram todo esquema de tipo dualista. As guerras civis do neoliberalismo são precisamente *civis* [...] Elas colocam em tensão e assim compõem diversos tipos de agrupamentos seguindo linhas de clivagem bem mais complexas que aquelas de pertencimento às classes sociais: coalizões oligárquicas, que defendem a ordem neoliberal por todos os meios do Estado (militares, políticos, simbólicos); classes médias assimiladas pelo neoliberalismo "progressista" e seu discurso sobre as virtudes da "modernização"; uma parte das classes populares e médias, cujo ressentimento é captado pelo nacionalismo autoritário; enfim, um último tipo de grupo que se constitui em grande medida nas mobilizações sociais contra a ofensiva oligárquica e permanece vinculado a uma concepção igualitária e democrática da sociedade (na qual encontram, em particular, as minorias étnicas e sexuais, assim como as mulheres)." (SAUVÊTRE; LAVAL; GUÉGUEN; DARDOT, 2021, p. 23-31).

Ao promover um verdadeiro ataque aos direitos sociais, o neoliberalismo deixa claro que não se importa com a pobreza, com a precarização das relações de trabalho e a introdução de um desemprego estrutural, com a fome e com o sofrimento humano. O neoliberalismo não vê problema algum na produção e na acentuação de enormes desigualdades sociais, que tem como consequência, entre outras coisas, a exclusão social.

Além disso, o neoliberalismo não se conforma com a democracia liberal representativa, procurando fazer do Estado uma empresa submetida à uma gestão praticada por gestores, que não são eleitos pelo povo, mas que tentam passar uma imagem de que são os verdadeiros representantes do povo, e que somente eles conhecem as necessidades e as vontades do povo. É comum que esses gestores institucionalizem a corrupção, embora acusem os seus críticos de serem os verdadeiros corruptos. Mais do que isso, esses gestores costumam seguir as orientações dadas por certos conselheiros que se autoproclamam intelectuais, mas que, na verdade, são intelectuais de nada, alimentando-se e alimentando discursos de ódio na sociedade (CHAUÍ, 2021, p. 1-7).

Segundo David Harvey,

> O neoliberalismo como doutrina político-econômica remonta ao final dos anos 1930. Radicalmente oposta ao comunismo, ao socialismo e a todas as formas de intervenção ativa do governo para além de dispositivos de garantia da propriedade privada, das instituições de mercado e da atividade dos empreendedores, ela começou como um conjunto isolado e em larga medida ignorado de pensamento ativamente moldado na década de 1940 por pensadores como Friedrich von Hayek, Ludwig von Mises, Milton Friedman e, ao menos por algum tempo, Karl Popper. [...] Foi Margaret Thatcher quem, buscando uma estrutura mais adequada para atacar os problemas econômicos de sua época, descobriu politicamente o movimento e voltou-se para seu corpo de pensadores em busca de inspiração e recomendações depois de eleita em 1979. Em união com Reagan, ela transformou toda a orientação da atividade do Estado, que abandonou a busca do bem-estar social e passou a apoiar ativamente as condições "do lado da oferta" da acumulação do capital. O FMI e o Banco Mundial mudaram quase que da noite para o dia seus parâmetros de política, e em poucos anos a doutrina neoliberal fizera uma curta e vitoriosa marcha por sobre as instituições e passara a dominar a política, primeiramente no mundo anglo-saxão, porém mais tarde em boa

parte da Europa e do mundo. Como a privatização e a liberalização do mercado foram o mantra do movimento neoliberal, o resultado foi transformar em objetivo das políticas do Estado a "expropriação das terras comuns". Ativos de propriedade do Estado ou destinados ao uso partilhado da população em geral foram entregues ao mercado para que o capital sobreacumulado pudesse investir neles, valorizá-los e especular com eles. Novos campos de atividade lucrativa foram abertos e isso ajudou a sanar o problema da sobreacumulação, ao menos por algum tempo. Mas esse movimento, uma vez desencadeado, criou impressionantes pressões de descoberta de um número cada vez maior de arenas, domésticas ou externas, em que se pudesse executar privatizações (HARVEY, 2014, p. 130-131).

Na Inglaterra, houve a privatização dos serviços públicos de água, telecomunicações, eletricidade, energia, transporte, além da venda e extinção de empresas estatais e a mudança do regime jurídico de muitas instituições, incluindo as Universidades, de acordo com uma lógica lucrativa de mercado, além de uma redistribuição de ativos que em nada favoreceu as classes sociais mais baixas. O grande estoque de habitações sociais foi privatizado, o que gerou, com o passar do tempo, uma especulação imobiliária, o que levou a populações de baixa renda a não conseguirem adquirir o imóvel desejado, surgindo, assim, um grande número de cidadãos sem teto.

Na África do Sul, a privatização da água acabou por gerar uma alta no preço da prestação do serviço, acabando por deixar muitas pessoas sem condições financeiras para arcar com esse custo, o que fez da água um serviço social privatizado inacessível.

Segundo A. Roy,

> A privatização é essencialmente a transferência de ativos públicos produtivos do Estado para empresas privadas. Figuram entre os ativos produtivos os recursos naturais. A terra, as florestas, a água, o ar. São esses os ativos confiados ao Estado pelas pessoas a quem ele representa. [...] Apossar-se desses ativos e vendê-los como se fossem estoques a empresas privadas é um processo de despossessão bárbara numa escala sem paralelo na história (ROY, 2001, p. 16-20).

Uma das formas mais eficientes e cruéis de atacar os direitos sociais, enfraquecendo-os, é instituir políticas públicas que promovam a sua privatização. Isso faz com que esses direitos deixem de ser um bem público – aos quais se atribuía um valor (dignidade) - e passem a ser uma mercadoria, sendo atribuído a esses bens de mercado um preço. Desse modo, os direitos sociais, antes públicos e agora privados, são precificados, sofrendo, ao longo do tempo, aumentos consideráveis, haja vista que, com a privatização, o interesse público social é substituído pelo interesse privado do mercado – mercado esse que, historicamente, não tem nenhum compromisso com os direitos sociais dos cidadãos, mas sim um compromisso com a obtenção de lucro e acumulação de capital, a partir da exploração econômica dos serviços públicos privatizados. Com isso, cada vez mais pessoas passam a ter dificuldades para usufruir desses serviços públicos sociais que foram privatizados (energia elétrica, fornecimento de gás, transporte, correios, telefonia etc.).

Importante assinalar que a pobreza não é caracterizada apenas pela questão econômica de baixa renda, mas também pela dificuldade de acesso aos serviços/direitos sociais. Ambas as condições favorecem a fome.

Segundo Martín Caparrós,

> A produção de alimentos aumentou como nunca antes. Que tantos consigamos comer todos os dias é um milagre; que tantos não o consigam, uma canalhice. Durante séculos, as *hambrunas* não tiveram solução. Aconteciam quando uma seca, uma inundação, uma guerra, uma peste liquidavam as reservas de uma região. Os mais ricos, obviamente, sempre tinham alguma coisa para comer; para o resto não restava realmente nada. [...] Agora, dar de comer aos famintos só depende da vontade. Se há gente que não come suficiente – se há gente que adoece de fome, que morre de fome -, é porque os que têm alimentos não querem dá-los: os que temos alimentos não queremos dá-los. O mundo produz mais alimentos do que necessitam seus habitantes; todos sabemos quem são aqueles que não têm o suficiente; enviar-lhes aquilo de que necessitam pode ser uma questão de horas. Isso é o que faz com que a fome atual seja, de alguma maneira, mais brutal, mais horrível do que a de cem anos ou mil anos atrás (CAPARRÓS, 2016, p. 257).

Isso significa dizer que, atualmente, a fome poderia deixar de existir em todas as partes do mundo, em pouquíssimo tempo, bastando apenas a formação de um consenso mundial sobre esse tema e a vontade política de pôr fim a esse problema caracterizado por extrema desumanidade e injustiça social.

Segundo Jeffrey Sachs,

> Para acabar com a pobreza global até 2025 serão necessárias ações coordenadas dos países ricos, bem como dos pobres, a começar por um "pacto global" entre países ricos e pobres. Os países pobres devem levar a sério o fim da pobreza e terão de dedicar uma parte maior de seus recursos nacionais para acabar com ela, em vez de gastá-los em guerra, corrupção e disputas políticas internas. Os países ricos precisarão superar os chavões relacionados à ajuda aos pobres e cumprir suas repetidas promessas de dar mais auxílio. Tudo isso é possível. [...] Mas precisa de uma estrutura (SACHS, 2005, p. 307).

A criação de uma nova estrutura política e econômica para o combate definitivo à fome requer que abandonemos as políticas públicas neoliberais definidas no Consenso de Washington e passemos a adotar políticas públicas sociais definidas a partir de um "Consenso dos Países Pobres", talvez liderado pelos países componentes do BRICS (Brasil, Rússia, Índia, China e África do Sul) – funciona como um mecanismo político internacional de cooperação mútua entre os países integrantes, sendo formado por um grupo de países emergentes que, em determinado momento histórico, se encontravam em situação econômica similar. Isso significa repensar a questão da austeridade, que só beneficia o mercado e prejudica o Estado, levando a sacrifícios sociais e econômicos suportados pelo povo, minando a dignidade desse povo e promovendo uma acentuação das desigualdades sociais e um aumento da insegurança, da pobreza e da miséria humanas.

Nas palavras de Flora Augusta Varela Aranha,

> A expressão "dignidade humana", a despeito de suas múltiplas possibilidades semânticas, pode comportar, na esfera política, a

> noção do conjunto de medidas tomadas pelo Estado, em conjunto com a sociedade civil, tendentes a promover a máxima realização do ser humano, sob o aspecto formal e material. O primeiro, retratado na observância do princípio democrático; este último, na promoção do mínimo necessário à subsistência, corolário da ideia do respeito tributado à pessoa humana, encarada mesma como um valor a ser observado (ARANHA; In: MATOS; GOSTINSKI, 2017, p.19).

Aquele que está passando fome, morrendo aos poucos por não ter o que comer, está vivendo numa condição de indignidade humana. E, de algum modo, todos temos responsabilidades nisso. Porque a fome não é um problema de solução impossível ou inexistente. Não! A fome tem solução possível, e esta solução existe e está nas nossas mãos resolver. Basta um consenso da humanidade e a vontade política de fazer acontecer.

Segundo Michael J. Sandel,

> Estes são tempos perigosos para a democracia. O perigo pode ser visto no aumento da xenofobia e no crescente apoio público de figuras autocráticas que testam os limites das normas democráticas. Essas tendências por si só são problemáticas. Igualmente alarmante é o fato de que partidos e políticos dominantes demonstram pouca compreensão sobre o descontentamento que está agitando a política no mundo inteiro. Algumas pessoas condenam o surto de nacionalismo populista como uma reação um pouco mais racista e xenofóbica contra imigrantes e o multiculturalismo. Outras a enxergam, sobretudo, em termos de economia, como protesto contra o desemprego resultante do mercado global e de novas tecnologias (SANDEL, 2020, p. 29).

Queremos acrescentar a "aporofobia", ou seja, a aversão ou desprezo pelos pobres ou desfavorecidos; a ação hostil para com pessoas vivendo em situação de pobreza ou miséria. Portanto, o preconceito e a discriminação estão no centro da manutenção da fome no mundo. Os famintos não têm voz nem espaço público para se manifestarem. O Congresso Nacional, o Parlamento, o Palácio Governamental não mantêm suas portas abertas aos miseráveis deste nosso planeta. Eles são vistos pelos governantes e pela sociedade em geral como "problemas", e não como "sujeitos" de direitos e dignidade. O neoliberalismo não se incomoda com isso.

A meritocracia neoliberal enxerga com igualdade aquele indivíduo que nasceu no Leblon e aquele indivíduo que nasceu no sertão do Piauí. Assim, a meritocracia neoliberal entende que, se ambos se esforçarem, ambos terão sucesso e o trabalho os conduzirá ao topo da pirâmide social. Ou seja, o neoliberalismo entende a igualdade somente na sua dimensão formal (todos são iguais perante a lei), negando-se a reconhecer a igualdade material, onde a diferença de oportunidades implica em diferenças de resultados. Michael J. Sandel acrescenta:

> A arrogância meritocrática reflete a tendência de vencedores a respirar fundo o sucesso, a esquecer a sorte e a sina que os ajudaram ao longo do caminho. É convicção presunçosa de pessoas que chegam ao topo que elas merecem esse destino e que aqueles embaixo merecem o deles também. Esse comportamento é o companheiro moral da política tecnocrática. [...] É isso que faz do mérito uma espécie de tirania, ou regra injusta (SANDEL, 2020, p. 38).

O mesmo autor continua dizendo que

> O lado negativo do ideal meritocrático está embutido em sua promessa mais sedutora, a de domínio e a de vencer pelo próprio esforço. Essa promessa vem com um fardo difícil de carregar. O ideal meritocrático coloca um peso grande na concepção de responsabilidade pessoal. Responsabilizar as pessoas pelas coisas que elas fazem é bom, até certo ponto. Respeita a capacidade delas de pensar e agir por elas mesmas, como agentes morais e cidadãos. Mas uma coisa é responsabilizá-las por agirem de acordo com a moral; outra coisa é pressupor que somos, cada um de nós, totalmente responsáveis por nossa sina. [...] Falar sobre a "sina" de alguém sugere a determinação de sinas, um resultado determinado por destino, sorte ou providência divina, não nosso esforço. Indica, para além do mérito e escolha, o âmbito da sorte e do acaso ou, em alguns casos, da graça (SANDEL, 2020, p. 52-53).

Max Weber observa que

> Os afortunados raramente se contentam com o fato de serem afortunados. Além disso, necessitam saber que têm o *direito* à sua boa sorte. Desejam ser convencidos de que a "merecem" e, acima de tudo, que a merecem em comparação a outros. Desejam acreditar que os menos afortunados também estão recebendo o que merecem (WEBER, 1982, p. 314).

Por esse entendimento, aqueles que têm fome tem fome porque merecem; aqueles que vivem em condição de miséria, vivem assim porque merecem; aqueles que estão desempregados, estão desempregados porque merecem; aqueles que não tem casa própria, não tem porque merecem...

Sobre a meritocracia, Daniel Markovits assim leciona:

> Sejam quais forem seus propósitos originais e seus antigos triunfos, a meritocracia atual concentra os privilégios e sustenta desigualdades tóxicas. E, na raiz de todos esses problemas, não está a falta de meritocracia, mas o excesso dela. O próprio mérito tornou-se um simulacro de virtude, um falso ídolo. E a meritocracia – antes benévola e justa – transformou-se naquilo que deveria combater: um mecanismo para a concentração e a transmissão dinástica da riqueza e dos privilégios de geração para geração. Uma ordem de castas que cria rancor e divisão. Na verdade, uma nova aristocracia (MARKOVITS, 2021, p. 18).

Portanto, a meritocracia neoliberal assegura alimentos, boa nutrição e boa vida para um grupo de pessoas privilegiadas, ao mesmo tempo que garante a fome e a miséria para um outro grupo de pessoas desfavorecidas e excluídas da riqueza mundial.

Sobre o conceito de alimentação adequada e saudável, Mariana de Araújo Ferraz esclarece que

> O conceito de adequação do alimento remete a uma ideia de quantidade suficiente para uma existência normal e ativa (e não a uma porção mínima de calorias que previna a morte por inanição). Remete também à qualidade que atenda não só à proteção

contra a fome, mas também a outros determinantes sociais, culturais e ambientais (FERRAZ, 2017, p. 49).

Isso nos remete ao reconhecimento de que a alimentação adequada, suficiente e saudável é uma das dimensões da dignidade da pessoa humana – fundamento dos direitos humanos – e direito individual e social de todo ser humano (e de todo ser vivo), previsto em muitas Constituições e Tratados Internacionais Sobre Direitos Humanos, tal como podemos observa no artigo 11.1 do Pacto Internacional Sobre Direitos Econômicos, Sociais e Culturais (1992), nos seguintes termos: "Os Estados Partes do presente Pacto reconhecem o direito de toda pessoa a um nível de vida adequado para si próprio e sua família, inclusive à alimentação, vestimenta e moradia adequadas, assim como a uma melhoria contínua de suas condições de vida. Os Estados Partes tomarão medidas apropriadas para assegurar a consecução desse direito, reconhecendo, nesse sentido, a importância essencial da cooperação internacional fundada no livre consentimento."

Isso enfraquece a defesa da existência de um Estado Neoliberal e fortalece a defesa da existência de um Estado Social. Ou seja, segundo a ordem jurídica internacional, os direitos sociais devem ser garantidos pelo Poder Público (Estado) a todos os seus cidadãos, sendo, portanto, a alimentação um dever político do Estado. Isso implica em uma necessária transformação social, no sentido de se criar uma consciência política de que o problema da fome no mundo jamais será extinto por ação do mercado, mas somente pela ação forte e determinada do Poder Público, com o apoio da sociedade civil a partir do conhecimento da verdade sobre os fatores determinantes da fome e da miséria de um povo. Nesse sentido, importante observarmos as lições de Josué de Castro:

> A primeira missão a ser desempenhada por todos aqueles que desejam ser, não apenas espectadores da violenta transformação social que se processa no mundo, mas ativos participantes na construção de um mundo melhor, é a de disciplinar o seu pensamento em função da verdade. Da busca de verdades que possam esclarecer a realidade vigente e possam vir a captar de novo a confiança perdida dos que se tornaram céticos e descrentes do futuro,

> em face de tanta impostura e tanta mistificação com que se tentou por muito tempo justificar os erros e os fracassos da nossa civilização (CASTRO, 1968, p.12).

Este mesmo autor acrescenta:

> Seja como fator determinante ou predominante, seja como fator predisponente de inúmeros males, a fome rebaixa aos níveis mais ínfimos o estado de saúde das populações subnutridas. Ainda é a fome que diminuindo e degradando biologicamente estes grupos humanos nutre o pauperismo entravando a capacidade produtiva dos povos chamados subdesenvolvidos (CASTRO, 1968, p. 22).

Desse modo, fica claro que a fome é fruto de uma condição socioeconômica de abandono, e causa de adoecimento e de redução da força de trabalho de uma nação, provocando aumento de gastos públicos nas áreas da saúde e assistência social, bem como enfraquecimento da capacidade produtiva do povo, o que acaba por prejudicar o desenvolvimento nacional e, mesmo, mundial. A fome provoca sofrimento humano e morte. A fome provoca dor. A fome é imoral, ilegal e uma ação humana de crueldade e covardia contra muitos de nós. A fome não é invisível. A fome é o retrato do nosso fracasso como civilização humana, revelando o quanto ainda temos para aprender e fazer diferente muito do que temos feito até agora.

## REFERÊNCIAS

CAPARRÓS, Martín. **A Fome**. Rio de Janeiro: Bertrand Brasil, 2016.

CASTRO, Josué. **O Livro Negro da Fome**. São Paulo: Editora Brasiliense, 1968.

CHAUÍ, Marilena. **O que é Ideologia**. São Paulo: Editora Brasiliense, 2001.

CHAUÍ, Marilena. Neoliberalismo: a nova forma do totalitarismo. **A Terra é Redonda**. Disponível em: https://aterraeredonda.com.br/neoliberalismo-a-nova-forma-do-totalitarismo/ 2021. Acesso em: 27/02/2021.

FERRAZ, Mariana de Araújo. **Direito Humano à Alimentação e Sustentabilidade no Sistema Alimentar**. São Paulo: Paulinas, 2017.

GONÇALVES, Eduardo Rodrigues; SOUZA, Érico Gomes de; PEREIRA, Nathália Mariel F. de S.; SILVA, Stanley Valeriano da. **Legislação Internacional Comentada**. Salvador (BA): JusPODIVM, 2017.

HARVEY, David. **O Novo Imperialismo**. São Paulo: Edições Loyola, 2014.

MARKOVITS, Daniel. **A Cilada da Meritocracia. Como um mito fundamental da sociedade alimenta a desigualdade, destrói a classe média e consome a elite**. Rio de Janeiro: Intrínseca, 2021.

MATOS, Taysa; GOSTINSKI, Aline (orgs.). **Dignidade da Pessoa Humana. Estudos para além do Direito**. Florianópolis – SC: Empório do Direito, 2017.

ROY, A. *Power Politics*. Cambridge, Massachusetts: South End Press, 2001.

Sachs, Jeffrey. **O Fim da Pobreza. Como Acabar com a Miséria Mundial nos Próximos 20 Anos**. São Paulo: Companhia das Letras, 2005.

SANDEL, Michael J. **A Tirania do Mérito. O que aconteceu com o bem comum?** Rio de Janeiro: Civilização Brasileira, 2020.

SAUVÊTRE; LAVAL; GUÉGUEN; DARDOT. **A Escolha da Guerra Civil. Uma Outra História do Neoliberalismo**. São Paulo: Elefante, 2021.

SHAFIK, Minouche. **Cuidar Uns dos Outros. Um Novo Contrato Social**. Rio de Janeiro: Intrínseca, 2021.

SILVESTRE, Helena. **Notas Sobre a Fome**. São Paulo: Expressão Popular, 2021.

WEBER, Max. A Psicologia Social das Religiões Mundiais. In: **Ensaios de Sociologia**. Rio de Janeiro: LTC Editora, 1982.

# A SUPREMA CORTE E O SEU PODER SUPREMO – AS CRÍTICAS DE BRUTUS À SUPREMACIA DO PODER JUDICIÁRIO

**Saulo Martins Mesquita**
http://lattes.cnpq.br/9164943020530822

**RESUMO:** 4 de julho de 1776, as Treze Colônias passaram a se organizar em formato de Estados Confederados, com efetiva autonomia. O Segundo Congresso Continental, elaborou o documento intitulado de Os Artigos da Federação. Documento que apresentava diversas fragilidades, pois não conferia força suficiente ao governo central para que pudesse impedir que os Estados continuassem com suas políticas independentes e alguns Estados se recusavam, por exemplo, a pagar as taxas que custeavam a manutenção da Confederação, não havendo poder para obrigá-los a esse pagamento. Da necessidade de se elaborar uma "nova" Constituição é que surgiram os debates entre Federalistas e Antifederalistas. Nosso objeto de estudo no presente ensaio são as críticas de um dos mais famosos Antifederalistas, Brutus, à ausência de limitação ao Poder Judiciário. Discussão, portanto, atemporal.

**PALAVRAS-CHAVE**: Constitucional, Limites, Controle de Constitucionalidade, Artigos Federalistas, Antifederalistas

## INTRODUÇÃO

Tem sido recorrentes as críticas ao que muitos têm denominado de superpoderes do Poder Judiciário, em especial dos Ministros da Suprema Corte, seja em decisões monicráticas, seja em colegiado. Acontece que essa discussão não é nova. Na verdade, remonta a própria formação do Estado norte americano, a elaboração da sua Constituição e o surgimento do controle de constitucionalidade exercido pela Suprema Corte, além dos poderes a ela concedidos, modelos que inspiraram a nossa Constituição da República e nosso Poder Judiciário.

É nesse contexto, mas sem a intenção de esgotar o tema, tampouco apresentar uma solução definitiva para o problema, o que, além de ser por demasiado pretencioso, demandaria uma análise que extrapola os limites propostos, para o presente escrito, se mostra relevante estudar as críticas trazidas por Brutus, um dos mais importantes, contudo inexplorados, Antifederalistas norte americanos.

## 1. FEDERALISTAS E ANTIFEDERALISTAS – BREVE CONTEXTO HISTÓRICO E A FORMAÇÃO DO ESTADO AMERICANO

Após a declaração de independência dos Estados Unidos da América, em 4 de julho de 1776, as Treze Colônias passaram a se organizar em formato de Estados Confederados, com efetiva autonomia: Virginia, Carolina do Norte, Carolina do Sul, Maryland, Geórgia, Pensilvânia, Nova York, Delaware, New Jersey, Massachussets, Connecticut, New Hampshire e Rhode Island. Em 15 de novembro de 1777, o Segundo Congresso Continental, que se reuniu de 10 maio de 1775 a 01 de março de 1781, elaborou o documento intitulado de Os Artigos da Federação[1], que somente foram ratificados por todos os treze Estados em 01 de março de 1781.

---

1  ESTADOS UNIDOS DA AMÉRICA. Departamento de Estado. Articles of Confederation, 1777–1781. Disponível em: < https://history.state.gov/milestones/1776-1783/articles >Acesso em 03 jan. 2019.

Os Artigos da Confederação formaram o primeiro documento escrito que estabeleceu as funções do governo nacional dos Estados Unidos da América, após a declaração de independência da Grã-Bretanha.

A intenção do Congresso Continental com os Artigos da Confederação era a de unir as antigas colônias, agora Estados Confederados, em uma união que pudesse fazer frente aos poderes da Europa, em especial da Grã-Bretanha, com o objetivo de limitar a política externa e diplomacia realizadas, até então, individualmente, por cada Estado diretamente com os países europeus.

No entanto, os Artigos da Confederação apresentavam diversas fragilidades. Por exemplo, não conferiam força suficiente ao governo central para que pudesse impedir que os Estados continuassem com suas políticas independentes e alguns Estados se recusavam, por exemplo, a pagar as taxas que custeavam a manutenção da Confederação, não havendo poder para obrigá-los a esse pagamento. Para que os Artigos fossem emendados era necessário a ratificação dos treze Estados, o que tornava praticamente impossível qualquer modificação no seu texto e não havia qualquer mecanismo que pudesse obrigar que os delegados dos Estados comparecessem ao Congresso.

As fragilidades apontadas nos Artigos da Confederação eram tão evidentes que o período em que vigoraram ficou historicamente conhecido como o "período crítico" americano (1783-1789)[2].

Seguindo a sugestão de James Madison, em 21 de janeiro de 1786, o Legislativo da Virgínia convidou todos os Estados a discutir maneiras de reduzir os conflitos interestaduais em Annapolis, Maryland. Os delegados presentes em Annapolis em setembro de 1786, conversa-

---

2  *My title was suggested by the fact of Thomas Paine's stopping the publication of the "Crisis," on hearing the news of the treaty of 1783, with the remark, "The times that tried men's souls are over." Commenting upon this, on page 55 of the present work, I observed that so far from the crisis being over in 1783, the next five years were to be the most critical time of all. I had not seen Mr. Truscott's "Diplomatic History of the Administrations of Washington and Adams," on page 9 of which he used almost the same words: "It must not be supposed that the treaty of peace secured the national life. Indeed, it would be more correct to say that the most critical period of the country's history embraced the time between 1783 and the adoption of the Constitution in 1788."* (FISK, John. *The Critical Period of American History 1783-1789.* Cambridge, Houghton, Mifflin & Company, 1896).

ram sobre essas preocupações específicas, mas sugeriram que a conversa fosse aprofundada e ampliada. Eles endossaram uma moção para que uma "Grande Convenção" que reuniria todos os Estados na Filadélfia em maio de 1787 para discutir como melhorar os Artigos da Confederação.

Em 28 de fevereiro de 1787, o Congresso da Confederação endossou a reunião da Grande Convenção para o mês de maio daquele ano. Exatamente o que o Congresso permitiu se tornou o ponto de discórdia. O ato autorizativo do Congresso liberava uma convenção de delegados que deveria reunir-se com o único propósito de revisar os Artigos da Confederação. Como destacado no Federalista nº 40, *"for the sole and express purpose of revising the articles of Confederation and reporting to Congress and the several legislatures such alterations and provisions therein as shall, when agreed to in Congress and confirmed by the States, render the federal Constitution adequate to the exigencies of government and the preservation of the Union"*[3].

Em maio de 1787, na Filadélfia, reuniram-se, por quatro meses, 55 delegados dos Estados com a intenção original de reformar os Artigos da Confederação. Mas ao final, a maioria deles chegou à conclusão de que não seria suficiente uma mera reforma. Sugeriram a criação de uma República, que deveria ser regida por uma Constituição. O objetivo dessa nova Constituição era fortalecer o papel do Governo Federal, centralizando a autoridade da União. Eles defendiam que era necessária uma grande República com um governo central e forte.

Essa reunião ficou conhecida como a *Constituitional Convention* ou a Convenção da Filadélfia, onde, em 17 de setembro de 1787, foi aprovado o texto da Constituição dos Estados Unidos da América.

Thomas Jefferson caracterizou os 55 homens que apareceram na Filadélfia como os "semi-deuses" que criaram uma Constituição que perduraria por toda eternidade. Nunca antes na história do mundo os líderes de um país declararam que o governo existente estava falido, e o povo, depois do debate, elegeu calmamente delegados que propuseram uma solução, que, por sua vez, foi debatida em todo o país por quase um ano, e nenhuma gota de sangue foi derramada. Madison, no Fede-

---

3    MADISON, James. Federalist No. 40. Disponível em: < http://avalon.law.yale.edu /18th_century/fed40.asp>. Acesso em 24 ago. 2018.

ralista 37[4], indica a singularidade da Fundação: *nunca antes houve uma fundação democrática; Todas as fundações anteriores foram obra de um único fundador como Romulus*[5]. E Hamilton, no Federalista 1[6], sugeriu que este foi um evento único na história do mundo: *finalmente, o governo seria estabelecido pela reflexão e escolha, em vez de força e fraude*. E o que também é único é o fato de que os fundadores eram relativamente jovens, bem-educados e politicamente experientes. Como a Declaração de Independência, a Constituição foi escrita por delegados imersos nos escritos de Aristóteles, Cícero, Locke e Montesquieu, e em um mundo de experiência política em nível estadual e continental.

Ocorre que para vigorar, de acordo com a regra criada pelos próprios Delegados, o texto constitucional dependia da ratificação de nove dos treze Estados, o que não seria uma tarefa fácil, pois a ideia de um governo que centralizaria o poder parecia trazer de volta os ares de um estado tirânico, como a monarquia inglesa, contra a qual os americanos tanto lutaram nas guerras de emancipação, que precederam a independência.

Os críticos da República, defensores da manutenção da Confederação, acusaram os delegados que elaboraram o texto constitucional de usurpação de suas competências, ao fundamento de que os Artigos da Confederação não lhes conferiam tal poder.

No esforço de convencer os Estados a ratificar a Constituição, liderados por Alexander Hamilton, John Jay e James Madison sob o pseudônimo de "Publius", os pró Constituição, conhecidos como Os Federalistas publicaram uma série de 85 ensaios que ficaram conhecidos como Os Artigos Federalistas.

Mas esses ensaios não foram os únicos, ou mesmo os mais influentes, dos ensaios pró Constituição. Os "Outros Federalistas" incluem pesos-pesados como James Wilson, Rufus King, Oliver Ellsworth, Roger Sherman, Timothy Pickering, John Marshall e John Dickinson, além dos opositores, defensores da Confederação, os denomi-

---

4    MADISON, James; HAMILTON, Alexander; JAY, John. Os artigos federalistas, Rio de Janeiro: Nova Fronteira, 1993. p. 221.

5    *Romulus* foi o primeiro Rei de Roma, cidade que fundou com seu irmão gêmeo *Remus* em 753 a.C, sendo portanto.

6    Op. Cit. p. 11.

nados Antifederalistas, também são responsáveis por uma rica, porém pouco explorada literatura.

No debate de ratificação, os Antifederalistas afirmavam que o novo sistema ameaçava as liberdades e não protegia os direitos individuais.

Uma facção se opunha à Constituição porque achava que um governo mais forte ameaçava a soberania dos estados. Outros argumentaram que um novo governo centralizado teria todas as características do despotismo da Grã-Bretanha que tanto lutaram para se afastar. E outros ainda temiam que o novo governo ameaçasse suas liberdades pessoais.

Durante a pressão pela ratificação, muitos dos artigos em oposição foram escritos sob pseudônimos, como "Brutus", "Centinel" e "Federal Farmer", mas algumas figuras revolucionárias famosas, como Patrick Henry, se manifestaram publicamente contra a Constituição.

Dentre os Antifederalistas, Brutus talvez tenha sido aquele mais expressivo em relação aos temas que envolviam o Poder Judiciário.

O *New York Journal* publicou os dezesseis ensaios de Brutus entre 18 de outubro de 1787 e 10 de abril de 1788. Presume-se que ele seja um Antifederalista de Nova York, uma vez que, entre outros, a maior parte de seus ensaios foi endereçada aos cidadãos ou ao povo de Nova York. Robert Yates[7] é o autor mais provável, embora Abraham Yates, Thomas Tredwell e Melancton Smith também tenham sido sugeridos.

---

7    Entre 1771 e 1775, Yates foi vereador de Albany. Quando a Revolução irrompeu, Yates serviu no comitê de segurança de Albany e representou seu condado em quatro congressos provinciais e na convenção de 1775-77. Na convenção, ele participou do comitê que redigiu a primeira constituição do Estado de Nova York. Em 8 de maio de 1777, Yates foi nomeado para o supremo tribunal de Nova York e o presidiu de 1790 a 1798. Na década de 1780, Robert Yates era um líder reconhecido dos Antifederalistas. Ele se opôs a quaisquer concessões ao congresso federal, como o direito de cobrar taxas impostas, que poderiam diminuir a soberania dos estados. Quando ele viajou para a Filadélfia em maio de 1787 para a Convenção Constitucional, ele esperava que os delegados simplesmente discutissem a revisão dos Artigos existentes. Yates estava no comitê que debateu a questão da representação na legislatura, e logo ficou claro que a convenção pretendia muito mais que a modificação do atual plano de união. Em 5 de julho, o dia em que a comissão apresentou seu relatório, Yates e John Lansing deixaram o processo. Em uma carta conjunta ao governador George Clinton, de Nova York, eles explicaram as razões para sua saída antecipada. Eles alertaram contra os perigos de centralizar o poder e exortaram a oposição à adoção da Constituição. Yates continuou a atacar a Consti-

Os primeiros cinco ensaios estão entre as melhores representações da crítica antifederalista geral da Constituição. Os ensaios de seis a dez, publicados no final de dezembro e janeiro, cobrem o poder legislativo. O jornal nova-iorquino também publicou os ensaios federalistas 23-26, de Hamilton, durante esse período, encorajando assim os estudiosos a ver um confronto direto entre Brutus e Publius. Cinco dos últimos seis ensaios são uma crítica ao Judiciário e parece evidente que a defesa de Hamilton a um Judiciário independente no Federalista nº 78 é uma resposta os ensaios de Brutus.

## 2.    AS CRÍTICAS DE BRUTUS À SUPREMACIA DO PODER JUDICIÁRIO

Inicialmente, é importante destacar que, muito antes de *Marbury v. Madison*[8], Brutus não descartava a hipótese de que a Suprema

---

tuição em uma série de cartas assinadas "Brutus" e "Sydney" e votou contra a ratificação. Em 1789, Yates concorreu ao governo de Nova York, mas perdeu a eleição. (LOYD, Gordon. The American Founding: Federalist – Antifederalist Debates – Biographies of the Key Figures. Disponível em: < http://teachingamericanhistory. org/fed-antifed/biographies/# Acesso em 10 nov. 2018).

8    Nas eleições de 1800, os Federalistas foram derrotados pela oposição republicana. John Adams deixa a presidência para Thomas Jefferson. Numa tentativa de conservar sua influência, os Federalistas, que ainda tinham maioria no congresso, aprovaram em 13 de fevereiro de 1801 uma lei para reorganização do judiciário federal, reduzindo o número de Ministros da Suprema Corte para evitar que Thomas Jefferson pudesse nomear novos Ministros e criava dezesseis novos cargos de juízes federais, todos ocupados por federalistas aliados do presidente derrotado. Em 27 de fevereiro de 1801, uma nova lei autorizou o Presidente a nomear 42 juízes de paz, cujos nomes só foram confirmados em 3 de março, véspera da posse do novo presidente. Dessa forma, John Marshall (Secretário de Estado), que já havia sido indicado para a Suprema Corte, mas ainda não havia se empossado no novo cargo, não teve tempo suficiente para entregar todos os atos de investidura, e alguns dos nomeados ficaram sem recebê-los. Thomas Jefferson tomou posse e determinou que o seu secretário de Estado se recusasse a entregar esses atos aqueles que não teriam recebido. Entre esses estava William Marbury que, em dezembro de 1801, propôs uma ação de *wirt of mandamu*s, baseado na Lei Judiciária de 1789, para ver reconhecido o seu direito ao cargo. O Congresso, que agora já tinha maioria republicana, revogou a lei de reorganização do Judiciário Federal, extinguindo os cargos e destituindo seus ocupantes. Para impedir eventuais questionamentos, suprimiu a Sessão de corte de 1802, que ficou sem se reunir de dezembro de 1801 a fevereiro de 1803, quando *Marbury v.*

Corte poderia exercer o controle de constitucionalidade das leis, mas questionava a forma com que esse controle seria exercido e que esse poder poderia levar à uma supremacia do Poder Judiciário em relação aos demais Poderes. Esse é o principal argumento a ser estudado no presente trabalho.

No Artigo Antifederalista Brutus XII, Brutus, reconhecendo a possibilidade do controle de constitucionalidade, afirma que:

> *This appears evident from this consideration, that if the legislature pass laws, which, in the judgment of the court, they are not authorised to do by the constitution, the court will not take notice of them; for it will not be denied, that the constitution is the highest or supreme law. And the courts are vested with the supreme and uncontrollable power, to determine in all cases that come before them, what the constitution means. They cannot, therefore, execute a law, which in their judgment, opposes the constitution, unless we can suppose they can make a superior law give way to an inferior[9].*

Madison foi julgado. *Marbury v. Madison* foi a primeira decisão na qual a Suprema Corte exerceu o controle de constitucionalidade, negando a aplicação de leis que, de acordo com a sua interpretação, fossem inconstitucionais. Marshall separou seu voto em três partes. A primeira para demonstrar que Marbury tinha direito à investidura no Cargo, a segunda, que se havia o direito, haveria igualmente, um remédio jurídico para assegurá-lo e na última, se o *writ o mandamus* seria a via própria e se haveria legitimada da Suprema Corte para concedê-lo. E ao responder a esse último questionamento é que desenvolveu o argumento do controle de constitucionalidade. Afirmou que a Lei Judiciária de 1789, ao criar uma hipótese de competência originária da Suprema Corte, fora daquelas que estavam previstas no art. 3º da Constituição, incorreria em inconstitucionalidade. Uma lei ordinária não poderia outorgar competência originária à Suprema Corte, fora daquelas previstas na Constituição. E para isso, trouxe três fundamentos principais: Em primeiro lugar, afirmou a supremacia da constituição, rememorando que todos aqueles que elaboram constituições escritas afirmam que ela é a lei fundamental e suprema da nação. Em segundo, como consequência do primeiro, afirmou que um ato do poder legislativo contrário à constituição é nulo. E por último que é o poder judiciário o intérprete final da Constituição. Talvez a grande manobra política de Marshall (Federalista) tenha sido confirmar o poder de controle de constitucionalidade da Suprema Corte de uma forma que os republicanos não poderiam recorrer, por ser incidental ao mérito do julgamento.

9   BRUTUS. The anti-federalist papers and the constitutional convention debates. New York: Signet Classic, 2003, p. 316.

No entanto a sua maior preocupação residia, como já afirmado, na forma com que esse controle seria exercido pela Corte. Brutus afirmava que a Suprema Corte receberia o direito de moldar a constituição e não existira poder suficiente para corrigir eventuais equívocos dessa interpretação. Em suas palavras:

> The supreme court then have a right, independent of the legislature, to give a construction to the constitution and every part of it, and there is no power provided in this system to correct their construction or do it away. If, therefore, the legislature pass any laws, inconsistent with the sense the judges put upon the constitution, they will declare it void; and therefore in this respect their power is superior to that of the legislature. In England the judges are not only subject to have their decisions set aside by the house of lords, for error, but in cases where they give an explanation to the laws or constitution of the country, contrary to the sense of the parliament, though the parliament will not set aside the judgement of the court, yet, they have authority, by a new law, to explain a former one, and by this means to prevent a reception of such decisions. But no such power is in the legislature. The judges are supreme – and no law, explanatory of the constitution, will be binding on them[10].

Ou seja, ele temia que a Corte pudesse se tornar "superior" aos outros poderes ao exercer o *judicial review*, já que esse poder permitiria declarar nulas as leis estaduais que não se amoldassem à Constituição aplicando, subjetivamente, "o espírito e a intenção" da lei em oposição ao objetivo "natural e óbvio" das palavras da lei.

A crítica de Brutus se mostra absolutamente atual, em especial em relação aos "superpoderes" dos juízes da Corte Suprema, é a de que a posição em que são colocados esses juízes revela um poder verdadeiramente ilimitado, uma vez que são considerados totalmente independentes, no sentido de não sofrerem o controle nem do povo e nem do poder legislativo, além de terem garantidos os seus cargos e salários, não havendo qualquer tipo de responsabilização por eventuais erros cometidos em suas decisões. Ele afirmava que:

---

10    Ibid., p. 325.

*It is, moreover, of great importance, to examine with care the nature and extent of the judicial power, because those who are to be vested with it, are to be placed in a situation altogether unprecedented in a free country. They are to be rendered totally independent, both of the people and the legislature, both with respect to their offices and salaries. No errors they may commit can be corrected by any power above them, if any such power there be, nor can they be removed from office for making ever so many erroneous adjudications[11].*

Ou seja, Brutus já chamava atenção para o fato de que não haveria nenhum poder acima dos juízes da Suprema Corte e que eles nunca poderiam ser de lá retirados, ainda que cometessem erros em seus julgamentos.

SLONIM, 2018[12] já afirmava que, de acordo com Brutus, o princípio fundamental de um governo organizado é o que chamava de *accountability*, ou seja, a possibilidade de responsabilização do agente ou entidade perante a sociedade. Ao tempo em que a separação de poderes era requisito de um bom governo, a responsabilização dos seus agentes era ingrediente essencial desse formato de governo.

Brutus afirmava que:

*When great and extraordinary powers are vested in any man, or body of men, which in their exercise, may operate to the oppression of the people, it is of high importance that powerful checks should be formed to prevent the abuse of it. Perhaps no restraints are more forcible, than such as arise from responsibility to some superior power. — Hence it is that the true policy of a republican government is, to frame it in such manner, that all persons who are concerned in the government, are made accountable to some superior for their conduct in office. — This responsibility should ultimately rest with the People. To have a government well administered in all its parts, it is requisite the different departments of it should be separated and lodged as much as may be in different hands. The legislative power*

---

11   BRUTUS. The anti-federalist papers and the constitutional convention debates. New York: Signet Classic, 2003, p. 309.

12   SLONIM, Shlomo. Federalist no. 78 and Brutus' neglected thesis on judicial supremacy. Disponível em <https://conservancy.umn.edu/bitstream/handle/11299/170108/23_01_Slonim.pdf?sequence=1>. Acesso em 24 de agosto de 2018.

*should be in one body, the executive in another, and the judicial in one different from either — But still each of these bodies should be accountable for their conduct[13].*

Brutus passa então a comparar os representantes do Poder Legislativo com os do Poder Judiciário, afirmando que no Poder Legislativo, os representantes são escolhidos pelo povo para que possam cumprir mandatos por tempo determinado e que ao final do seu mandato, o povo pode aprovar as suas condutas, os reelegendo, ou não.

Portanto, de acordo com Brutus, o poder superior que controla o Legislativo é a vontade do povo, expressada por meio da escolha de seus representantes.

No entanto, destaca essa sistemática não seria adequada ao Poder Judiciário, uma vez que exige que os juízes tenham elevado conhecimento jurídico, além de reconhecer a necessidade de que esses juízes tenham certo grau de independência, para que possam decidir de maneira isenta:

*The legislature in a free republic are chosen by the people at stated periods, and their responsibility consists, in their being amenable to the people. When the term, for which they are chosen, shall expire, who will then have opportunity to displace them if they disapprove of their conduct — but it would be improper that the judicial should be elective, because their business requires that they should possess a degree of law knowledge, which is acquired only by a regular education, and besides it is fit that they should be placed, in a certain degree in an independent situation, that they may maintain firmness and steadiness in their decisions.[14]*

Em que pese reconhecer a impossibilidade de eleição dos juízes pelo povo, Brutus destaca que deve existir alguma forma de controle e que esse controle, essencialmente, tem que emanar do povo.

---

13    BRUTUS. Brutus XVI. Disponível em: < http://teachingamericanhistory.org/library/ document/brutus-xvi/> Acesso em 24 ago. 2018.

14    BRUTUS. Brutus XVI. Disponível em: < http://teachingamericanhistory.org/library/ document/brutus-xvi/> Acesso em 24 ago. 2018.

Caso contrário não se poderia considerar esse formato de governo como livre, democrático:

> Had the construction of the constitution been left with the legislature, they would have explained it at their peril; if they exceed their powers, or sought to find, in the spirit of the constitution, more than was expressed in the letter, the people from whom they derived their power could remove them, and do themselves right; and indeed I can see no other remedy that the people can have against their rulers for encroachments of this nature. A constitution is a compact of a people with their rulers; if the rulers break the compact, the people have a right and ought to remove them and do themselves justice; but in order to enable them to do this with the greater facility, those whom the people chuse at stated periods, should have the power in the last resort to determine the sense of the compact; if they determine contrary to the understanding of the people, an appeal will lie to the people at the period when the rulers are to be elected, and they will have it in their power to remedy the evil; but when this power is lodged in the hands of men independent of the people, and of their representatives, and who are not, constitutionally, accountable for their opinions, no way is left to controul them but with a high hand and an outstretched arm.[15]

Diante da inexistência de um mecanismo previsto na Constituição americana, Brutus passa a utilizar o exemplo britânico. Na Inglaterra, os juízes também somente podem ser destituídos dos seus cargos por meio de processos de impeachment[16], mas as suas decisões são subme-

---

15 BRUTUS. The anti-federalist papers and the constitutional convention debates. New York: Signet Classic, 2003, p. 327.

16 Brutus aponta que *"The only clause in the constitution which provides for the removal of the judges from office, is that which declares, that "the president, vice-president, and all civil officers of the United States, shall be removed from office, on impeachment for, and conviction of treason, bribery, or other high crimes and misdemeanors." By this paragraph, civil officers, in which the judges are included, are removable only for crimes. Treason and bribery are named, and the rest are included under the general terms of high crimes and misdemeanors. – Errors in judgement, or want of capacity to discharge the duties of the office, can never be supposed to be included in these words, high crimes and misdemeanors. A man may mistake a case in giving*

tidas à revisão da *house of lords*, de forma que eles não teriam um poder tão vasto que pudessem simplesmente descartar uma lei por entenderem que estaria em desacordo com a sua constituição[17]. Ele afirma:

> *The judges in England, it is true, hold their offices during their good behaviour, but then their determinations are subject to correction by the house of lords; and their power is by no means so extensive as that of the proposed supreme court of the union. – I believe they in no instance assume the authority to set aside an act of parliament under the idea that it is inconsistent with their constitution. They consider themselves bound to decide according to the existing laws of the land, and never undertake to controul them by adjudging that they are inconsistent with the constitution – much less are they vested with the power of giving an equitable construction to the constitution[18].*

---

*judgment, or manifest that he is incompetent to the discharge of the duties of a judge, and yet give no evidence of corruption or want of integrity. To support the charge, it will be necessary to give in evidence some facts that will shew, that the judges commited the error from wicked and corrupt motives".*

17   No caso britânico, as decisões do Judiciário poderiam ser revistas pela *house of lords* por meio da ação de *writ of error*. Essa função da *house of lords* é o que Maitland chama de *jurisdiction in error*: "*We have what is called the jurisdiction in error, the jurisdiction of the king and parliament as a court of error, a court which could correct the errors in law of all lower courts. This we may trace back far-the last resource for royal justice was the king surrounded by the magnates of the realm. We find it settled in the fifteenth century as a juris- diction to correct errors in matters of law, as contrasted with matters of fact. The notion of trying the samefacts twice over, except by attainting the jury, is quite foreign to our medieval law-but if the king's courts of common law make errors in law, it remains for the House of Lords to correct those errors. During the fourteenth century this jurisdiction seems to have been freely used, but for some reason or another, not very easy to understand, it went out of use in the fifteenth century. Between Henry V and James I there are hardly any known cases of error being brought before the lords: however, this procedure, though for a time disused, had a great future before it, as we shall see hereafter".* (MAITLAND, Frederic William. The constitutional history of England. 1908. Disponível em: < https://socialsciences.mcmaster.ca/econ/ugcm/3ll3/maitland/ConstitutionalHistoryEngland.pdf>. Acesso em 16 de janeiro de 2019).

18   BRUTUS. The anti-federalist papers and the constitutional convention debates. New York: Signet Classic, 2003, p. 322.

Ou seja, diferentemente do caso americano, na Inglaterra as leis é que controlariam a extensão das decisões judiciais. Nos Estados Unidos, as decisões judiciais é que controlariam as leis e, consequentemente, a própria atividade legislativa:

> *The judges in England are under the controul of the legislature, for they are bound to determine according to the laws passed by them. But the judges under this constitution will controul the legislature, for the supreme court are authorised in the last resort, to determine what is the extent of the powers of the Congress; they are to give the constitution an explanation, and there is no power above them to set aside their judgment. The framers of this constitution appear to have followed that of the British, in rendering the judges independent, by granting them their offices during good behaviour, without following the constitution of England, in instituting a tribunal in which their errors may be corrected; and without adverting to this, that the judicial under this system have a power which is above the legislative, and which indeed transcends any power before given to a judicial by any free government under heaven[19].*

É nesse ponto que Brutus faz a sua mais dura crítica ao que se pode chamar de "superpoderes" dos juízes da Suprema Corte:

> *There is no power above them, to controul any of their decisions. There is no authority that can remove them, and they cannot be controuled by the laws of the legislature. In short, they are independent of the people, of the legislature, and of every power under heaven. Men placed in this situation will generally soon feel themselves independent of heaven itself. Before I proceed to illustrate the truth of these assertions, I beg liberty to make one remark – Though in my opinion the judges ought to hold their offices during good behaviour, yet I think it is clear, that the reasons in favour of this establishment of the judges in England, do by no means apply to this country[20].*

---

19  Ibidem.

20  Ibid., p. 323.

Brutus destaca que a única limitação a que estão sujeitos os magistrados da Suprema Corte e a mesma a que estão sujeitos o Presidente e o Vice-Presidente, o impeachment. No entanto, pontua que os eventuais erros de julgamento não estariam incluídos nas hipóteses de cabimento do impeachment:

> *The only clause in the constitution which provides for the removal of the judges from office, is that which declares, that "the president, vice-president, and all civil officers of the United States, shall be removed from office, on impeachment for, and conviction of treason, bribery, or other high crimes and misdemeanors." By this paragraph, civil officers, in which the judges are included, are removable only for crimes. Treason and bribery are named, and the rest are included under the general terms of high crimes and misdemeanors. – Errors in judgement, or want of capacity to discharge the duties of the office, can never be supposed to be included in these words, high crimes and misdemeanors. A man may mistake a case in giving judgment, or manifest that he is incompetent to the discharge of the duties of a judge, and yet give no evidence of corruption or want of integrity. To support the charge, it will be necessary to give in evidence some facts that will shew, that the judges commited the error from wicked and corrupt motives.[21]*

Em síntese, Brutus alerta para a possibilidade de que o Judiciário, ao analisar subjetivamente o que chama de espírito e a intenção da Constituição, em vez de dar aplicabilidade à literalidade do seu texto, não havendo mecanismos de controle de eventuais erros nessa interpretação estaria se sobrepondo demasiadamente aos demais poderes, haveria, portanto, uma supremacia do Poder Judiciário.

## 3. A CONTRAPARTIDA DE HAMILTON

Ao estudarmos o Federalista nº 78, fica bastante claro tratar-se de uma resposta às críticas de Brutus. Nesse artigo, Alexander Hamilton,

---

21 BRUTUS. The anti-federalist papers and the constitutional convention debates. New York: Signet Classic, 2003, p. 325.

um dos mais influentes Federalistas americanos tentou rebater ponto a ponto o cenário apocalíptico colocado por Brutus.

Diferentemente das críticas de Brutus, o Federalista nº 78 é objeto de diversos estudos bastante completos e aprofundados, algo que não cabe no objeto do estudo ora proposto. Portanto passamos a uma análise sintética dos contra-argumentos de Hamilton.

Hamilton defendeu fortemente a utilização do *judicial review* pelo Tribunal. Ele escreveu que é dever da Corte "*to declare all acts contrary to the manifest tenor of the constitution void*" e, sem revisão judicial, "*all the reservations of particular rights or privileges would amount to nothing*"[22].

Ele aborda não só o controle de constitucionalidade ou o *judicial review* como um princípio fundamental ao sistema de governo proposto pela nova Constituição americana, mas a própria supremacia constitucional, como necessária à organização do Estado.

Para Hamilton que o Poder Judiciário é o mais fraco dos três poderes e que, por essa razão, é bastante suscetível ao ataque dos outros dois, ele não tem força nem vontade, limita-se a julgar e depende do executivo para que suas sentenças tenham eficácia.

Além de ser o mais fraco dos poderes, vez que não controla o orçamento nem a espada, é igualmente o que se mostra menos perigoso para a liberdade geral dos povos, enquanto o poder de julgar permanecer separado dos demais, fazendo alusão aos pensamentos de Montesquieu acerca da separação dos poderes[23].

---

22    HAMILTON, Alexander. Federalist No. 78. Disponível em: < http://teachingameric anhistory.org /library/document/federalist-no-78/>. Acesso em 24 ago. 2018

23    José Levi Mello do Amaral Júnior faz uma necessária análise da obra de Montesquieu que tanto inspirou os *Fouding Fathers* Americanos. Acerca da separação dos poderes, pontua que: "*No início do Capítulo VI do Livro XI, Montesquieu afirma que há, em cada Estado, três espécies de poderes: (1) o poder legislativo; (2) o poder executivo das coisas que dependem do direito das gentes, e (3) o poder executivo das coisas que dependem do direito civil. Explica, então, cada um deles. Pelo primeiro, o príncipe ou magistrado faz, corrige ou revoga leis. Pelo segundo, o príncipe ou magistrado "faz a paz ou a guerra, envia ou recebe embaixadas, estabelece a segurança, previne as invasões"8. Chama a este poder, simplesmente, "o poder executivo do Estado". Pelo terceiro, o príncipe ou magistrado pune os crimes ou julga as querelas dos indivíduos. Montesquieu chama-o "poder de julgar"*". AMARAL JÚNIOR, José Levi Mello do. Sobre a organização de poderes em Montesquieu: Comentários ao

Essa independência do Poder Judiciário depende de alguns fatores, principalmente ligados a estabilidade da atribuição do magistrado e essa independência é essencial em uma Constituição que impõe restrições ao poder legislativo.

Assim, ele coloca os tribunais e juízes como verdadeiros guardiões da Constituição, afirmando que têm o dever de declarar nulos todos os atos manifestamente contrários aos termos da Constituição.

Destaca que isso não significa que o Poder Judiciário passa a ser soberano em relação ao poder legislativo, mas simplesmente que a Constituição é soberana em relação a todos, inclusive o poder judiciário.

A Constituição deve ser entendida como a Lei Fundamental e a Corte é o que se encontra entre o Poder Legislativo e a vontade do povo declarada na Constituição, visando, dentro dos limites das suas atribuições, conter o Poder Legislativo.

Dessa forma ele rejeita diretamente a noção de que o *judicial review* deu à Suprema Corte "*o poder de interpretar as leis de acordo com o espírito da constituição*" e, ao fazê-lo, "*moldar o governo como bem entender*". No entanto, além de apontar para a alta inteligência dos juízes e confiar nos modelos dos Estados de um judiciário independente - tribunais que são corpos separados e distintos dos órgãos legislativo e executivo - como históricos precedente, Hamilton conclui que o poder de revisão judicial da Suprema Corte é totalmente inofensivo.

## CONCLUSÃO

O final da história é de todos conhecido. Os argumentos dos Federalistas prevaleceram e a Constituição americana, mais cedo ou mais tarde, foi ratificada por todos os Estados. Assim, também prevaleceu a possibilidade do *judicial review*, que fora confirmada no famoso caso *Marbury v. Madison* e importada para o nosso ordenamento jurídico constitucional, declaradamente inspirado no modelo americano.

---

Capítulo VI do Livro XI de "O espírito das leis" in Revista dos Tribunais, vol. 868, 2008, p. 53-68.

Por essa razão, até mesmo no Brasil, o Federalista nº 78 é bastante estudado.

No entanto, os argumentos de Brutus, escritos nos anos 1787 e 1788, pouquíssimo estudados mesmo nos Estados Unidos da América, nos trazem uma reflexão absolutamente atual sobre a existência de uma supremacia do Poder Judiciário, corroborada, ou instituída pelo próprio texto constitucional, que não prevê um instrumento de controle de suas decisões, além, é claro, do sistema de freios e contrapesos, próprio do modelo republicano de separação dos poderes.

O Poder Judiciário, em especial a Suprema Corte, por meio do *judicial review* permanece dando a palavra final sobre os mais variados temas que chegam até a Corte e a única forma que os Poderes Executivo e Legislativo têm de combater essas decisões é pela edição de novas normas, tratando dos mesmos assuntos.

Esse jogo político-normativo é igualmente natural e saudável em um regime republicano. No entanto, o alerta permanece válido e merece ser melhor explorado, na busca de novos caminhos, especialmente para casos que envolvem a possibilidade de responsabilização dos magistrados por seus atos.

A grande dificuldade é encontrar um mecanismo que equilibre a existência do *accountability* com a preservação dos direitos inerentes à atividade da magistratura, que são essenciais ao correto deslinde das suas funções, tanto que em mais de 200 anos ainda não se encontrou uma solução.

As críticas de Brutos não trazem uma receita pronta, mas se revelam de essencial importância para o estudo e desenvolvimento do tema.

## BIBLIOGRAFIA

AMARAL JÚNIOR, José Levi Mello do. **Sobre a organização de poderes em Montesquieu: Comentários ao Capítulo VI do Livro XI de "O espírito das leis"** in Revista dos Tribunais, vol. 868, 2008.

BARROSO, Luís Roberto. **O controle de constitucionalidade no direito brasileiro** – 6ª ed – São Paulo: Saraiva, 2012.

BRUTUS. **Brutus XVI**. Disponível em: < http://teachingamericanhistory.org/ library/ document/brutus-xvi/> Acesso em 24 ago. 2021.

BRUTUS. **The anti-federalist papers and the constitutional convention debates**, New York: Signet Classic, 2003.

CAPELLETTI, Mauro. **O controle judicial de constitucionalidade no direito comparado** – 2ª ed – Porto Alegre: Fabris, 1992.

ESTADOS UNIDOS DA AMÉRICA. Departamento de Estado. **Articles of Confederation**, 1777–1781. Disponível em: < https://history.state.gov/milestones/1776-1783/articles >Acesso em 03 jan. 2022.

FISK, John. **The Critical Period of American History 1783-1789**. Cambridge, Houghton, Mifflin & Company, 1896.

GOLDBERG, Jake. **Judicial review: Brutus vs Hamilton**. Disponível em < http://thecollegeconservative.com/2017/03/12/judicial-review-brutus-vs-hamilton/>. Acesso em 23 de agosto de 2021.

HAMILTON, Alexander. **Federalist No. 78**. Disponível em: < http://teachingameric anhistory.org /library/document/federalist-no-78/>. Acesso em 24 ago. 2021.

LOYD, Gordon. **The American Founding: Federalist – Antifederalist Debates – Biographies of the Key Figures**. Disponível em: < http://teachingamericanhistory.org/fed-antifed/biographies/# Acesso em 10 nov. 2021.

MADISON, James. **Federalist No. 40**. Disponível em: < http://avalon.law.yale. edu /18th_century/fed40.asp>. Acesso em 24 ago. 2021.

MADISON, James; HAMILTON, Alexander; JAY, John. **Os artigos federalistas**, Rio de Janeiro: Nova Fronteira, 1993.

MAITLAND, Frederic William. **The constitutional history of England**. 1908. Disponível em: <https://socialsciences.mcmaster.ca/econ/ugcm/3ll3/maitland/Constitutional HistoryE ngland.pdf>. Acesso em 16 de janeiro de 2019.

SLONIM, Shlomo. **Federalist no. 78 and Brutus' neglected thesis on judicial supremacy**. Disponível em <https://conservancy.umn.edu/bitstream/handle/11299/170108/23_01_Slonim.pdf?sequence= 1>. Acesso em 24 de agosto de 2021.

# ANÁLISE DA INFLUÊNCIA DO DISCURSO ESPECÍFICO DA DISCIPLINA NA OBRA "EU, PIERRE RIVIÈRE, QUE DEGOLEI MINHA MÃE, MINHA IRMÃ E MEU IRMÃO" DE MICHEL FOUCAULT

## ANALYSIS OF THE INFLUENCE OF SPECIFIC DISCIPLINE SPEECH IN THE BOOK "I, PIERRE RIVIÈRE, THAT I SWALLOWED MY MOTHER, MY SISTER AND MY BROTHER" BY MICHEL FOUCAULT

**Fabiana Silva Bittencourt**
fafabittencourt@hotmail.com

**Claito Caregnatto**
claito@tabelionatojacutinga.com.br

**Henrique Viegas Cunha**
henriquevc@yahoo.com.br

**RESUMO:** Michel Foucault, em sua obra intitulada "A ordem do discurso", fruto da sua aula inaugural no Collège de France, apresenta os procedimentos de limitação e de controle da produção do discurso, dentre estes a segregação da loucura e as disciplinas. A partir da análise de tais mecanismos, o presente trabalho, por meio de pesquisa bibliográfica, à luz da obra também do referido autor francês denominada "Eu, Pierre Rivière, que degolei minha mãe, minha irmã e meu irmão", tem como objetivo estudar a construção do discurso limitada por tais fatores e demonstrar a influência da segregação da loucura e, principalmente, das disciplinas, na formação da decisão judicial.

**PALAVRAS-CHAVE:** Michel Foucault; Discurso; Segregação da Loucura; Disciplina; Poder.

**ABSTRACT:** Michel Foucault, in his paper entitled "The order of discourse", the result of his inaugural lecture at the Collège de France, presents the procedures for limiting and controlling the production of discourse, among them the segregation of madness and disciplines. From the analysis of such mechanisms, the present paper, by means of a bibliographical research, in the light of the work of the French author named "I, Pierre Rivière, who deviled my mother, sister and brother", aims to study the construction of discourse limited by such factors and demonstrate the influence of the segregation of madness and, especially, of the disciplines, in the formation of the judicial decision.

**KEYWORDS:** Michel Foucault; Discourse; Segregation of madness; Discipline; Power.

## INTRODUÇÃO

Michel Foucault, em várias de suas obras, e, especificamente em "A ordem do discurso" demonstra como o discurso é construído através de mecanismos condicionantes e limitadores, expressando, este, relações de poder.

A partir da análise específica da segregação da loucura e das disciplinas como mecanismos de limitação e de controle da produção discursiva, o presente trabalho tem por objetivo analisar, por meio do estudo da obra coordenada e coescrita por Michel Foucault "Eu, Pierre Rivière, que degolei minha mãe, minha irmã e meu irmão", a influência das disciplinas na decisão judicial e a indissociabilidade verificada a partir do século XIX entre estas e a chamada segregação da loucura, que assume novos papéis com o surgimento das ciências sociais.

Destarte, o primeiro tópico estuda especificamente a segregação da loucura e as disciplinas como mecanismos de delimitação e controle do discurso. O segundo tópico trata-se de um escorço da obra "Eu, Pierre Rivière, que degolei minha mãe, minha irmã e meu irmão", destacando os principais pontos de contato entre o referido livro e a análise realizada pelo presente trabalho. Por fim, o terceiro item verifica como tais mecanismos de controle e delimitação do discurso, especificamente as disciplinas, influenciam a construção da decisão judicial.

Assim, por meio principalmente de análise de obras do referido autor francês, o trabalho desenvolve-se a partir do método analítico documental, de revisão bibliográfica, a fim de estabelecer pequeno contato com este amplo tema que é a teoria do discurso.

## 1. A SEGREGAÇÃO DA LOUCURA E A DISCIPLINA COMO MECANISMOS DELIMITADORES DA CONSTRUÇÃO DO DISCURSO

Michel Foucault, com o intuito de demonstrar como o discurso é construído a partir de diversos mecanismos condicionantes, influências externas e internas, que controlam a sua produção, trata em sua obra intitulada "A ordem do discurso" – aula inaugural no Collège de France, proferida em 02 de dezembro de 1970, dos mecanismos de delimitação da formação do discurso.

Dentre os mecanismos externos de controle da produção do discurso apresentados pelo referido autor na obra, quais sejam: a interdição, a segregação da loucura e a vontade de verdade (FOUCAULT, 1996), merece destaque para o desenvolvimento do presente trabalho o segundo mecanismo: a segregação da loucura, que se caracteriza pela separação e pela rejeição, sendo os discursos aceitos ou não de acordo com a análise da sanidade daquele que o emite.

Destarte, segundo Foucault,

> [d]esde a alta Idade Média, o louco é aquele cujo discurso não pode circular como o dos outros: pode ocorrer que sua palavra seja considerada nula e não seja acolhida, não tendo verdade nem importância, não podendo testemunhar na justiça, não podendo autenticar um ato ou um contrato, não podendo nem mesmo, no sacrifício da missa, permitir a transubstanciação e fazer do pão

um corpo; pode ocorrer também, em contrapartida, que se lhe atribua, por oposição a todas as outras, estranhos poderes, o de dizer uma verdade escondida, o de pronunciar o futuro, o de enxergar com toda ingenuidade aquilo que a sabedoria dos outros não pode perceber (FOUCAULT, 1996, p. 10).

Assim, a palavra do louco ou era completamente ignorada ou era tida como palavra de verdade. "Ou caía no nada – rejeitada tão logo proferida; ou então nela se decifrava uma razão ingênua ou astuciosa, uma razão mais razoável do que a das pessoas razoáveis" (FOUCAULT, 1996, p.11).

Entretanto, em que pese essa possibilidade dupla de atribuição de sentido, até antes do fim do século XVIII não se cogitava a possibilidade de uma ciência dedicar-se ao estudo da palavra do louco, vez que o discurso só era a este atribuído simbolicamente, sem que pudesse ser realmente levado em consideração pela razão aquilo que por ele era dito.

À palavra do louco, todavia, a partir do século XIX, é atribuído novo sentido, não estando mais aquela do outro lado da separação ou da rejeição. Na realidade, passa-se a buscar um sentido no discurso por aquele proferido, a partir do advento das novas ciências sociais e humanas como a Sociologia, a Psicologia, a Psicopatologia, a Criminologia e a Psicanálise.

Assim, por meio da atenção dada pela ciência a partir do século XIX, o discurso do louco passa a gozar de novo significado, tornando-se objeto de estudo e não mais de segregação e rejeição, buscando atribuir-lhe sentido, as novas ciências.

Foucault apresenta, também, na sua referida obra, os chamados procedimentos de rarefação do discurso, que seriam procedimentos internos, em que "os discursos eles mesmos exercem seu próprio controle" (FOUCAULT, 1996, p.21), dentre estes destacam-se para o presente trabalho "as disciplinas" como princípio de limitação que que permite a construção do discurso, mas a partir de um "jogo restrito" (FOUCAULT, 1996, p.30), definindo-se "por um domínio de objetos, um conjunto de métodos, um corpus de proposições consideradas verdadeiras, um jogo de regras e de definições, de técnicas e de instrumentos" (FOUCAULT, 1996, p.30), tudo isso constituindo um sistema anônimo à disposição de quem quer ou possa servir-se dele, sem que seu sentido ou sua validade estejam ligados a quem sucedeu ser seu inventor (FOUCAULT, 1996, p.30).

A disciplina permite a construção do discurso desde que observadas as proposições por ela pré-estabelecidas para que este possa ser considerado válido. As disciplinas, portanto, são mecanismos de limitação do discurso na medida em que permitem sua construção apenas a partir da observância de regras primevas.

Assim, ao estabelecer divisões estanques na formação do discurso, uma proposição, para pertencer ao conjunto de uma disciplina, deve preencher exigências complexas e pesadas (FOUCAULT, 1996, p.34).

As disciplinas, portanto, são mecanismos de delimitação da produção do discurso, assim como a chamada segregação da loucura, conforme explicitado por Michel Foucault em "A ordem do discurso" (FOUCAULT, 1996). As primeiras dizem respeito à rarefação do discurso vez que ao definir precisamente seus métodos e suas proposições, as disciplinas excluem qualquer outra forma de análise que esteja fora de seus horizontes de investigação previamente estabelecidos; já a segunda, procedimento de exclusão do discurso, caracterizada pela separação e pela rejeição estabelece uma inicial oposição entre razão e loucura, que foi sendo abandonada na medida em que a loucura perdia o caráter místico e assumia características de objeto de estudo científico.

Destarte, a aproximação entre a loucura e a disciplina decorre do fato de ambas serem mecanismos de limitação da produção do discurso e, consequentemente, acabam por representar, segundo Michel Foucault, relações de poder.

As disciplinas expressam relações de poder na medida em que estabelecem a detenção, o domínio de certa parcela do conhecimento, com a consequente impossibilidade de questionamento diante das premissas específicas que não são acessíveis a todos, caracterizando a restrição do conhecimento por instaurar um saber não compartilhado com outros grupos sociais. E a loucura irá servir de parâmetro para legitimar ou não o discurso proferido.

Além disso, a estreita relação entre a loucura e as disciplinas advém do fato de que estas, a partir do século XIX, acabam por definir aquela. Segundo Michel Foucault:

no século XIX, desenvolve-se, em torno da instituição judiciária e para lhe permitir assumir a função de controle dos indivíduos ao nível de sua periculosidade, uma gigantesca série de instituições que vão enquadrar os indivíduos ao longo de sua existência; instituições pedagógicas como a escola, psicológicas ou psiquiátricas como o hospital, o asilo, a polícia, etc. Toda essa rede de um poder que não é judiciário deve desempenhar uma das funções que a justiça se atribui neste momento: função não mais de punir as infrações dos indivíduos, mas de corrigir suas virtualidades (FOUCAULT, 2002, p.86).

As disciplinas sociais e humanas, pois, assumem a função de estudar e de estabelecer a necessidade da segregação da loucura e, acabam conquistando grande destaque a partir do século XIX na medida em que permitem o exercício do controle penal punitivo dos indivíduos, que deixa de ser efetuado exclusivamente pela própria justiça e passa a ser exercido por uma "série de outros poderes laterais, à margem da justiça, como a polícia e toda uma rede de instituições de vigilância e correção – a polícia para a vigilância, as instituições psicológicas, psiquiátricas, criminológicas, médicas, pedagógicas para a correção" (FOUCAULT, 2002, p.86).

## 2.    ESCORÇO DA OBRA

Com coordenação e coautoria de Michel Foucault, o livro "Eu, Pierre Rivière, que degolei minha mãe, minha irmã e meu irmão" é um esforço coletivo de Blandine Barret-Kriegel, Gilbert Burlet-Torvic, Robert Castel, Jeanne Favret, Alexandre Fontana, Georgette Legée, Patricia Moulin, Jean-Pierre Peter, Philippe Riot e Maryvonne Saison, além do próprio Michel Foucault, sendo que a obra representa o desfecho de pesquisas iniciadas em um seminário do Collège de France (FOUCAULT, 1977, p. XV). Os autores reconstituem, por meio dos documentos históricos disponíveis, a narrativa do caso de parricídio (e fatricídio) cometido por Jean Pierre Rivière a 3 de junho de 1835, na pacata aldeia de La Faucterie, em Aunay Sur-Odon, comuna pertencente ao departamento de Calvados, na região administrativa da Baixa-Normandia, França. Como explícito no título da obra, Pierre Rivière, camponês, à época com

20 anos de idade, cometeu um triplo assassinato, matando brutalmente com golpes de foice sua mãe, Victorie Brion, que estava grávida de 6 meses, seu irmão, Jules Rivière, de 7 a 8 anos, e sua irmã, Victorie Rivière, que tinha então por volta de 18 anos.

O livro encontra-se dividido em 3 partes principais: uma breve introdução, onde são expostos em linhas gerais o trabalho concebido, incluindo o esclarecimento da metodologia adotada, e a explicitação das justificativas e objetivos para a publicação da obra (FOUCAULT, 1977, p. IX-XV); uma parte expositiva do caso em si, na qual foi adotada uma narrativa linear, com uma sequência praticamente cronológica dos acontecimentos desde a consumação do crime até a morte de Pierre Rivière na prisão, passando por todos depoimentos, pelo julgamento, a apelação e o indulto que concedeu a comutação de pena de morte em prisão perpétua (FOUCAULT, 1977, p. 2-183); e uma seção final de notas, sendo que nesta parte conclusiva os diversos autores tecem seus comentários e análises sobre os eventos transcorridos (FOUCAULT, 1977, p. 185-294).

> Para resgatar o caso de Pierre Rivière, os estudiosos recorrem, principalmente, ao que foi publicado sobre o acontecimento nos *Annales d'hygiène publique et de médicine légale de 1836* (FOUCAULT, 1977, p.IX). Valem-se também de todas as peças judiciais e artigos da imprensa publicadas, inclusive a íntegra do memorial escrito pelo próprio Pierre Rivière, documentos estes que em sua maior parte foram encontrados nos Arquivos Departamentais de Caen (FOUCAULT, 1977, p. XIII), também, como Aunay, uma comuna francesa ligada ao departamento administrativo de Calvados, local onde se realizou o julgamento. Esta extensiva investigação permitiu aos pesquisadores trazer à tona um pujante retrato dos fatos que cercaram as ações de Rivière.

> Assim, em sua seção mediana, tem-se todas as peças documentais ligadas ao crime. Seguindo então a ordem cronológica, em primeiro lugar tem-se os documentos que dão notícia do delito: o relatório do juiz de paz com a ocorrência do crime; o laudo médico de constatação das mortes, que descrevem a barbárie do ocorrido; os relatos das testemunhas inicialmente ouvidas pelo juiz de paz, que já apontam Rivière como o autor do crime; as cartas dos procuradores do rei e do prefeito de Aunay, todos ligados

à solicitação e à ordem de prisão de Pierre Rivière, o relatório de sua efetiva prisão, além de artigos de imprensa então publicados sobre os acontecimentos.

Em sequência, são apresentados os escritos relacionados à instrução processual. Esta seção é aberta com o primeiro interrogatório de Rivière, depoimento em que o réu denega suas declarações precedentes de que tinha cometido os assassinatos por ordem divina, alegando que o fez para aliviar o sofrimento de seu pai, constantemente humilhado por sua mãe, ressaltando que a morte dos irmãos foi também por estarem ao lado da mãe. É importante destacar que o acusado apresenta suas alegações com impressionante lucidez, prometendo ao fim do interrogatório, apresentar "o histórico dos vexames que, segundo ele, seu pai sofreu por parte de sua mulher" (FOUCAULT, 1977, p.23). Prossegue-se então com os relatos das testemunhas, todos habitantes de Aunay que conheceram de alguma forma Pierre Rivière. Interessante apontar que, embora para alguns o réu tinha um caráter taciturno, maneirismos e certo grau de idiotismo, outras testemunhas não aludiram a tais características em seu depoimento. Em continuação, é apresentado o segundo interrogatório de Pierre Rivière, no qual este esclarece algumas de suas manias, tirando-lhes a importância por serem brincadeiras de criança, e cita estar resignado com uma futura condenação à morte. Finalizando a instrução processual, juntam-se a ata de apresentação perante a câmara de acusação, o despacho da câmara de acusação, o próprio auto de acusação e algumas notas de imprensa relacionadas ao processo. No auto de acusação, refuta-se a ideia de que o acusado estivesse em estado de alienação mental no momento do crime (FOUCAULT, 1977, p. 47-48).

O documento central da narrativa é o memorial redigido pelo próprio Jean Pierre Rivière, composição em que esclarece os motivos pelos quais cometeu o crime. É uma peça extensa (FOUCAULT, 1977, p. 51-112), onde, em grande parte, está relatado todo o martírio a que, na visão de Rivière, seu pai se sujeitou em razão de sua mãe. Apesar de Pierre ser apenas um camponês, seu escrito surpreende por sua capacidade de transmitir suas convicções, fazendo um crescendo dos desentendimentos, infortúnios financeiros e familiares que balizaram o constantemente conflituoso relacionamento de seus pais. Ao longo de seu relato, o acusado descreve ainda como enxergava sua própria vida: teve certa devoção aos 7 ou 8 anos de idade, inclusive com ideia de se tornar padre; um pouco mais tarde passou a se isolar, em razão de suas peculiaridades e da zombaria que as outras crianças lhe faziam, assim, permanecia sozinho ou brincava com crianças de idade menor que a dele; suas leituras foram incialmente ligadas à religião, mas em seguida buscou outras, como astronomia, pois se tornara irreligioso; um pouco mais velho, mostrou ter horror à paixão carnal, e especialmente repelia as mulheres, de modo que sempre que se aproximava de parentes do sexo feminino "fazia sinais com a mão como quisesse reparar o mal que pensava ter feito" (FOUCAULT, 1977, p. 94); cita também que nessa época, não conseguia conviver com jovens de sua idade, menos ainda com as moças, entretanto, sua mente se enchia de ideias de grandeza, imortalidade e superioridade, inventando histórias de uma liderança imaginária.

Já chegando à parte conclusiva de seu memorial, Rivière relata como o sofrimento de seu pai se abateu sobre ele, o que levou a sua trágica decisão:

Apesar desses desejos de glória que tinha, gostava muito do meu pai, e suas infelicidades me comoviam sensivelmente. O abatimento no qual o vi mergulhado nesses últimos tempos, sua duplicidade, as penas contínuas que suportava, tudo isto me tocou vivamente. Todas as minhas ideias voltaram-se para essas coisas, e nelas se fixaram. Concebi o horrível projeto que executei, pensava nele há mais ou menos um mês. Esqueci completamente os princípios que me deviam fazer respeitar minha mãe, minha irmã e meu irmão, vi meu pai como se ele estivesse em mãos de cães raivosos ou bárbaros, contra os quais eu deveria lutar [...] (FOUCAULT, 1977, p. 96).

Rivière efetivamente premeditou seu crime, chegando, segundo alega, a pensar em escrever de antemão toda a história de seu pai e de sua mãe, relatando os motivos para sua decisão (FOUCAULT, 1977, p. 98), escrito este que efetivamente só tomou corpo depois de sua prisão.

Ainda, Pierre Rivière estava ciente de que seus atos poderiam levá-lo à sentença morte, e aparentemente assim desejava encerrar seus dias, pois repetiu por diversas vezes que morreria por seu pai, evocando as mais diversas histórias de personagens que sacrificaram a própria vida para a salvação de outrem, inclusive procurando compreender sua *missão* por meio da história de Jesus Cristo "Nosso Senhor Jesus Cristo morreu na cruz para salvar os homens, para resgatá-los da escravidão do demônio, do pecado e da danação eterna [...] mas eu só posso libertar meu pai morrendo por ele" (FOUCAULT, 1977, p. 97). O memorial demonstra também que, com sua eventual morte, o jovem francês buscava alcançar sonhadas glórias póstumas:

[...] eu pensava em Bonaparte em 1815. Eu me dizia também: este homem fez perecer milhares de pessoas para satisfazer caprichos vãos, logo não é justo que eu deixe viver uma mulher que perturba a tranqüilidade e a felicidade do meu pai. *Eu pensava que chegara a ocasião de me elevar, que meu nome iria fazer barulho no mundo, que por minha morte me cobriria de glória, e que no futuro minhas idéias seriam adotadas e fariam minha apologia.* Foi assim que tomei esta funesta resolução (FOUCAULT, 1977, p. 99). (grifos nossos)

Outro ponto que aponta para o fato de que Pierre realmente procura para si a pena capital é sua advertência, já no epílogo de seu memorial, de que suas alegações iniciais de que teria cometido o crime por inspiração divina eram falsas: as verdadeiras razões estavam expostas no próprio texto que desenvolvia. Desse modo, Rivière procura afastar qualquer indicação de que estivesse louco no momento dos assassinatos, reivindicando para si a pena máxima:

Disseram-me para pôr todas essas coisas por escrito, e eu o fiz; agora que dei a conhecer toda a minha monstruosidade, e que foram dadas todas as explicações de meu crime, eu aguardo o destino que me é reservado, conheço o artigo do Código Penal referente ao parricídio, eu o aceito para expiação de minhas culpas; *ai de mim se ainda pudesse reviver as infelizes vítimas de minha crueldade*, se para isto fosse apenas necessário suportar todos os suplícios possíveis; *mas não, é inútil, só posso segui-las*. Desta forma, *aguardo a pena que mereço e o dia que deve pôr fim a todos os meus remorsos* (FOUCAULT, 1977, p. 112). (grifos nossos)

Concluindo a seção dedicada à instrução processual, foram colocados dois pareceres dos médicos que tomaram parte no julgamento, sendo que um terceiro parecer, das autoridades médicas parisienses, foi juntado em momento posterior, quando da solicitação de indulto. É pertinente notar que os pareceres apresentados chegam a conclusões diferentes sobre a saúde mental de Rivière: o parecer exarado pelo dr. Bouchard, um médico local de Aunay que entrevistou por várias vezes o acusado na prisão, faz uma análise sucinta de seu estado clínico, entendendo por fim que não há doença que transtorne suas funções mentais ou qualquer sinal de alienação mental (FOUCAULT, 1977, p. 114). Já o parecer emitido pelo dr. Vastel, chefe da instituição psiquiátrica de Caen, encerra uma análise de todas as informações contidas no memorial e nas demais peças processuais de então, sendo que este especialista, após ter pessoalmente entrevistado Rivière, chega à ilação de que o acusado possui alienação mental desde a infância, de modo que não se encontrava em pleno gozo de suas faculdades mentais no momento do crime (FOUCAULT, 1977, p. 125).

Apresentados todos os documentos relativos à fase da instrução processual, os autores juntam os diplomas disponíveis diretamente ligados ao julgamento: a indicação do defensor; a lista dos jurados; a lista das testemunhas de acusação, defesa, e um atestado outorgado a Rivière; alguns relatos sobre a audiência; o relatório do presidente do tribunal do júri à Direção dos casos criminosos; além de diversos artigos e cartas relativos ao processo (FOUCAULT, 1977, p. 127-156).

Um quesito de grande interesse foi o embate travado entre a procurador-geral e a defesa acerca da saúde mental de Pierre Rivière. A procuradoria, amparada no parecer do dr. Bouchard, afirmava tratar-se de pessoa sã, com plena consciência de seus atos, requerendo assim a pena prevista no código para os parricidas, ou seja, a condenação à morte. Já a defesa, amarada no parecer do dr. Vastel, alegava a insanidade do réu, solicitando assim a atenuação da pena para aquela de prisão perpétua. Dentro desta batalha, evidencia-se uma oposição de discursos entre a procuradoria, que se esforça para reiterar a importância das instituições judiciais por meio da condenação, e a perícia médica, especialmente a psiquiatria jurídica representada pelo dr. Vastel, que se empenha em refirmar a importância de sua especialização por meio da atenuação da pena. As possibilidades de entrechoque são muitas, ampliadas pela ambiguidade do caso, não havendo sintonia nem mesmo entre diferentes instâncias médicas: Pierre Rivière é um alienado que finge ser são; ou sempre esteve senhor de suas faculdades mentais mas passou-se por louco?

A dificuldade do caso se reflete na decisão do júri: concordando com a promotoria, apontou o réu como culpado; entretanto, contraditoriamente, solicitou-se a comutação da pena de parricídio através do relatório do presidente do tribunal do júri à Direção dos casos criminosos (FOUCAULT, 1977, p. 139-145). Ainda, os artigos e cartas relativos ao processo (FOUCAULT, 1977, p. 145-156) são, em seu teor, favoráveis à comutação da pena. Mesmo Rivière, convencido por seu pai e advogado, acaba por recorrer da sentença.

Em seguida ao julgamento, são relacionados no livro os documentos disponíveis referentes ao recurso impetrado: algumas informações retiradas da imprensa; extrato da minuta da corte de apelação; alguns textos publicados relativos à recusa do recurso; o parecer deliberado em Paris sobre o estado mental de Pierre Rivière; o relatório do ministro da Justiça ao rei; e ainda algumas notas de imprensa relativos à concessão do indulto (FOUCAULT, 1977, p. 157-171).

Põe-se em relevo o fato de que a corte recursal não admitiu o recurso impetrado, entendendo não ser cabível a exigência do juramento específico do artigo 44 do Código de Instrução criminal por parte dos médicos que tomaram parte como testemunhas, ou por aqueles chamados ao debate por poder discricionário do presidente do julgamento, questões processuais levantadas pela defesa. Não obstante, a comutação da pena do suplício dos parricidas pela prisão perpétua foi acatada pelo rei. O documento chave para a comutação, no qual se ampara o relatório do ministro da Justiça ao rei, é o parecer elaborado e assinado por prestigiadas autoridades médicas de Paris:

Esquirol, médico-chefe de Chareton; Orfila, decano da faculdade de medicina de Paris; Marc, médico do rei; Pariset, secretário perpétuo da Academia Real de Paris; Rostan, professor da faculdade de medicina de Paris; Mitivié, médico da Salpêtrière, e Leuret, doutor em medicina (FOUCAULT, 1977, p. 163).

Novamente o discurso dos especialistas se impõe, e a alta patente dos peritos envolvidos se faz valer, ainda que para rejeitar o atestado do médico local de Aunay, dr. Bouchard. Para as autoridades médicas não resta dúvida: "esses homicídios são unicamente devidos ao delírio" (FOUCAULT, 1977, p. 165).

Finalizando o segmento narrativo do livro, são reunidos variados documentos a respeito da prisão e morte de Jean Pierre Rivière: texto constante do *Mémorial du Calvados* de 9 de março de 1836; descrição da Prisão Central de Beaulieu; o registro da admissão de Rivière na prisão, inclusive com a notícia de sua morte a 20 de outubro de 1840; artigo sobre Rivière publicado no jornal *Pilote du Calvados* em 22 de outubro de 1840; e, para fechamento, anexou-se um cartaz de data imprecisa que faz referência à lenda de Pierre Rivière (FOUCAULT, 1977, p. 173-183).

Assim, com o vasto material angariado, foi possível a reconstituição detalhada de um caso fundamental da psiquiatria jurídica, caso este que hoje se tornou clássico, mas que se não fosse o empenho e diligência empregados pelos pesquisadores, poderia não ser mais que registros perdidos em alguma repartição estatal francesa.

Contudo, a importância do livro ora examinado não se reduz à reconstituição histórica do crime cometido por Pierre Rivière. O principal objetivo da obra é colocar em contraste os diversos discursos que tomaram parte no julgamento: aquele dos magistrados, o do médico local, o dos médicos peritos, os dos aldeões e o próprio discurso do réu. Cada qual com suas origens, linguagem e interesses específicos, os discursos evidenciam as inúmeras relações de poder e dominação que se estabeleceram, expondo os confrontos entre as instituições implicadas. Coloca-se em evidência a batalha travada entre o corpo da perícia médica e o judiciário, entidades cujos discursos, em conformidade com suas ambições, encobrem estratégias e táticas utilizadas para retratar Rivière ora como um louco, ora como um criminoso.

## 3. A INFLUÊNCIA DAS DISCIPLINAS NAS DECISÕES JUDICIAIS

Como é possível extrair da leitura da obra, os documentos referentes ao caso Rivière apresentados por Michel Foucault demonstram o confronto entre a aplicação da lei e a situação psicológica de Rivière, caracterizando a proximidade de análise entre a loucura e das disciplinas.

O conflito estudado pela obra diz respeito ao fato de que Rivière, em um primeiro momento, diante de todas as características do delito que praticou, é tido como louco, consideradas as circunstâncias do fato, por ter matado sua mãe, sua irmã e seu irmão, este por quem inclusive tinha grande apreço, justificando ter cometido o crime imbuído do sentimento de libertar seu pai, vez que este sofria muito em decorrência de um casamento infeliz, marcado por constantes abusos e humilhações perpetrados pela mãe em detrimento deste, planejando também matar sua irmã, vez que esta sempre apoiava as atitudes da mãe e, curiosamente, afirma que também planejou matar seu irmão vez que este amava a mãe e, como o pai deste muito gostava, ficaria com ódio diante do ato praticado pelo filho e sofreria menos pelas atitudes de Rivière.

> Ele tinha inicialmente pensado em escrever um memorial onde seriam inscritos o ato e seus motivos, cometer o triplo assassinato, colocar o que escrevera no correio, e depois suicidar-se. Algumas semanas depois modifica seu plano: escrever, matar com roupas de domingo, desafiar assim as togas negras dos juízes (a cada lei suas insígnias e seus ouropéis), depois morrer, condenado por suas opiniões. Mas a cada vez que ele se põe a escrever é perturbado ou adormece; e a cada vez que coloca suas roupas de domingo suas vítimas se dispersam. Para acabar com isso, resolve compor mentalmente seu texto, e matar sem se paramentar: haverá sempre tempo para escrever e em seguida desafiar, no intervalo que separará a execução de seu tirano da sua (FOUCAULT, 1977, p. 206).

Rivière em sua primeira versão acerca dos fatos às autoridades, resolvendo disfarçar a verdade, concebeu o plano de desempenhar o papel de louco, dizendo que não estava arrependido e que estava inspirado por Deus, sendo seu instrumento e obedecendo às suas ordens (FOUCAULT, 1977, p.108). Entretanto, não conseguiu sustentar essa versão de dizer que não estava arrependido:

> era-me muito penoso sustentar tais coisas e dizer que não estava arrependido; e chegando a Vire eu pensei em revelar a verdade, no entanto, quando compareci perante o sr. procurador do rei,

sustentei as mesmas coisas. Quando fiquei a sós, resolvi novamente dizer a verdade, e confessei tudo ao carcereiro que tinha vindo falar comigo, e disse-lhe pretender declarar tudo perante meus juízes; mas, quando fui responder ao primeiro interrogatório perante o sr. juiz da instrução, não pude ainda decidir-me a fazê-lo, e sustentei o sistema do qual já falei, até que o carcereiro falasse sobre o que eu lhe tinha dito (FOUCAULT, 1977, p. 111).

Percebe-se, pois, com a narrativa dos fatos apresentada pelo próprio Rivière, a sua consciência em simular a loucura, e

[v]ê-se o quanto sua loucura simulada conserva de exatidão, o quanto a máscara deixa transparecer de verdade, quando ele tenta dizer, apesar de tudo, o impossível e em que doravante se firma tão bravamente como numa posição de combate (FOUCAULT, 1977, p. 206).

Destaca-se que as mudanças históricas da época não modificaram o discurso dominante: não mais sujeitos ao soberano, os camponeses continuam reféns de falsos direitos, subjugados agora pelas novas formas de controle: a propriedade, o trabalho e os contratos. "Tudo é armadilha. Os contratos impostos pelos senhores e pela Igreja, longe da garantirem alguma coisa, aprisionavam" (FOUCAULT, 1977, p. 189). A ordem social que se instaurou age dissimuladamente para "perpetrar hierarquias e desigualdades, mas desta vez e na hipocrisia, 'livremente' consentidas" (FOUCAULT, 1977, p. 192).

Se anteriormente era reconhecido ao menos enquanto súdito, enquanto subalterno, o camponês passou a ser nada em um mundo sujeito à dominação abstrata do dinheiro. Homens iguais formalmente, os oprimidos não podem nem mesmo se definirem como opostos aos dominadores. Se sua voz era tênue, agora, excluídos da própria definição da sociedade, perdem o direito à palavra:

Pierre Rivière se apresenta como aquele que levanta a questão do direito e do torto, do justo e do injusto. Exemplar.

Aliás, para colocar tal questão precisava ter direito à palavra. Mas é justamente o que não ocorre: ele nunca terminará o cômputo de seus ressentimentos.

**163**

Pois passada a tormenta revolucionária, logo moída pelo pilão do império, sob que traços de reencontrará, na sociedade ressuscitada, os homens do campo? Que assunção a igualdade de direitos, apenas formal, e a liberdade de adquirir revelaram a esses seres? – Na verdade nada mudou. Eles continuam animais; o discurso dominante não se deslocou. Eles são o que há mais Outro. Animais ou coisas, algo vizinho do nada, dos quais não se pode pensar com seriedade que tenham algo a dizer (FOUCAULT, 1977, p. 192-193).

Os excluídos somente podem ser ouvidos por suas ações, por seus crimes que desafiam a civilidade: "[s]e tem qualquer coisa a dizer, o nativo é o único em quem não se acredita sob palavra. Para ser ouvido é preciso que ele mate" (FOUCAULT, 1977, p. 199). E, quando em seu rompante, os nativos quebram as leis da natureza para se fazerem ouvidos, a justiça e a medicina iniciam seus discursos, ora em conjunto, ora como rivais, fazendo jogos de poder para uma vez mais amordaçá-los. Não se poupam recursos para reduzir o alcance dos atos de Rivière: "já que visa a ordem social, a do contrato, seu ato só pode ser feito de um animal ou de um louco, o avesso de um homem" (FOUCAULT, 1977, p. 204). Até a morte a que Rivière ansiava lhe foi confiscada pela ala psiquiátrica:

Fazendo-o indultar, recusavam-se a ouvi-lo: declaravam, em suma, que a palavra nativa não tem peso, não é nem mesmo um efeito da monstruosidade: esses criminosos são apenas crianças que brincam com os mortos como com as palavras (FOUCAULT, 1977, p. 208).

Michel Foucault destaca que o crime e a narrativa do crime são consubstanciais (FOUCAULT, 1977, p. 212). A ideia de narrar o assassinato percorria a mente do assassino mesmo antes da consumação do fato, antes de sua prisão, e ao transcrever o triplo homicídio cometido Rivière cria um folheto que, como tantos outros da época, adentram à memória popular dos crimes (FOUCAULT, 1977, p. 215): o homicídio tornou-se, ao menos em forma, um *assassinato cantado*, como nos panfletos líricos do século XIX em o sujeito é ao mesmo tempo falante e assassino (FOUCAULT, 1977, p. 218-219). Deste modo, Pierre Rivière:

[..] executou seu crime no nível de uma certa prática discursiva e do saber que a ela está ligado. Ele jogou realmente, na unidade inextricável de seu parricídio e de seu texto, o jogo da lei, do assassinato e da memória que regulava, nesta época, todo um conjunto de "narrativas de crimes" (FOUCAULT, 1977, p. 220).

Mas, em relação ao confronto entre os discursos das instituições judiciárias e das instituições médicas? Este conflito resta claro e se desenrola ao redor da questão das circunstâncias atenuante. As circunstâncias atenuantes no Código Penal francês foram, ao longo de evolução legislativa, estendidas a todos os crimes, passando a ser a regra em 1832, ou seja, 3 anos antes do parricídio de Rivière (FOUCAULT, 1977, p. 223-224). Podia ser concedida como um indulto real ou pelo reconhecimento do júri de que circunstâncias exteriores ao crime enquadram a falta do réu, permitindo a atenuação da pena. No caso de Rivière, seu aproveitamento ou não era o cerne de um triplo conflito: "conflito entre poder e consenso geral, conflito sobre a detenção do poder repressivo, conflito entre o saber científico e o poder judiciário" (FOUCAULT, 1977, p. 224).

O conflito entre o poder repressivo e o consenso geral advém da rigidez legal e penas excessivamente duras. Diante de impossibilidade de aplicação de uma pena mais leve, os júris passaram preferir a absolvição, ou seja, nenhuma repressão, a aplicar estritamente a lei, uma espécie de revolta popular contra o texto legal. Assim, a aplicação das circunstâncias atenuantes "permitem retificar, pela apreciação circunstanciada da consciência, a apreciação geral da lei" (FOUCAULT, 1977, p. 224). É, na verdade, uma adaptação legal que reduz as contradições entre a opinião pública e o direito: "Elas atenuam pois qualquer tentativa de contestação do próprio poder" (FOUCAULT, 1977, p. 225).

O embate sobre a detenção do poder repressivo se refere às relações entre o poder político em geral e poder judiciário, isto é, se a punição é definida exclusivamente pela lei (poder legislativo) ou se também pode ser decretada pelo magistrado (poder judiciário). Após a Revolução Francesa, refutando a arbitrariedade do Antigo Regime, a dicção do direito passou a pertencer exclusivamente ao legislativo. Porém, a adoção, pelos próprios legisladores, das circunstâncias atenuantes permitiu aos juízes adaptar o quadro geral às circunstâncias particulares do delito. (FOUCAULT, 1977, p. 225).

A utilização das circunstâncias atenuantes, no entanto, trouxe para dentro do direito um saber próprio das ciências médicas, a psiquiatria, resultando no terceiro conflito. O louco criminoso deveria ser punido, já que é pernicioso à sociedade como qualquer outro. No entanto, sua qualidade de louco se sobrepõe à de criminoso. Ocorre que a determinação da loucura, da demência, e assim a exoneração de sua responsabilidade, não se dá no âmbito do saber judiciário, mas sim na esfera do saber médico. Dessa forma, a teoria da responsabilidade limitada facilitou a entrada da psiquiatria no espaço que antes era unicamente judicial. Ainda mais, a aplicação de circunstâncias atenuantes insere no contexto judicial todas as outras ciências sociais e humanas, acarretando a "diminuição do caráter específico da justiça e diminuição do poder dos juízes que veem um certo número de técnicos invadirem seus domínios" (FOUCAULT, 1977, p. 226).

Assim, a disciplina médica, a partir de "conjunto de enunciados que tomam emprestado de modelos científicos sua organização, que tendem à coerência e à demonstratividade" (FOUCAULT, 2008, p. 200) cada vez mais avança e ocupa expressivo espaço na fundamentação das decisões judiciais, vez que, ao se utilizar de métodos alheios ao direito, torna por este praticamente incontestáveis o conteúdo de suas proposições, que só poderão ser questionadas dentro dos limites estabelecidos à própria disciplina. "A ciência (ou o que passa por tal) localiza-se em um campo do saber e nele tem um papel, que varia conforme as diferentes formações discursivas" (FOUCAULT, 2008, p. 206).

E, diferentemente da concepção do senso comum de busca da verdade pela justiça, a decisão judicial na realidade é a expressão do discurso dominante engendrado por determinada relação de poder. A decisão judicial, portanto, não é a o resultado da justiça obtido pelas provas constantes nos autos, até porque, segundo Michel Foucault, a prova judiciária também era uma ocasião de se manipular a produção da verdade. O ordálio que submetia o acusado a uma prova, o duelo no qual se confrontavam acusado e acusador ou seus representantes, não eram uma maneira grosseira e irracional de "detectar" a verdade e de saber o que realente tinha acontecido quanto à questão de litígio. Eram uma maneira de decidir de que lado Deus colocava naquele momento o suprimento de sorte ou de força que dava a vitória aos adversários (...) e a posição do juiz não era a de um pesquisador tentando descobrir uma verdade oculta e restituí-la na sua forma exata, devia sim organizar a sua produção, autenticar suas formas rituais na qual tinha sido suscitada. A verdade era o efeito produzido pela determinação ritual do vencedor (FOUCAULT, 1979, p. 65).

E, na nossa civilização, ao longo dos séculos, essa busca da verdade foi pouco a pouco sendo desqualificada, recoberta e expulsa pela prática científica e pelo discurso filosófico. Assim, a verdade não é aquilo que é, mas aquilo que se dá. A verdade é acontecimento, não sendo encontrada, mas sim suscitada. E uma relação ambígua, reversível, que luta belicosamente por controle, dominação e vitória: uma relação de poder.

E, como expressão de relação de poder, a medicina não tem somente por objetivo estudar e curar doenças, ela tem relações com a organização social; algumas vezes, ela ajuda o legislador na confecção das leis, frequentemente ela esclarece o magistrado em sua aplicação, e sempre ela vela, com a administração, pela manutenção da saúde pública (FOUCAULT, 1977, p.272).

No contexto processual, a avaliação probatória converge para o momento culminante e decisivo, que é a apreciação ou valoração dos elementos recolhidos ao longo o processo; assim, as provas não valem isoladamente, mas constituem um conjunto, cuja aptidão para servir de fundamento à conclusão deve ser aferida pelas concordâncias dela resultantes. Logo, somente através da seleção, da crítica, da aceitação ou da rejeição do material produzido será possível extrair-se uma convicção a respeito dos fatos investigados; é nessa fase final, com efeito, que os dados objetivos resultantes dos procedimentos probatórios podem se transformar ou não em uma crença sobre a veracidade ou falsidade das proposições de fato afirmadas pelas partes (GOMES FILHO, 1997, p.159).

Todavia, a força probante do exame dos peritos é resultado de presunções, que se encadeiam e por efeito de uma presunção que reconheçamos nos peritos conhecimentos especiais suficientes; que lhe atribuímos o desejo leal de só achar a verdade ao cabo de suas indagações (MITTERMAIER, 1997, p. 155).

Há, portanto, estreita relação entre o sentimento de verdade e as proposições resultantes das disciplinas, especialmente a medicina, em virtude principalmente do da atribuição de um caráter de objetividade por estas adotado, que tenta se sobrepor ao discurso, demonstrando "a diminuição do caráter específico da justiça e diminuição do poder dos juízes que veem certo número de técnicos invadirem seus domínios" (FOUCAULT, 1977, p.226).

## CONSIDERAÇÕES FINAIS

As disciplinas, portanto, como mecanismos internos de rarefação do discurso exercem neste influência em sua produção na medida em que apresentam proposições específicas, de determinadas áreas do conhecimento, que não são a todos acessíveis e, consequentemente, somente podem ser refutadas por aqueles que dominam a própria disciplina.

Assim, quando a decisão judicial depende de questão alheia ao direito para resolver a controvérsia instalada nos autos e tem de se valer de peritos, a disciplina, como mecanismo de controle da produção do discurso faz com que o discurso por ela proferido nos autos esteja blindado de questionamentos emanados do judiciário, enquanto conhecido técnico, mas também como disciplina fechada que estabelece suas regras de produção do saber, demonstrando a instauração das relações de poder que surgem das diferentes origens discursivas.

Resta clara, a partir do caso estudado pelo presente trabalho, a estreita relação entre as disciplinas e a segregação da loucura, no sentido de quem disputa sobre a legitimidade de estabelecer os critérios para a definição dos discursos que devem ou não ser aceitos, e esta, que a princípio era vista como mecanismo de exclusão do discurso, passa, com o início do século XIX e com o surgimento das ciências sociais, a ser objeto de estudo de determinadas disciplinas, que, como tais, possuem saberes próprios e específicos, que disputam os lugares de saber e poder, nos termos de Foucault (REVEL, 2005).

## REFERÊNCIAS

FOUCAULT, Michel. **A ordem do discurso**: aula inaugural no Collège de France, pronunciada em 2 de dezembro de 1970. São Paulo: Edições Loyola, 1996.

_____. **Arqueologia do saber**. Tradução de Luiz Felipe Baeta Neves. 7 ed. Rio de Janeiro: Forense Universitária, 2008.

_____. **A verdade e as formas jurídicas**. Tradução Roberto Cabral de Melo Machado e Eduardo Jardim Morais. Rio de Janeiro: NAU Editora, 2002.

_____. **Eu, Pierre Rivière, que degolei minha mãe, minha irmã e meu irmão**. Um caso de parricídio do Século XIX apresentado por Michel Foucault. Tradução de Denize Lezan de Almeira. Rio de Janeiro: Edições Graal, 1977.

_____. **Microfísica do poder**. Organização e Tradução de Roberto Machado. Rio de Janeiro: Edições Graal, 1979.

GOMES FILHO, Antonio Magalhaes. **Direito à prova no processo penal**. São Paulo: Revista dos Tribunais, 1997.

MITTERMAIER, C.J.A. **Tratado da prova em matéria criminal**. Tradução da 3 ed. por Hebert Wuntzel Heinrich. Campinas: BOOKSELLER, 1997.

REVEL, Judith. **Michel Foucault**: conceitos essenciais. Trad. Maria do Rosário Gregolin, Nilton Milanez, Carlos Piovesani. São Carlos: Caraluz, 2005.

# ANÁLISE ECONÔMICA DO PLENÁRIO VIRTUAL NO JULGAMENTO DE LEADING CASES

**Saulo Martins Mesquita**

http://lattes.cnpq.br/9164943020530822

**RESUMO:** Este trabalho tem por objetivo estudar a expansão das atividades do Plenário Virtual do Supremo Tribunal Federal sob o ponto de vista da Análise Econômica do Direito. São abordados conceitos de bem-estar social, Custo Social do Processo, Custos de Erro e de Administração, a importância do duplo grau de jurisdição para a formação de jurisprudência e os sentimentos que a utilização do Plenário Virtual no julgamento de *Leading Cases* causa na sociedade.

**PALAVRAS-CHAVE**: Plenário virtual; Análise Econômica do Direito; Leading cases.

## INTRODUÇÃO

No ano de 2020, a pandemia de COVID-19 causou uma verdadeira revolução em todos os aspectos da nossa vida e, como não haveria de ser diferente, ocasionou mudanças nas rotinas dos nossos tribunais.

Especificamente, no caso do Supremo Tribunal Federal, foi aprovada a Resolução nº 672 de 26 de março de 2020, que trouxe diversas alterações como o aumento do rol de processos que poderiam ser julgados em sessões virtuais, no plenário virtual e a possibilidade de envio e disponibilização de sustentações orais gravadas pelos advogados, que ficariam disponíveis no sistema de votação dos ministros[1].

Essas mudanças fizeram com que a Suprema Corte proferisse não menos do que 99 mil decisões e reduzisse o seu acervo processual em quase 19%[2], números que são, de fato, dignos de comemoração, especialmente se considerarmos que a nossa Corte Constitucional é a que mais julga processos no mundo[3].

Foram julgados 134 Recursos Extraordinários, número que praticamente multiplica por 4 a quantidade de julgados de 2019, quando foram julgados apenas 33. Dos 134 REs, **125 eram *leading cases*:**

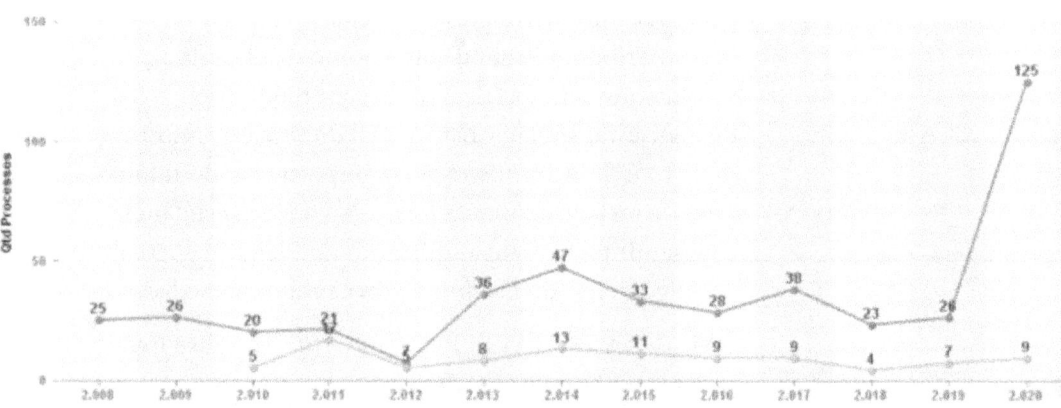

**Fig.1 – Gráfico obtido no sítio do Supremo Tribunal Federal[4].**

A quantidade de processos e, especialmente, de *leading cases* julgados no plenário virtual acabou sendo objeto de preocupação por elevada parcela da advocacia.

---

1 Disponível em https://portal.stf.jus.br/noticias/verNoticiaDetalhe.asp?idConteudo= 457782&ori=1

2 Idem.

3 Disponível em https://www.conjur.com.br/2020-fev-20/nenhuma-corte-mundo -julga-stf-toffoli

4 Disponível em https://portal.stf.jus.br/noticias/verNoticiaDetalhe.asp?idConteu-do= 457782&ori=1

Essas preocupações nos parecem legítimas, tendo em vista que, embora haja amplo espaço para que aos advogados possam despachar os recursos com a assessoria dos Ministros e até mesmo gravar sustentações orais que poderão ser visualizadas pelos Ministros, a mecânica do plenário virtual impossibilita o amplo e público debate sobre os temas, como ocorre nos julgamentos realizados no plenário do Tribunal.

Em recente artigo, Hugo de Brito Machado Segundo[5], pontuou que:

> "Quando um processo é incluído nessa sistemática, que não é mais usada apenas para debater se há ou não repercussão geral, sendo em verdade empregada no trato de qualquer matéria pelo STF, não há deliberação efetiva. Não há debate. Não há contraditório. Inserem-se no sistema o relatório; as sustentações orais, que são gravadas previamente pelos advogados e enviadas; e os votos de cada Ministro. E, ao final, se anuncia o resultado.

> Como se percebe, o emprego da sistemática permite, primeiro, que os Ministros votem sem sequer abrir o arquivo em que constam as sustentações orais dos advogados, ou mesmo os votos dos colegas. O debate, que já não ocorria de maneira satisfatória mesmo em sessões presenciais tradicionais, é completamente esvaziado".

A Análise Econômica do Direito (AED), e, em especial, a Análise Econômica do sistema recursal, podem trazer outras luzes para o enfrentamento desse binômio, celeridade vs. qualidade e um essencial ponto de equilíbrio que deve, necessariamente, ser encontrado pelo Tribunal.

Dessa forma, iremos analisar alguns conceitos básicos relacionados (i) ao bem-estar social como critério econômico-normativo, (ii) ao custo social do processo e (iii) à análise econômica do sistema recursal para verificarmos no que a Análise Econômica do Direito pode contribuir para esse recente debate.

---

5    Disponível em https://www.conjur.com.br/2020-out-28/consultor-tributario-plenario-virtual -tempos-pandemia-massacra-contribuinte

## 1.    O BEM-ESTAR SOCIAL COMO CRITÉRIO ECONÔMICO-NORMATIVO

Steven Shavell e Luis Kaplow, na obra intitulada *Fairness versus Wellfare*[6] apresentam ao mundo as bases da teoria da economia do bem--estar como parâmetro para a análise econômico-normativa, ou seja, como parâmetro para elaboração e julgamento da qualidade das leis e, por consequência, das decisões judiciais.

A preocupação dos autores é, claramente, utilizar a ideia de bem-estar social como único critério de análise normativa, buscando um afastamento de ideias vinculadas a princípios abstratos de justiça. Para os autores, a busca por princípios de justiça, única e exclusivamente, poderia custar o bem-estar social o que seria injustificável.

No entanto, os princípios de justiça, ou *fairness*, não podem ser completamente abandonados ao se conceituar o que seria o bem-estar social. É que o *welfare economics* deve considerar tudo aquilo que tem valor para o indivíduo, inclusive as ideias de justiça.

Sob esse aspecto, WOLKART fez uma robusta análise das ideias de Kaplow e Shavell:

> "Nesse ponto, vale perguntar: a equação de bem-estar individual e social captaria de alguma forma os princípios de justiça (*fairness*), ou seriam eles totalmente desconsiderados, não obstante sua importância e persistência na história da sociedade contemporânea?
>
> É na resposta a essa pergunta que se encontra o coração pulsante da tese de Shavell e Kaplow. Não se trata de uma declaração de guerra ao kantianismo ou aos princípios de justiça em geral. O apelo consequencialista aqui é no sentido inadmissibilidade da *adoção de noções de fairness como princípios valorativos independentes* do desenho de normas e políticas públicas, a expensas do bem-estar dos indivíduos da sociedade".

---

6    KAPLOW, Louis; SHAVELL, Steven. Fairness versus welfare. Public Choice. 127. Disponível em https://www.researchgate.net/publication/5154517_Fairness_versus_welfare

Portanto, não se pode desconsiderar por completo as ideias de justiça na análise econômica normativa, porque o próprio conceito de bem-estar – que os autores inclusive buscam afastar das ideias de POSNER limitadas à maximização de riqueza, daí porque sequer usam o termo eficiência –, inclui a necessidade de consideração do *fairness*, desde que ele não seja o único critério, em detrimento do próprio bem-estar.

WOLKART continua afirmando que:

> "Para exemplificar, os autores imaginam uma proposta normativa de substituição das regras de responsabilidade civil no trânsito por um sistema de seguro obrigatório que cubra sempre todos os danos. Supõem, ainda, para tornar mais claro o exemplo, que trabalho empírico tenha demonstrado que a nova proposta melhora o grau de compensação das vítimas pelos danos sofridos nos acidentes, reduzindo os custos totais do sistema sem que haja aumento no número total de acidentes de trânsito. Tal norma seria aprovada se valorada pelo critério do bem-estar e, possivelmente, condenada por critérios autônomos de *fairness*. Negar à vítima a possibilidade de obter compensação em juízo diretamente de seu ofensor seria injusto. Todavia, a manutenção desse sistema, baseado exclusivamente em princípios autônomos de justiça, seria prejudicial para toda a sociedade, deixando em situação pior do que estariam sob o sistema de seguro universal, mais barato e eficiente".

O Autor destaca ainda que são esses princípios de justiça, que, por exemplo, garantem acesso ao STF e ao STJ sempre que houver violação constitucional ou à lei federal e que *"os números dos relatórios do CNJ e do próprio STF, já analisados no Capítulo 1, comprovam que esse sistema foi (e em certa medida ainda é) o grande responsável pelo congestionamento e mau funcionamento daquelas cortes, por onde tramitam centenas de milhares de processos".*

De fato, como já destacamos, as quantidades de processos julgadas no STF são incomparáveis no mundo inteiro, o que certamente contribui para a diminuição da qualidade das decisões. Em razão dessa expressiva quantidade de julgamentos que chegam às Corte Superiores, foram introduzidas regras processuais restritivas, ou seja, filtros e foi se formando uma jurisprudência defensiva, com o objetivo de mitigar a quantidade de processos que poderiam ser julgados nas Cortes Superiores.

Sobre a utilização desses filtros processuais, se mais interessante no início ou nas fases mais avançadas do processo, como no nosso caso de estudo, processos já no STF, Fux e Bodart afirmam que a utilização de filtros processuais mais rigorosos no início do processo e menos rigorosos nas etapas mais avançadas acaba sendo mais eficiente.

Para os autores:

> "Noutras palavras, a repartição dos custos do processo entre as suas diversas fases faz com que, nas etapas mais avançadas, seja mais provável a preferência pela admissão da causa, por uma análise custo-benefício entre os custos restantes de litigância, os custos de erros judiciários (desestímulo a condutas benéficas) e os benefícios pelo efeito dissuasório. Esse fator sugere que o processo deve ser estruturado de forma que os filtros sejam cada vez mais permissivos à medida que o rito avança. Essa conclusão contrasta com a ideia tradicional de que os filtros processuais devem ser mais permissivos no início do processo e mais rigorosos nas fases mais avançadas.
>
> Note-se que será ineficiente estruturar o processo de forma que o acesso ao sistema seja mais generoso no seu início se, em fases posteriores, o filtro será mais rigoroso. Afinal, caso o destino futuro de muitos dos casos admitidos na etapa inicial seja mesmo o não acolhimento da pretensão do autor, haverá inegável desperdício de recursos com a continuidade processual em todas as causas inviáveis. Por outro lado, se as etapas mais avançadas forem configuradas para serem bastante permissivas, há mais um motivo para que os filtros iniciais sejam rigorosos. Em acréscimo, existindo filtros iniciais rigorosos, o conjunto de casos que alcançam as etapas finais tende a conter proporcionalmente mais condutas nocivas, o que sugere a eficiência de filtros subsequentes mais permissivos" (FUX e BODART, p. 121)

Dessa maneira, verificamos que filtros processuais seriam, do ponto de vista de uma análise econômica normativa, seriam vistos com bons olhos. *De nada adianta proporcionar livre acesso às cortes superiores e ao mesmo tempo inviabilizar seu funcionamento, externalizando efei-*

*tos negativos da utilização exagerada desse acesso para toda a sociedade*" (WOLKART, 2019, p. 151).

No entanto, há de se pontuar que esses filtros têm de ser anteriores à admissibilidade do processo. Da mesma forma, não se adianta buscar ferramentas que a pretexto de reduzir a utilização de princípios de justiça, para se aumentar o bem-estar, quando as decisões podem parecer injustas, causando, na verdade, mal-estar na sociedade.

Sob esse aspecto, WOLKART também pontua que:

> "Determinados princípios de justiça, todavia, parecem ser extremamente caros à sociedade, de modo que sua não observância pelo sistema certamente causaria revolta, mal-estar e incômodo para muitos. Como ignorar esses princípios no debate para a elaboração de políticas públicas?
>
> Segundo os autores, tudo o que integrar a matriz individual de bem-estar deve ser levado em conta, inclusive princípios de *fairness* para os quais a sociedade pareça ter um gosto especial. As pessoas certamente sentir-se-iam desconfortáveis ao perceber que a lei não reflete as concepções de justiça mais arraigadas na sociedade. O que se repudia é que esses princípios tenham valor independente e sejam observados à custa do mesmo bem-estar dos indivíduos e da sociedade como um todo. O bem-estar social nutre-se em várias fontes, e não somente daquela onde emana o gosto pelos princípios de justiça" (WOLKART, 2019, p. 152-153).

Concluímos, portanto, que embora as noções de justiça não possam ser o único parâmetro de análise econômico-normativa, esses princípios de justiça (fairness) acabam sendo parte do próprio conceito de bem-estar social, pois a sociedade tende a considerar que esses princípios de justiça proporcionam o seu bem-estar. Ou seja, uma norma ou uma decisão judicial, considerada justa e acertada proporciona bem-estar social, que, como veremos adiante, é o objetivo principal do processo.

## 2.     O CUSTO SOCIAL DO PROCESSO

O Processo Civil, ou melhor, o Direito Processual Civil é o mecanismo estabelecido pelo Estado para materializar o direito (Gico, 2020,

p. 36). Em outras palavras, o Processo é mecanismo para fazer valer, no mundo real, as regras jurídicas estabelecidas pelo Estado.

Considerando que o direito estabelecido pelo Estado, tem como objetivo resguardar ao máximo as preferências sociais, é, portanto, socialmente desejável que o Processo seja mecanismo suficiente para maximizar o bem-estar social, que se reflete, para a nossa análise, em uma decisão que aplique e materialize corretamente o direito. A *contrario sensu*, uma decisão que não aplica corretamente o direito, ou seja, **um erro de julgamento**, acaba por diminuir o bem-estar social, situação que não é socialmente desejável.

Ivo Gico Jr. (2020, p. 38) pontua que:

> "Para tentar evitar que erros como esse aconteçam, a nossa sociedade investe em processo. Na hipótese do surgimento de um litígio, envolvendo casos com o descrito, as partes terão direito a um procedimento judicial pleno, com ampla apresentação de provas, realização de audiências e de perícia, a presença de advogados de ambas as partes, provavelmente a presença de um membro do Ministério Público, agindo como um fiscal da lei (*custos legis*) etc. Todas essas garantias e procedimentos são criados e disponibilizados para tentar minimizar a possibilidade de um erro adjudicatório pelo juiz".

O Processo, portanto, é um mecanismo que prescreve procedimentos que tem por objetivo reduzir a assimetria de informação, ou seja, aumentar a quantidade de informação que o juiz possui, para que a sua decisão, resolvendo o conflito social posto em julgamento, seja a mais perfeita possível, maximizando-se, assim, o bem-estar social.

Quando o juiz não consegue obter uma quantidade de informações suficientes, seja pela falta de procedimento ou mesmo por deficiências ou interferências nesse procedimento ele está mais suscetível a cometer erros de julgamento. Por isso há necessidade da existência de normas processuais que busquem minimizar as possibilidades de erro de julgamento. É o caso do nosso Código de Processo Civil.

Por outro lado, o juiz também pode adotar um **comportamento oportunista[7], o que acontece quando mesmo tendo um elevado nível**

---

[7]    Para Gico Jr (2020, p. 38), "*O comportamento de um agente é dito oportunista quando ele, aproveitando-se de sua situação de vantagem, adota uma postura incompa-*

de informações, para chegar a um resultado que se amolde às suas preferências pessoais, se recusa a aplicar a regra jurídica devida ao caso concreto, "*se desviando do direito para impor às partes e, por conseguinte, à sociedade, a sua visão de mundo em detrimento do direito, da opção do Estado*" (Gico, 2020, p. 38).

Tanto o comportamento oportunista do juiz, como os próprios erros de julgamento resultam em custo, suportado pela sociedade. Esses custos, que resultam tanto dos erros de julgamento, quanto do comportamento oportunista são denominados **custo de erro** ou *c(e)*.

Por outro lado, linhas acima vimos que o investimento em processo pode proporcionar um procedimento judicial pleno, com vasta produção de provas, oitiva de testemunhas, amplo debate, sempre com o objetivo de melhorar a qualidade do processo. Ocorre que para a manutenção de todo esse aparato que possibilita a existência desse mecanismo de efetivação de direitos e de minimização dos custos de erro, que é o processo civil, ou seja, para a própria existência do sistema judicial é necessário que a sociedade incorra em custos, que nesse caso são os **custos de administração** ou $C_A$.

Para POSNER, do ponto de vista econômico, o processo civil tem como objetivo minimizar a soma desses dois tipos de custos, os **custos de erro** ou *c(e)* e os do próprio procedimento, **custos de administração** ou $C_A$[8].

***Esses custos se relacionam de maneira inversa, ou seja, quanto maior o investimento em processo, menores serão os custos com erro de julgamento e quanto maiores os custos de administração $C_A$ menores serão os custos de erro c(e).***

Para GICO JR. 2020, p. 39, "*se entendermos que a função do Direito Processual é proteger as partes de erros na adjudicação (proteção) e organizar a atividade adjudicatória (administração), então podemos com-*

---

tível com os interesses do principal. No caso, sendo o juiz um agente do Estado, um comportamento oportunista seria aquele em que o juiz se vale de sua posição para deixar de aplicar o direito".

8    No original: "*The objective of a procedural system, viewed economically, is to minimize the sum of two types of costs*" [...] "*the economic objective is to minimize de sum of the error and direct costs of the procedure*". POSNER, Richard A. *Economic analysis of law*. 9. ed. Wolters Kluwer, 2012.

preender o Direito Processual como uma tentativa de minimizar o **custo social do processo**".

Assim, temos que o custo social do processo **CS** é igual à soma dos custos de erro com os custos de administração para manutenção do sistema judicial. Em forma de equação:

$$CS = C_A + c(e)$$

Embora tenhamos de aceitar que, na prática, não há como se evitar por completo os erros de julgamento, deve-se buscar um ponto de equilíbrio entre esse *tradeoff* de tempo e recursos de um lado e apuração da verdade dos fatos de outro, pois "*a capacidade do processo de evitar erros judiciários gera valor para a sociedade tanto pelo resultado justo gerado para as partes, quanto pela mudança de comportamento causada em cidadãos que antecipam a qualidade da prestação jurisdicional*" (FUX, 2019, p. 106).

Apenas para ilustrar a relevância da minimização de erros de julgamento, e, portanto, a importância de investimentos em processo, utilizaremos de maneira simplificada um exemplo que nos foi trazido por POSNER.

Suponhamos que **D** represente a uma unidade de equipamento de segurança necessário para se evitar acidentes, ou o produto marginal de equipamentos de segurança e que **C** represente os custos do equipamento. O ponto ideal de investimento em equipamento de segurança, seria, portanto, a intersecção de **C** com **D**, representada no gráfico abaixo por **q**.

Se em um processo judicial a indústria for totalmente (100%) responsabilizada pelos custos dos acidentes, terá incentivos para manter a aquisição de equipamentos de segurança em um nível ótimo, portanto, **q**. Por outro lado, se em decorrência de erros de julgamento (interpretação equivocada das leis, comportamento oportunista do juiz, instabilidade jurisprudencial) a indústria verificar que ela será responsabilizada apenas por determinado percentual dos custos dos acidentes (<100%), ela terá incentivos para investir menos em equipamentos de segurança, de maneira que **D** se desloca para **D'**, reduzindo, por consequência, o investimento em equipamento de segurança, que passa a ser $q_1$.

Dessa maneira, o erro de julgamento resulta **numa redução do bem-estar social L**, que não é de forma alguma desejável.

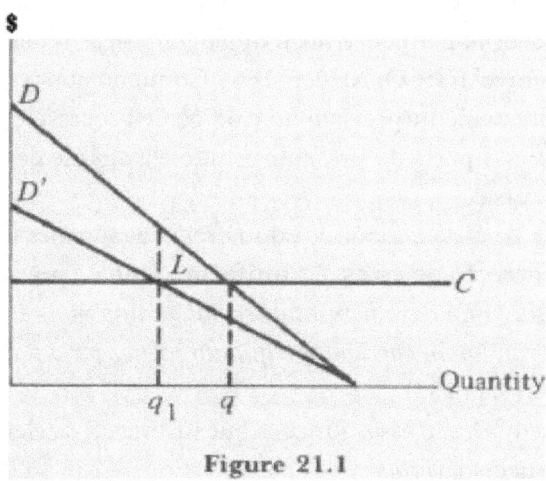

Figure 21.1

Portanto, a existência de um sistema processual relativamente complexo não é só necessária para a materialização do direito, mas, do ponto de vista econômico, é essencial para a minimização dos erros de julgamento, para que se busque a maximização do bem-estar social. No entanto, esses esforços necessariamente resultam em aumento dos custos de administração e, por consequência, do custo social do processo.

Por essa razão é que a utilização de novas tecnologias pelos tribunais parece ser uma ótima saída para a criação de mecanismos que atuem exatamente nesse sentido, ou seja, que auxiliem os juízes, minimizando os erros de julgamento, sem, ao mesmo tempo, aumentar, ou aumentando muito pouco os custos de administração e, por consequência, o custo social do processo.

## 3. A ANÁLISE ECONÔMICA DO SISTEMA RECURSAL E O SISTEMA DE PRECEDENTES

Diferentemente do que se imagina, o nosso sistema recursal não decorre de previsão constitucional, mas, na verdade, de uma escolha do legislador infraconstitucional, embora muito se utilize do princípio do devido processo legal, previsto no inciso LV do art. 5º da Constituição Federal para sustentá-lo.

No entanto, como bem destacado por GICO, "*se o devido processo é o processo legal, por definição, o duplo grau só será devido se houver lei que o determine*" (GICO, 2020, p. 160). Como no nosso caso o sistema recursal é expressamente previsto no Código de Processo Civil o que nos interessa para essa parte do presente estudo é a análise da dupla função do sistema recursal.

Para a Análise Econômica do Direito, as funções do sistema recursal são a **correção de erros**, e a **uniformização de precedentes**. "*Um sistema recursal promove o bem-estar social quanto mais erros cometidos em primeiro grau forem corrigidos e quanto menor for o seu custo*" (FUX e BODART 2019, p. 152).

Para GICO, são essas funções que justificam os elevados investimentos em processo, *verbis*:

> "Essas duas funções do duplo grau de jurisdição explicam a razão de investirmos tantos recursos sociais na custosa manutenção de grupos de juízes (*i.e.* tribunais) para a revisão do trabalho de outros juízes singulares, ao invés de alocarmos esses mesmos juízes para decidirem mais casos e, assim, prestar mais serviço público adjudicatório, o objetivo último do judiciário. **Aqui claramente há um *trade-off* entre uniformização de regras e precisão processual versus celeridade processual e prestação jurisdicional, sendo que a opção pelas primeiras tem prevalecido.**
>
> O judiciário é organizado de forma piramidal por uma razão muito simples: as decisões precisam ir se afunilando até que se tenha uma única decisão uniforme para todos os casos similares. A sociedade precisa e deseja viver sob o manto da segurança jurídica, de uma regra única que se aplique a todos os casos semelhantes, ou seja, sob o manto do Estado de Direito (art. 1º/CF).

Como já vimos, o sistema recursal é ferramenta bastante eficiente para a **correção de erros de julgamento** em razão do formato de revisão das decisões de juízes singulares por um colegiado de juízes (Desembargadores e Ministros), sendo que a correção de erros judiciários é socialmente desejável de forma a aumentar o bem-estar social.

Ocorre que o investimento para a manutenção desse complexo sistema judicial acaba por aumentar o Custo Social do processo. Como vimos, o $CS = C_A + c(e)$, de forma que o Custo de Administração é inversamente proporcional ao Custo de Erro. Ou seja, para que o Custo de Erro seja reduzido, há necessariamente de haver um aumento no custo de administração, sendo que, tanto os aumentos dos Custos de Erro quanto dos Custos de Administração resultam em aumento no Custo Social do Processo.

GICO afirma que:

> "Quanto mais investimentos em processo, menor serão os custos com erro adjudicatório ($\downarrow c(e)$). No entanto, quanto mais se investe em processo, mais complexo e demorado será o sistema e, portanto, maior será o custo de administração ($\uparrow C_A$), vice-versa. Em suma o investimento em processo diminui o custo decorrente do erro e aumenta o custo de administração, e a diminuição do custo de administração aumenta o custo com erro. Se entendermos que a função social do Direito Processual é proteger as partes de erros na adjudicação (proteção) e organizar a atividade adjudicatória (administração), então podemos compreender o processo como uma tentativa de minimizar o custo social do processo e não apenas um de seus componentes.

Fux e Bodart afirmam que a sociedade poderia ter optado pela existência de um único grau de jurisdição, com o investimento em "*custos e exaustivos atos de postulação*" (FUX e BODART 2019, p. 152). para se reduzirem os erros de julgamento, mas a existência de um sistema hierarquizado é absolutamente necessária para que haja uniformização das regras jurídicas.

Sem essa uniformização não haveria o mínimo de previsibilidade. Ou seja, as partes não saberiam como se portar *ex ante* e nem mesmo ao ajuizar demandas, pois no caso de haver apenas uma grande pluralidade de juízes, ainda que as regras processuais o direito e as informações dos juízes fossem perfeitas, haveria espaço para que cada juiz interpretasse o direito conforme as suas convicções pessoais o que levaria à decisões completamente diversas sobre direitos idênticos, de forma que "*nesse judiciário lotérico, o resultado dependeria do homem sorteado e não do direito da parte. Viveríamos na antítese do Estado de Direito*".

Daí o surgimento da segunda função do sistema recursal, que é a **uniformização de precedentes**.

Landes e Posner, (1978, p. 2), já afirmavam que um sistema judicial, seja ele público ou privado, produz dois tipos de serviços. Um deles é a resolução de disputas e o outro é exatamente a formulação de regras como produto dos julgamentos, provendo informações de como seriam os resultados de futuras disputas similares. Precedentes[9].

A formação de precedentes é uma função extremamente importante do sistema judicial, pois forma um "*estoque de capital que gera incremento produtivo às futuras decisões*" (Fux e Bodart, 2019, p. 161) e esse estoque de capital contribui com a diminuição da possibilidade de erros judiciários além de proporcionar a manutenção de um ambiente de previsibilidade do direito, de segurança jurídica, onde, de antemão, as pessoas sabem como o judiciário reagirá sobre determinado assunto.

Esse estoque que optamos por denominar de jurisprudência, contribui não somente com a diminuição do custo social do processo e da própria litigância, mas em orientar o próprio comportamento extraprocessual das pessoas.

Fux e Bodart, alertam para o papel do judiciário na manutenção desse estoque de capital. *Verbis*:

> "*É papel dos juízes impedir que esse capital se deteriore, adaptando-o às evoluções sociais ao longo do tempo, mas também formulando precedentes bem fundamentados e os respeitando em julgamentos subsequentes. O magistrado que decide em desacordo com precedentes, sem observância das regras próprias do overruling, para sa-*

---

9    No original: "*court system (public or private) produces two types of service. One is dispute resolution—determining whether a rule has been violated. The other is rule formulation—creating rules of law as a by—product of the dispute—settlement process. When a court resolves a dispute, its resolution, especially if embodied in a written opinion, provided information regarding the likely outcome of similar disputes in the future*". William M. Landes e Richard A. Posner, *Adjudication as a private good*. NBER Working Paper 263, 1978. Disponível em https://www.nber.org/system/files/working_papers/w0263/w0263.pdf

*tisfazer preferências pessoais, agendas políticas ou até mesmo para que suas habilidades argumentativas ganhem destaque, ameaça diretamente o capital consubstanciado no arcabouço jurisprudencial. A proliferação dessa conduta assistemática transmuda o judiciário em um aparelho disfuncional para a multiplicação de regras socialmente ineficientes. Recursos serão desnecessariamente gastos com a reforma de decisões não alinhadas à jurisprudência. As consequências negativas também atingem os juízes: se a atual geração de magistrados não respeita os precedentes criados pelos mais antigos, a próxima geração provavelmente também não respeitará os julgados dos juízes de hoje. E se os magistrados das Cortes Superiores ignorarem os próprios precedentes, o respeito a estes por todo o sistema judicial restará comprometido. Em última análise, a credibilidade do Judiciário como instituição resta comprometida, legitimando a ampliação do espaço de atuação dos outros Poderes”* (FUX e BODART, 2019, p. 161-162).

O nosso Código de Processo Civil contempla a importância da formação do estoque jurisprudencial ao adotar o sistema de *stare decisis* determinando expressamente a aplicação dos precedentes já firmados sobre a matéria em julgamento, seja ao determinar a nulidade de decisões não fundamentadas (art. 11), seja pelo destaque expresso do art. 927, § 4º que determina que a *"modificação de enunciado de súmula, de jurisprudência pacificada ou de tese adotada em julgamento de casos repetitivos observará a necessidade de fundamentação adequada e específica, considerando os princípios da segurança jurídica, da proteção da confiança e da isonomia"*.

Portanto, a necessidade de proteção da segurança jurídica e da confiança são tão fundamentais, que a norma veio expressa no Código Processual para que se evite o comportamento oportunista do juiz, não só de primeira instância, mas até mesmo dos Ministros dos Tribunais Superiores, como vimos.

Ocorre que esse sistema de vinculação de precedentes já encontra dificuldades em nosso sistema processual, o que poderá ser agravado pela utilização irrestrita do Plenário Virtual do Supremo Tribunal Federal no julgamento de *leading cases*.

Nesse sentido, Fux e Bodart também destacam que:

> *"Um fator que contribui para a insegurança jurídica na jurisprudência diz respeito à motivação das decisões colegiadas. O sistema de precedentes vinculantes inaugurado pelo Código de Processo Civil de 2015 encontrará um grande obstáculo na sistemática de votação dos Tribunais. É muito comum que cada um dos magistrados apresente suas próprias razões de decidir, tornando difícil, senão impossível extrair do julgamento uma fundamentação comum para nortear a solução de casos pendentes e futuros. É verdade que, à luz do art. 1.038, §3º, do CPC/2015, o conteúdo do acórdão deve abranger a análise dos fundamentos relevantes da tese jurídica discutida. Nada obstante, frequentemente a tese fixada no dispositivo do acórdão demanda interpretação à luz das motivações fornecidas individualmente pelos julgadores. Na Suprema Corte dos Estados Unidos, país em que se observa o stare decisis, apenas um dos Justices redige a minuta de voto da Corte (Court's opinion ou main opinion), que será o parâmetro para aplicação da tese. Uma maioria de julgadores deve concordar com todo o conteúdo do coto da Corte antes de sua publicação. Por isso, o Justice a cargo de redigi-lo deve ser cuidadoso e levar em consideração todos os pontos suscitados pelos seus pares. Essa sistemática preserva a unicidade de entendimento da Corte, sem tolher o direito de cada magistrado declinar suas próprias razões, por meio de votos paralelos favoráveis ou contrários (concurring and dissenting opinions)".* (FUX e BODART, 2019, p. 160-161)

## CONCLUSÃO

Temos então que o principal critério de análise normativa, ao menos do ponto de vista da Análise Econômica do Direito é a maximização do bem-estar social, que, ao se analisar a aplicação e criação de normas e políticas públicas, acaba se afastando um pouco do conceito *poseriano* de maximização da riqueza.

Bem-estar social, como critério de análise normativa, está muito mais ligado à ideia de aceitabilidade e mesmo do sentimento que determinada lei ou decisão judicial podem causar nos particulares. Por essa razão é que não se pode afastar completamente os argumentos de justiça, *fairness*, do próprio conceito de bem-estar social.

Uma pessoa, por mais racional que seja – e aqui adotando exatamente a premissa geral da Análise Econômica do Direito de que o ser humano age de maneira racional –, tende a não aceitar uma lei ou uma decisão que não reflita aquilo que a sociedade tem, de maneira geral, por justiça. Ou seja, uma lei ou decisão judicial que pareçam injustas ao particular acaba por causar, em verdade, mal-estar social e em nada contribui para o aumento do bem-estar.

Assim sendo, para buscar a maximização do bem-estar social por meio de decisões que materializem e apliquem corretamente o Direito é que se investe em processo. Esse, aliás, é o seu principal objetivo que se dá, do ponto de vista da Análise Econômica do Processo, pela equalização de duas funções. A primeira seria a de possibilitar decisões corretas por meio de mecanismos que evitem ou ao menos reduzam erros de julgamento e a outra seria a minimização dos próprios custos de administração do processo.

Busca-se, portanto, através do investimento em processo, a criação de mecanismos que possibilitem a redução de erros judiciários, ou seja, que apliquem corretamente o Direito. Ocorre que a manutenção de todo esse aparato estatal para a correta aplicação do direito gera custos de administração. O processo então deve buscar meios de redução dos erros judiciários e ao mesmo tempo que reduzir os custos de administração da própria existência do sistema processual e isso é necessário, para a redução do próprio custo social do processo.

Uma das ferramentas processuais criadas pelo legislador para buscar a diminuição de erros de julgamento é o duplo grau de jurisdição, é a própria existência de um grau recursal onde as decisões de juízes singulares são revistas por um grupo de juízes, que são conhecidos como desembargadores ou ministros no caso dos Tribunais Superiores.

A existência de um grau recursal não é só importante para se revisar as decisões dos juízes singulares. O sistema recursal produz dois tipos de serviços: (i) a resolução de disputas (por meio da revisão das decisões singulares) e (ii) formulação de regras como produto dos julgamentos, provendo informações de como seriam os resultados de futuras disputas similares, ou seja, a criação de Precedentes.

Esses precedentes formam um *"estoque de capital que gera incremento produtivo às futuras decisões"* (Fux e Bodart, 2019, p. 161) que é determinante na diminuição da possibilidade de erros judiciários e na criação e manutenção de um ambiente de previsibilidade do direito e de segurança jurídica, servindo, inclusive, para orientar comportamento social extraprocessual.

Como pudemos verificar o Plenário Virtual do Supremo Tribunal Federal é uma ferramenta bastante interessante. Por ser uma ferramenta tecnológica que traz mais agilidade e desburocratiza em certa medida o procedimento de julgamento, aumentando, assim, a celeridade e reduzindo o tempo investido nos julgamentos o que, como visto, resulta numa expressiva redução do acervo de processos da Suprema Corte.

Basta relembrar, que como bem afirmado pelo Ministro Presidente do STF, Min. Luiz Fux, a Corte reduziu o seu acervo processual em significativos 19%[10] e emplacou o julgamento de não menos do que 134 Recursos Extraordinários, número expressivamente maior do que os 33 julgados no ano de 2020.

Do ponto de vista da Análise Econômica do Direito, em especial da análise do Custo Social do Processo, o Plenário Virtual parece ser uma ferramenta bastante eficiente para uma imediata redução dos custos de administração, custos esses que, como visto, estão diretamente ligados aos Custos Sociais do Processo, reduzindo-se os custos de administração, reduz-se os Custos Sociais do Processo, o que é socialmente desejável.

Como vimos, também, 125 desses 134 Recursos Extraordinários julgados eram *Leading Cases*, ou seja, recursos que formarão orientação jurisprudencial para milhões de outros processos já em julgamento em todas as cortes do país e que ainda serão julgados e é esse o fato que nos chama atenção.

O julgamento de tantos *leading cases* no plenário virtual causou exatamente um mal-estar em boa parcela da advocacia, pois a sistemática de julgamento no plenário virtual acaba esvaziando um pouco do propósito da própria existência do colegiado, onde a redução de erros de julgamento se dá exatamente pela pluralidade de ideias e posições sobre um mesmo tema, para então se chegar a um consenso que tende a ser o mais acertado possível.

---

10    Idem.

Por mais que se possibilite a manifestação dos advogados por meio de sustentações orais gravadas, a ausência de um franco debate de ideias como ocorre no Plenário da Corte em um julgamento normal, com manifestações ao vivo, dos Ministros, advogados, procuradores causa uma sensação de injustiça, que, como vimos, resulta numa diminuição do bem-estar social, o que, portanto, não é socialmente desejável.

Além dessa sensação de injustiça, a sistemática do plenário virtual pode acabar por contribuir, na verdade, com o aumento de erros de julgamento, além de aumentar as possibilidades de que juízes adotem um comportamento oportunista, o que como vimos irá resultar num aumento do custo social do processo.

Assim, temos uma ferramenta que do ponto de vista da celeridade processual nos parece bastante acertada, pois, comprovadamente melhora a performance do tribunal se analisada no viés quantitativo. Por outro lado, também vimos que não se pode ignorar os sentimentos de justiça a tal ponto de se decidirem os processos mais importantes do nosso sistema jurídico, os *leading cases*, de maneira automatizada, sem o debate e aprofundamento esperado das decisões judiciais.

Como vimos, também, a opção por uniformização, estabilidade e segurança jurídica tem prevalecido no nosso sistema sobre celeridade processual e prestação jurisdicional e isso exatamente se dá em razão dos sentimentos de justiça tão valorizados pelas pessoas na formação de políticas públicas, elaboração de leis e resolução de litígios. O Plenário Virtual parece estar indo na contramão, pois resulta em mais celeridade do que segurança jurídica.

## REFERÊNCIAS

COOTER, Robert; ULLEN, Thomas. **Direito & economia**. Trad. Luis Marcos Sander e Francisco Araújo da Costa. 5. ed. Porto Alegre: Bookman, 2010.

FUX, Luiz; BODART, Bruno, **Processo Civil e Análise Econômica**. Rio de Janeiro: Forense, 2019.

FUX, Luiz; NEVES, Daniel Amorim Assumpção. **Novo Código de Processo Civil**: comparado - Lei 13.105/2015. 3 ed. revista. Rio de Janeiro: Forense. São Paulo: Método, 2016.

GICO JR., Ivo. **A Tragédia do Judiciário**: Subinvestimento em capital jurídico e sobreutilização do Judiciário. Tese de doutorado, UnB, 2012.

GICO JR., Ivo. **Análise Econômica do Processo Civil**. Indaiatuba: Foco, 2020.

KAPLOW, Louis; SHAVELL, Steven. **Fairness versus welfare**. Public Choice. 127. Disponível em https://www.researchgate.net/publication/5154517_Fairness_versus_welfare

LANDES, William M.; POSNER, Richard A. **Adjudication as a private good**. NBER Working Paper 263, 1978. Disponível em https://www.nber.org/system/files/working_papers/w0263/ w0263.pdf

POSNER, Richard A. **Economic analysis of law**. 9. ed. Wolters Kluwer, 2012.

SHAVELL, Steven. **Economic Analysis of Law**, 2004.

SHAVELL, Steven. **Foundations of Economic Analysis of Law**. Cambridge: Harvard University Press, 2004.

WOLKART, Erik Navarro. **Análise Econômica do Processo Civil**. São Paulo: Thomson Reuters Brasil, 2019.

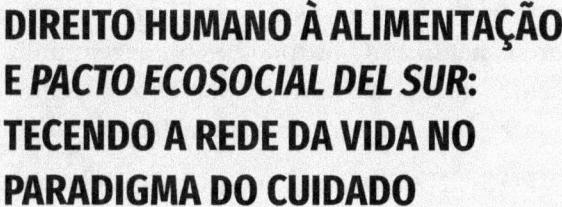

# DIREITO HUMANO À ALIMENTAÇÃO E *PACTO ECOSOCIAL DEL SUR:* TECENDO A REDE DA VIDA NO PARADIGMA DO CUIDADO

**Jaqueline Scussel**
http://lattes.cnpq.br/2724281427814280

**RESUMO:** A presente pesquisa pretende produzir uma reflexão acerca das dinâmicas previstas no *Pacto ecosocial del sur*, considerando o atual cenário de crise sistêmica. O objetivo geral da pesquisa consiste em investigar se as dinâmicas previstas para realização do direito humano à alimentação no paradigma do cuidado, delineadas no *Pacto ecosocial del Sur*, contribuem para construção de um Estado de *Buen Vivir*. Desse modo, a pesquisa compreendeu três etapas: na primeira, pretendeu-se compreender a relação do homem com a natureza no marco cultural, epistemológico, jurídico e econômico da modernidade ocidental, a partir da crítica descolonial. No item seguinte, buscou-se analisar, a partir do paradigma do cuidado, o conflito economia vs. vida diante crise ambiental e a (im)possibilidade da realização do direito humano à alimentação no marco do capitalismo verde. Por último, pretendeu-se verificar no *Pacto Ecosocial del Sur* quais as dinâmicas previstas para realização do direito humano à alimentação que garantam um Estado de *Buen Vivir*. Como resultado dessa investigação, concluiu-se que tais dinâmicas permitem vislumbrar horizontes promissores para a superação do modelo de desenvolvimento vigente, contribuindo para a construção de um verdadeiro Estado de *Buen Vivir* e para a reinserir o ser humano na natureza. O método de abordagem utilizado foi o dedutivo, com método de procedimento monográfico, e técnica de pesquisa teórica e qualitativa, com emprego de material bibliográfico, documental.

**PALAVRAS-CHAVE:** *Buen vivir*; Colonialidade da natureza; Direito humano à alimentação; *Pacto ecosocial del Sur*.

## INTRODUÇÃO

O presente artigo pretende produzir algumas reflexões teóricas acerca das dinâmicas previstas no *Pacto ecosocial del sur*, consideran-do o atual cenário de crise sistêmica, como possibilidade de superar o paradigma perverso que tem causado massiva destruição à natureza. O trabalho se concentrou na seguinte questão: quais as dinâmicas previstas para realização do direito humano à alimentação no *Pacto ecosocial del sur* que garantam um Estado de *Buen Vivir*?

Buscando responder ao problema de pesquisa, delineou-se a se-guinte hipótese de estudo: para concretizar o direito humano à alimen-tação e resgatar a soberania alimentar o *Pacto ecosocial del sur* pretende, primeiramente, romper com o paradigma antropocêntrico que histori-camente tem orientado a relação do ser humano com a natureza, bem como superar o atual modelo econômico que produz o esgotamento dos elementos naturais. Ademais, aponta a necessidade de aprender com as comunidades ancestrais, com os povos das florestas e ribeirinhos, desde sua própria perspectiva centrada no cuidado, resgatando o pluriverso humano como uma poderosa forma de resistência.

O objetivo geral desta pesquisa, então, é o de investigar se as dinâmicas previstas no *Pacto ecosocial del Sur* contribuem para cons-trução de um Estado de *Buen Vivir*. Já como objetivos específicos da pesquisa, tem-se, em primeiro lugar, compreender a relação do homem com a natureza no marco cultural, epistemológico, jurídico e econômico da modernidade ocidental, a partir da crítica de(s)colonial. O segundo objetivo por sua vez consiste em analisar, a partir do paradigma do cui-dado, o conflito economia vs. vida diante do colapso ambiental e a (im) possibilidade da realização do direito humano à alimentação no marco do capitalismo verde. Por fim, o terceiro objetivo é verificar, no *Pacto Ecosocial del Sur*, quais as dinâmicas previstas para realização do direito humano à alimentação que garantam um Estado de *Buen Vivir*.

No que tange a metodologia, utilizou-se método dedutivo, com procedimento monográfico e técnica de pesquisa teórica e qualitativa, com emprego de material bibliográfico, documental.

A pesquisa proposta mostra-se relevante diante da necessidade de uma análise crítica do atual modelo de sociedade, estruturado em uma racionalidade profundamente antropocêntrica e cuja economia capitalista encontra-se orientada à dominação e exploração ilimitada da natureza e ao desenvolvimento de modelos nocivos de cultivo da terra. O paradigma vigente vem gerando o desequilíbrio dos ritmos e ciclos naturais necessários à reprodução da vida, e possui relação direta com a atual crise alimentar global.

Nesse sentido, o presente estudo tem grande relevância porque busca demonstrar a necessidade de mudança paradigmática para uma nova governança jurídica internacional do direito humano a alimentação, desde uma racionalidade comprometida com o cuidado para com a vida em todas as suas formas.

## 1.   A RELAÇÃO DO HOMEM COM A NATUREZA NO MARCO DA MODERNIDADE OCIDENTAL

A sociedade ocidental-moderna, marcada por uma racionalidade profundamente antropocêntrica, tem sido responsável pelo processo de colonização, mercantilização e destruição da natureza ao longo dos últimos 500 anos.

Foi com o advento do fenômeno cultural da modernidade ocidental que se pôs em marcha a colonialidade da natureza[1], causadora do

---

1   A colonialidade da natureza, conceito central da presente investigação, traduz a dominação da natureza pelo ser humano a partir de uma racionalidade binária cartesiana. Tal categoria é desenvolvida por Ramón Grosfoguel (2009), Arturo Escobar (2005) e Edgardo Lander (2005).

desequilíbrio dos ritmos e ciclos naturais necessários à regeneração da vida (SILVA; KROHLING, 2020, p. 123).

A conquista da América Latina, em 1492, foi decisiva para o desenvolvimento do modelo econômico capitalista e para o estabelecimento de um sistema mundo moderno/colonial[2] centrado na Europa (DUSSEL, 1993, p. 34). Desse modo, foi a partir da América que o capitalismo se expandiu para as demais regiões do planeta, e que colonialidade e modernidade tornaram-se eixos constitutivos de um padrão de poder de aspiração global (QUIJANO, 2010, p. 85-113).

Abundantes em elementos naturais e com uma rica biodiversidade, os territórios conquistados foram alvos de uma dinâmica colonial que abasteceu as metrópoles europeias com matérias-primas e impulsionou o sistema mercantilista nascente (DUSSEL, 1993, p. 34; HERRERO, 2017).

As estruturas econômicas milenares de Abya-Yala[3], baseadas na reciprocidade e no intercâmbio, foram violentamente afetadas e desarticuladas pela lógica da acumulação ilimitada de riquezas, força motriz da expansão colonial (MIGNOLO, 2008, p. 7; QUIJANO, 2005, p. 127), dando lugar a uma economia colonial estruturada no modelo latifundiário, monocultural e orientado à exportação da produção. Tal lógica estruturou uma relação de desigualdade que perdura até os dias atuis, em que o Sul Global passava a exportar *commodities* e importar produtos cada vez mais industrializados.

No campo da filosofia, foi a partir da Modernidade que se estabeleceu um muro ontológico entre os indivíduos humanos e o restante do mundo, concebendo o homem racional como ente independente, que não mais se encontrava integrado à natureza (GUDYNAS, 1999, p. 103; HERRERO, 2017). Isso explica a pretensão dos pensadores modernos de afastar o universo ético do mundo material, como fez René Descartes com a oposição entre *res cogitans* e a *res extensa*, e Kant com

---

2    O universo colonial tem sido descrito pelas narrativas dominantes, nascidas na própria Europa, como algo separado e desconectado da modernidade. No entanto, esse discurso dominante precisa ser desmistificado, a fim de trazer à luz o lado oculto, constitutivo e necessário da modernidade ocidental: a "colonialidade"2 (COSTA; GROSFOGUEL, 2016, p. 18; DUSSEL, 1993, p. 34; QUIJANO, 2005, p. 111-112).

3    Uma das muitas denominações dadas pelos povos indígenas à região hoje conhecida como América Latina (DUSSEL, 1993, p. 108).

as noções de *personae* e *res* (COMPARATO, 1997, p. 18; COMPARA-
TO, 2003, p. 15-16).

Conforme Gudynas (1999, p. 102), o dualismo cartesiano rompeu

> [...] com a tradição medieval que via a natureza de forma or-
> ganicista, como um ser vivo, em que as pessoas eram um com-
> ponente a mais. Essa concepção foi fraturada, e a natureza foi
> despojada dessa organicidade e desde uma posição antropocên-
> trica passou a ser vista como um conjunto de elementos, alguns
> vivos e outros não, que podiam ser manipulados e manejados
> (Tradução livre da autora[4]).

O domínio da natureza pelo homem racional era visto como uma
conquista científica e considerado como um grande avanço civilizatório
dentro da lógica da colonialidade, marcada "[...] por etapas sucessivas e
cumulativas que foram apresentadas positivamente na retórica da modernidade: especificamente, nos termos da salvação, do progresso, do desenvolvimento, da modernização e da democracia" (MIGNOLO, 2017, p. 8).

Na perspectiva de Gudynas (1999, p. 102), essa perspectiva sustentava que

> [...] a natureza oferecia todos os recursos necessários e que o ser
> humano deveria controlá-la e manipulá-la. Essa visão se inicia
> com o Renascimento com as ideias sobre o conhecimento de F.
> Bacon, R. Descartes e seus seguidores. Esses pensadores rompe-
> ram com a tradição medieval que via a natureza de forma organi-
> cista, como um ser vivo, em que as pessoas eram um componente
> a mais. Essa concepção foi fraturada, e a natureza foi despojada
> dessa organicidade e desde uma posição antropocêntrica passou

---

4    No original: "[...] la naturaleza ofrecía todos los recursos necesarios, y que el ser
     humano debía controlarla y manipularla. Esta visión se inicia en el Renacimiento
     con las ideas sobre el conocimiento de F. Bacon, R. Descartes y sus seguidores.
     Estos pensadores rompieron con la tradición medioeval que veía a la naturaliza
     en forma organicista, como un ser vivo, y donde las personas eran un componente
     más. Esa concepción se fracturó, y la naturaleza quedó despojada de esa organici-
     dad y desde una postura antropocéntrica se la vió como un conjunto de elementos,
     algunos vivos y otros no, que podían ser manipulados y manejados".

a ser vista como um conjunto de elementos, alguns vivos e outros não, que podiam ser manipulados e manejados. A natureza passou a ser interpretada como o relógio de Descartes, composto por engrenagens e parafusos, em que, ao conhecer-se todas as suas partes, seria possível compreender e controlar o seu funcionamento (Tradução livre da autora[5]).

A concepção de progresso foi indispensável na estruturação hierárquica e linear do planeta (MIGNOLO, 2020, p. 378), construída a partir de uma narrativa temporal evolucionista, unilinear e unidirecional que ia

> [...] do primitivo ao civilizado, do irracional ao racional, do tradicional ao moderno e do mágico-mítico ao científico", o homem europeu passou a autoproclamar-se o mais avançado da espécie, localizando as demais "raças" em um estágio subdesenvolvido nessa esteira evolutiva, como se fossem pré-europeus, pertencentes ao "estado de natureza (QUIJANO, 2005, p. 116-129).

O *ego cogito* teorizado por René Descartes deu origem à *ego-política do conhecimento*, que se tornou a racionalidade predominante na Modernidade, fundamentando toda a realidade a partir da subjetividade moderno-ocidental (MIGNOLO, 2017, p. 9; LUDWIG, 2013, p. 106).

Assim, o conhecimento passou a ser exportados da Europa para o resto do mundo produzindo a instrumentalização da razão, que acabou originando paradigmas epistemológicos distorcidos. Nessa esteira, todos os saberes dos povos tradicionais capazes de atender aos propó-

---

5   No original: "[...] la naturaleza ofrecía todos los recursos necesarios, y que el ser humano debía controlarla y manipularla. Esta visión se inicia en el Renacimiento con las ideas sobre el conocimiento de F. Bacon, R. Descartes y sus seguidores. Estos pensadores rompieron con la tradición medioeval que veía a la naturaleza en forma organicista, como un ser vivo, y donde las personas eran un componente más. Esa concepción se fracturó, y la naturaleza quedó despojada de esa organicidad y desde una postura antropocéntrica se la vió como un conjunto de elementos, algunos vivos y otros no, que podían ser manipulados y manejados. La naturaleza pasó a ser interpretada como el reloj de Descartes, constituida por engranajes y tornillos, donde al conocerse todas sus partes, podría accederse a entender y controlar su funcionamento" (GUDYNAS, 1999, p. 102).

sitos do sistema capitalista foram usurpados pelo europeu, e muitas conquistas intelectuais das populações originárias foram subsumidas ao projeto moderno/colonial (MIGNOLO, 2008, p. 19; QUIJANO, 1992, p. 19). E foi também nesse cenário que se construiu o moderno paradigma jurídico a partir da cosmovisão europeia, que reconhecia exclusivamente os seres humanos como sujeitos de direitos enquanto a natureza não-humana era tida apenas como recurso, matéria prima, despojada de subjetividade (SANTOS, 2019, p. 51-57).

Nessa conjuntura, a ideia de dignidade humana, desde as formulações inaugurais, esteve condicionada à noção moderna de razão, que por sua vez pressupunha um pensamento orientado ao domínio e instrumentalização do mundo. Os conceitos aparentemente neutros implicavam, no fundo, uma dependência aos padrões da cultura do ocidente moderno, razão pela qual as culturas e cosmovisões que não se estruturavam no individualismo racionalista e não adotassem os critérios empregados pela ciência moderna passaram a ser considerados menos racionais e, portanto, ontologicamente inferiores (BRAGATO, 2014, p. 221-222).

Segundo Wolkmer (2019, p. 4), a positivação dos direitos humanos nas declarações liberais-burguesas representou a expressão máxima da cultura capitalista e individualista. Todavia,

> [...] estas históricas e liberais declarações que projetavam direitos como universais e gerais para todos os homens (os homens são livres e iguais) representavam os interesses e os privilégios de segmentos sociais ascendentes economicamente que buscavam instrumentos de proteção ao livre mercado e a garantia de sua propriedade privada. Por detrás dessas enunciações solenes, gerais e humanistas de direitos, ocultavam-se discursivamente conceituações estreitas, abstratas e contraditórias. Tratava-se de direitos idealizados para um homem burguês, racional e individualista (WOLKMER, 2019, p. 4).

Segundo Yayo Herrero (2017), esse radical afastamento do homem em relação a natureza recebeu status de cientificidade e constitui o pecado original da cultura ocidental moderna, uma vez que está na origem da crise ecológica e civilizatória vivida presentemente. Esse é um pensamento nefasto porque estimula uma lógica econômica predatória e ignora os limites biofísicos do planeta[6], concebendo a natureza como um ente à disposição para ser controlado, dominado e explorado de modo irrestrito[7].

Contudo, existem outros modos de estar e habitar o planeta, cosmologias que não se confundem com a lógica materialista e mercadológica. Há culturas milenares em que o ser humano está inserido em uma complexa rede de relações e de interdependência com o meio natural, e

> [...] experiências tecidas no viver indígena que oferecem possibilidades verdadeiramente sustentáveis para estas e as futuras gerações [...]. Um elemento constitutivo das distintas lógicas indígenas é a estreita relação estabelecida entre os processos e os meios de produção – por isso, a terra é de posse coletiva e não individual; a terra não é vista como propriedade privada e sim como espaço de relações sociais lançadas sobre esta base territorial. A natureza, por sua vez, é entendida como provedora, mas cada ser precisa aprender a respeitar os demais, para não destruir o tecido denso e delicado dessa relação entre as pessoas, os seres e também as coisas que, na cultura ocidental, são vistas como inanimadas. Como se vê, o valor simbólico da terra, para os povos indígenas, difere do valor que ela tem numa sociedade capitalista. Para os povos indígenas, a terra não se restringe a um mero recurso, a ser explorado em todo o seu potencial (BONIN, 2015).

Portanto, a riqueza do Sul Global é resultado não apenas da ação da natureza, mas também da cultura material e espiritual de povos que habitam esses territórios há milhares de anos. Apesar do processo destrutivo e voraz da invasão colonial, as populações originárias desempenham, até

---

6    Para descrever o atual cenário, Escobar (2020) se utiliza da expressão *terricídio*, conceito que o autor considera capaz de traduzir toda a perversidade de dominação e exploração dos territórios e da natureza. O termo foi empregado por primeira vez pelo movimento indígena *mujeres pelo buen vivir,* iniciado na Argentina e liderado principalmente por ativistas mapuches.

7    Nesse paradigma se insere a concepção profundamente eurocêntrica e utilitarista de "recursos naturais" (SILVA; KROHLING, 2020, p. 122).

hoje, papéis decisivos, primeiramente porque as áreas em que vivem são as mais preservadas do mundo, e também porque seus conhecimentos

[...] representam valores fundamentais não apenas do ponto de vista prático, tecnológico e instrumental, mas sobretudo na maneira como são vividas e elaboradas as relações entre sociedades humanas e natureza. Estimular ou permitir a destruição destes modos de vida, sob o pretexto de "integrar" estas populações, é sacrificar uma imensa riqueza da qual elas são portadoras e da qual se orgulham (ABRAMOVAY, 2020).

Em síntese, para se sair da crise é necessária uma profunda e radical transformação de sentidos, uma mudança paradigmática desde conceitos como respeito, cuidado e reciprocidade, que são elementos centrais para a manutenção da vida no planeta.

## 2. O CONFLITO ECONOMIA X VIDA DIANTE CRISE AMBIENTAL A PARTIR DO PARADIGMA DO CUIDADO

Identificar as bases filosóficas da modernidade e seus reflexos no campo econômico é nuclear para se compreender o cenário atual de múltiplas crises.

Desde sua gênese, a preocupação central do modelo capitalista tem sido descobrir e desenvolver formas de aprimorar a extração mineral, acurar a agropecuária e viabilizar os avanços e o crescimento industrial, a partir da ideia profundamente eurocêntrica de "recursos naturais" e desde uma perspectiva utilitarista (SILVA; KROHLING, 2020, p. 122). O argumento utilizado tem sido que o crescimento econômico geraria o progresso social e político, e

[a]lguns não negaram que essa busca gerou custos, geralmente referidos à área social, mas que foram entendidos como inevitáveis. Em contraste, os impactos ambientais ou limites ecológicos não foram levados em consideração. [...] Insistiram na enorme disponibilidade de recursos, na existência de espaços vazios que deviam ser "civilizados" e numa ampla capacidade de amortecimento de qualquer impacto ambiental. Especialmente no século 20, e em particular a partir de 1940, os modelos de desenvolvi-

mento latino-americanos reivindicaram as ideias básicas do progresso perpétuo e da natureza subsidiária da natureza (GUDYNAS, 1999, p. 108-109. Tradução livre da autora[8]).

Mesmo no final século XX, os governos progressistas de países do Sul Global, principalmente na América Latina, com o intuito de implementar políticas sociais de combate à pobreza, passaram a adotar o modelo neodesenvolvimentista, também denominado neoextrativista, que permaneceu obedecendo a mesma lógica neoliberal que tem acarretado massiva devastação ambiental (SANTOS, 2019, p. 45-46).

Todavia, trata-se, de uma equação completamente falsa, visto que, historicamente, os supostos benefícios no campo social jamais foram igualmente distribuídos: os proveitos e vantagens sempre se concentraram no Norte global enquanto os prejuízos e sofrimentos foram suportados pelas populações do Sul global (SANTOS, 2019, p. 47).

Conforme Santos (2019, p. 47-48), essa problemática se dá em torno da falta de reconhecimento da plena humanidade dos "[...] deslocados dos desastres ambientais, dos megaprojetos, da mineração e desmatamento, bem como as vítimas do agronegócio e dos agrotóxicos, reconhecidas as suas vidas, os seus saberes e as suas relações deferentes com a natureza não humana [...]".

Não por acaso, Leff (2006) aponta a existência de uma crise de natureza civilizatória, responsável por colocar em risco a própria sobrevivência humana na Terra, e cuja superação depende de uma mudança radical e profunda e da construção de um novo paradigma a partir de bases éticas e solidárias.

Nesse cenário em que são buscadas soluções urgentes, um movimento que tem chamado atenção e ganhado visibilidade nos últimos anos denomina-se *capitalismo verde*, idealizado por economistas ambientais tradicionais e cuja principal promessa consiste em aliar o cres-

---

8    No original: "Se insistía en la enorme disponibilidad de recursos, en la existencia de espacios vacíos que debían ser "civilizados" y en una amplia capacidad de amortiguación de cualquier impacto ambiental. En especial en el siglo XX, y en particular desde 1940, los modelos latinoamericanos del desarrollo, reivindicaban las ideas básicas del progreso perpetuo y el carácter subsidiario de la naturaliza" (GUDYNAS, 1999, p. 108-109).

cimento econômico e o desenvolvimento sustentável (ESTERMANN, 2012, p. 151; PACKER, 2020, p. 2). Ocorre que os movimentos sociais ligados à terra, à defesa das águas e conservação das florestas e da biodiversidade vêm denunciando esse projeto como um instrumento dos interesses econômicos tradicionais e produto da mesma lógica econômica extrativista geradora de grandes impactos ambientais (PACKER, 2020, p. 3-5; MORENO, 2021, p. 2-3).

Portanto, o *capitalismo verde* apresenta falsas soluções para o problema da crise ambiental global e perpetua o desequilíbrio dos ritmos e ciclos naturais necessários à regeneração da vida (PACKER, 2020, p. 3-4; MORENO, 2021, p. 2-3), porque conserva a dicotomia entre homem e natureza, que tem permitido a exploração dos recursos ligados à sobrevivência humana em prol do desenvolvimento capitalista (COMPARATO, 1997, p. 18; HERRERO, 2017).

Além disso, o "mito da floresta intocada", baseado na ideia de que a conservação somente é possível sem a presença humana, tem motivado a expulsão das comunidades ancestrais de seus territórios, ignorando completamente a corrente preservacionista entre homem e natureza. Consequentemente, as populações tradicionais vêm perdendo espaços vitais para seu modo de vida, ligado a processos de seleção e manejo que promovem o desenvolvimento da biodiversidade silvestre e da agrobiodiversidade (PACKER, 2020, p. 3-4; MORENO, 2021, p. 2-3).

Assim, um dos principais objetivos dessa economia predatória maquiada de verde é ocultar a dependência entre o ser humano e a natureza, a fim de permitir a artificialização da vida e ampliar a possibilidade de apropriação e privatização dos chamados bens comuns, que cumprem funções ecossistêmicas vitais à reprodução e manutenção da vida no planeta, e que, até então, encontravam-se fora do mercado (PACKER, 2020, p. 4-5; MORENO, 2021, p. 3).

Na opinião de Escobar (2020), trata-se de um projeto de morte desde o capital globalizado, que valoriza o consumo acima da vida e do bem-estar dos povos e dos demais seres vivos. Para o autor, esse sistema apresenta níveis alarmantes de desigualdade, em que as nações do Norte global têm se desenvolvido às custas dos países do Sul Global: com apenas 25% da população mundial, os países ricos consomem cerca de 80% dos recursos naturais do mundo, sendo que os Estados Unidos, com 1% da população mundial, consomem, sozinhos, 30% da energia produzida no mundo.

Outra problemática que têm se agravado exponencialmente nas últimas décadas e que envolve questão primordial para a manutenção da vida no planeta é a crise alimentar, causada por modelos industriais predatórios de cultivo da terra. Além disso, a produção em larga escala de biocombustíveis nos países periféricos, voltada a suprir a demanda global, tem gerado a diminuição do cultivo dos alimentos de primeira necessidade e causado a consequente perda da sua soberania alimentar. Isso tem tornado essas regiões dependentes de um sistema agroalimentar globalizado, que obsta a efetivação do direito básico a alimentação (PACKER, 2020, p. 6-7; ESTERMANN, 2012, p. 151; ROCHA; BURITY, 2021, p. 1). Dada a importância da alimentação para a organização da vida em sociedade, ao tentarem controlar o sistema alimentar mundial, as corporações transnacionais pretendem controlar a própria reprodução da vida no planeta (MORENO, 2021, p. 2). Assim,

> [a]ssumir que essa maneira distorcida e violenta de cultivar a terra (imposta ao mundo há menos de um século) é a única maneira que as pessoas têm e podem cultivar, denota uma grande cegueira em relação à diversidade cultural e às diferentes práticas agrícolas, ao mesmo tempo em que representa uma ameaça ao patrimônio cultural de todos os países do mundo (SHIVA, 2020a, p. 3-4).

O direito humano à alimentação apareceu por primeira vez na Declaração Universal dos Direitos Humanos em 1948, sendo também previsto no Pacto Internacional de Direitos Econômicos Sociais e Culturais em 1966, que assegurou expressamente a proteção contra a fome (ROCHA; BURITY, 2021, p. 1)

Entretanto, a garantia formal à alimentação, apesar de um direito básico do qual depende diretamente a reprodução da vida, vem enfrentando imensos desafios à sua concretização no atual paradigma, em que a economia está intimamente relacionada à afirmação ou violação dos direitos humanos, uma vez que o poder político é cativo dos interesses econômicos (ZEIFERT; AGNOLETTO, 2019, p. 210).

Portanto, ao contrário do que vem propondo o *capitalismo verde*, a verdadeira saída deve ser buscada nos modos pelos quais os povos das florestas, os campesinos, as comunidades tradicionais indígenas e as mulheres, ao longo dos séculos, têm se relacionado com a natureza e desenvolvido a agricultura (MORENO, 2021, p. 2-3; PACKER, 2020, p. 7). Por isso,

> [c]omo alternativa a esta economia de devastação, precisamos, se queremos ter futuro, opor-lhe outro paradigma de economia de preservação, conservação e sustentação de toda a vida. Precisamos produzir sim, mas a partir dos bens e serviços que a natureza nos oferece gratuitamente, respeitando o alcance e os limites de cada biorregião, distribuindo com equidade os frutos alcançados, pensando nos direitos das gerações futuras e nos demais seres da comunidade de vida. Ela ganha corpo hoje através da economia biocentrada, solidária, agroecológica, familiar e orgânica. Nela cada comunidade busca garantir sua soberania alimentar. Produz o que consome, articulando produtores e consumidores numa verdadeira democracia alimentar (BOFF, 2012).

Desse modo, o "cuidado" assume importância central nesse novo paradigma que vem se procurando construir, que busca preservar danos ecológicos futuros, regenerar os danos praticados, e reforçar a vida desde uma visão da globalidade da espécie humana, buscando o acesso solidário ao alimento (TORO ARANGO, 2014, p. 1; 9).

Segundo Boff (2011), o cuidado pressupõe afeto e respeito, e considera que os seres humanos são parte integrante da natureza e "[...] membros da comunidade biótica e cósmica com a responsabilidade de protegê-la, regenerá-la e cuidá-la. Mais que uma técnica, o cuidado é uma arte, um paradigma novo de relacionamento para com a natureza, para com a Terra e para com os humanos".

Diante dessa encruzilhada histórica, a descolonização[9] não é questão de escolha, mas de necessidade de sobrevivência do planeta. É a urgência de reconhecer a inesgotável diversidade epistemológica do

---

9  A descolonização deve ser utilizada como uma ferramenta política, epistemológica e social de construção de instituições e relações sociais realmente pautadas na superação das opressões e das estruturas coloniais (CASTILHO, 2013, p. 15).

mundo, construindo alternativas baseadas nas histórias, nos saberes e nas lutas engendradas desde o "Sul global" 7 (SANTOS, 2010, p. 51; BROCARDO; TECCHIO, 2017, p. 6-8).

É preciso uma mudança profunda, a partir de uma

> [...] razão cordial e sensível que se expressa pelo amor à Terra e pelo respeito a cada ser da criação porque é nosso companheiro na comunidade de vida e pelo sentimento de reciprocidade, de interdependência e de cuidado, pois essa é nossa missão. Sem essa conversão não sairemos da miopia de uma economia verde. Só novas mentes e novos corações gestarão outro futuro (BOFF, 2011).

O novo paradigma deve ser construído sobre bases éticas e solidárias, capazes de redefinir a relação dos seres humanos entre si e com a natureza (LEFF, 2006). Em síntese, a solução está em dialogar e aprender com as comunidades ancestrais, com os povos milenares das florestas, ribeirinhos, resgatando pluriverso humano e as diversas culturas e gramáticas de dignidade, a partir de um paradigma emergente centrado no cuidado.

## 3. AS DINÂMICAS PREVISTAS NO *PACTO ECOSOCIAL DEL SUR* PARA REALIZAÇÃO DO DIREITO HUMANO À ALIMENTAÇÃO

Conforme já mencionado, a visão ocidental-moderna, embora dominante, não é exclusiva, e nesse cenário em que são buscadas saídas para a crise civilizatória, uma iniciativa que tem ganhado forma recentemente é o *Pacto ecosocial del sur*, que se apresenta como uma proposta integral, contemplando as dimensões social, ecológica, econômica e intercultural de modo articulado e complementar. Originado a partir de construções coletivas e da reunião das demandas de organizações campesinas, indígenas, afrodescendentes, ecologistas e ecofeministas, esse projeto engloba diferentes perspectivas comprometidas com a realidades das sociedades periféricas (BRINGEL, 2020; ESCOBAR, 2020).

Baseada nas lutas contra a mineração, contra os tratados de livre comércio, contra o extrativismo e o desenvolvimento depredador, nas lutas campesinas e urbanas pela agroecologia, pela soberania alimentar, pela economia solidaria, em defesa da terra, do território, dos direitos humanos e dos direitos da natureza, essa proposta promete articular coletivos a fim de tecer redes, resistências e construir horizontes alternativos para o Sul global. Portanto, vai ganhando contornos definidos em um cenário de incertezas e de múltiplas crises sistêmicas, e coloca em pauta possibilidades e saídas (BRINGEL, 2020; RODRÍGUEZ IBÁÑEZ, 2020). Nesse sentido, é possível afirmar que o *Pacto* é resultado da

> [...] urgência de construir dinâmicas sociais, de construir respostas políticas, não somente de curto, mas também de meio e longo prazo, que sejam capazes de responder e se opor às dinâmicas de reacomodo capitalista, a concentração de riqueza, a destruição de ecossistemas, que vemos surgir em todos os lados. [...] [O pacto apresenta] uma proposta desde o Sul e para o Sul, uma proposta aberta a todos e todas, para construir um horizonte coletivo de transformação para nossa América, que garanta um futuro digno (BRINGEL, 2020. Tradução livre da autora[10]).

Segundo Svampa (2020), é prioridade instalar uma agenda que possa combater tanto as desigualdades e a concentração de riqueza quanto a crise socioecológica, visando construir o futuro desde o cuidado da vida. Para a socióloga argentina, o *Pacto Ecosocial del Sur* aponta nessa direção, consistindo em uma proposta integral, holística, que propõe articular justiça social com justiça ambiental, de gênero e étnica. Além disso, possibilita desconstruir a falácia, tão difundida nas últimas décadas, de que existe uma oposição e uma dissociação insuperável entre as esferas social e ambiental, o que, alegadamente, justificaria o extrativismo e

---

10 No original: "[...] urgencia de construir dinámicas sociales, de construir respuestas políticas, no solo de corto, sino también de medio y largo plazo, que sean capaces de responder y contrarrestar las dinámicas de reacomodo capitalista, la concentración de la riqueza, la destrucción de ecosistemas, que vemos aparecer en todos los lados. [...][El Pacto presenta] una propuesta desde el Sur y para el Sur, una propuesta por cierto abierta a todos y todas vosostras, para construir un horizonte colectivo de transformación para nuestra América, que garantice un futuro digno".

a depredação ambiental em nome de um suposto desenvolvimento e em prol da redução das desigualdades.

Todavia, o que é possível constatar, mesmo diante de uma história de destruição dos territórios e de despojo dos povos campesinos e originários, é que não houve mudanças na estrutura dos países latino-americanos, mas sim o aumento alarmante da concentração de riquezas no Sul global, já que o crescimento econômico experimentado na América Latina durante o chamado *boom* dos *comodities* foi canalizado pelos setores mais ricos. Por outro lado, os que mais sofrem os danos ambientais e as consequências do desequilíbrio ecológico são, justamente, as camadas mais vulneráveis economicamente, porque não possuem recursos para enfrentar as consequências do extrativismo e das mudanças climáticas, bem como porque habitam zonas expostas a fontes contaminantes (SVAMPA, 2020).

Também na perspectiva de Escobar (2020), as dimensões social, ecológica, econômica e intercultural não competem umas com as outras, como se costumava pensar dentro desse paradigma perverso baseado na falsa noção de que, para que houvesse desenvolvimento e para resolver a pobreza, devia-se explorar e basicamente destruir a terra. Sabe-se que essa é uma equação falsa, perniciosa, que deve ser revisada de forma substancial. O pacto encarna a ideia de que o que é bom para a terra também é bom as pessoas, para os coletivos, porque destruir a natureza e as outras formas de vida é precarizar a existência das populações humanas.

Segundo Svampa (2020), o paradigma do cuidado, tão associado aos aportes do ecofeminismo e da economia feminista, é um eixo que atravessa todo o *Pacto ecosocial*. Além disso, o mesmo aposta na construção de economias e sociedades pós-extrativistas, a fim de proteger a diversidade cultural, apontando para uma transição socioecológica que abandone o paradigma baseado na ideia de desenvolvimento a partir dos combustíveis fósseis, da mineração, do desmatamento, da destruição dos ecossistemas e das monoculturas, para o qual já existem alternativas claras e concretas (SVAMPA, 2020; ESCOBAR, 2020).

Por isso, o debate proposto no *Pacto* tem a potencialidade de combater a persistente cegueira de tantos progressismos desenvolvimentistas que seguem defendendo a lógica do crescimento econômico indefinido e do extrativismo como via para o desenvolvimento social. As dinâmicas contidas nele não são soluções abstratas, mas pretendem replicar lutas e processos de resistência forjados no Sul global e na américa latina, em particular, envolvendo temas como direito da natureza, *buen vivir*, justiça social e redistributiva, paradigma do cuidado, agroecologia, soberania alimentar e autonomias (SVAMPA, 2020).

Além disso, embora se trate de um pacto desde o Sul e para o Sul, o mesmo se articula com outras propostas, elaboradas no Norte global, tendo sempre claro, todavia, que os problemas do Sul são diferentes dos do Norte, e que existem fortes assimetrias históricas e geopolíticas, sem falar da dívida ecológica historicamente acumulada do Norte em relação ao Sul. Por essa razão, o diálogo Norte-Sul, centro-periferia, deve ser democrático e solidário, articulando mudanças que devem ser tecidas desde baixo e ir se expandindo de modo horizontal, e descartando propostas que apresentem falsas soluções ou que acentuem tais assimetrias (SVAMPA, 2020).

Sendo assim, o *Pacto* estabelece outro horizonte para reexistir, que imprime maneiras alternativas de habitar o mundo, outros modos de vida, múltiplos e diversos que se entrecruzam, com forte apelo ao comunitário e à reciprocidade. Todavia, para tal exige-se o mínimo de igualdade, pois não pode haver reciprocidade em cenários tão desequilibrados, tão assimétricos, de acumulação e concentração de poder e riqueza (RODRÍGUEZ IBÁÑEZ, 2020).

Desse modo, o Pacto tem orientado elementos redistributivos para criar cenários mais equilibrados nesses contextos de desigualdade, estimulando debates mais amplos e complexos sobre a gestão do comum, envolvendo os Estados, em seus distintos níveis, e produzindo uma institucionalidade desde as experiências comunitárias e desde o tecido social (RODRÍGUEZ IBÁÑEZ, 2020). Além disso, essa proposta implica a reconstituição das continuidades, complementariedades e fluxos entre os contextos urbanos e rurais, desde a capacidade de atuação no micro, restituindo o diálogo e complementação (RODRÍGUEZ IBÁÑEZ, 2020).

Nesse sentido, o emprego da palavra "intercultural" é o reconhecimento radical da configuração pluricivilizatória da América Latina, continente impressionantemente vibrante, seja pela riqueza das lutas, dos pensamentos ou dos conhecimentos. O potencial transformador e radical do *Pacto*, então, resulta da combinação da diversidade cultural e da biodiversidade através da atuação dos movimentos sociais, das organizações territoriais, das comunidades, das redes e também a agentes governamentais, de espaços locais em suas distintas escalas. Por isso, pode-se dizer que é um chamado para a ação, e não exclusivamente para o debate (RODRÍGUEZ IBÁÑEZ, 2020; ESCOBAR, 2020).

Outra questão diretamente relacionada à transição socioecológica diz respeito à soberania alimentar, bandeira levantada pelos movimentos campesinos latino-americanos desde há décadas em sua luta pela redistribuição e reforma no plano agrário e pelo acesso à água, num dos cenários com maior concentração de terra e de riqueza a nível mundial (SVAMPA, 2020).

Há que se lembrar que a agricultura familiar campesina é responsável pela produção de 70% dos alimentos a nível mundial, enquanto detém somente 25% das terras. Por sua vez, o agronegócio produz apenas 25% dos alimentos, ao passo que concentra 75% das terras. Assim, a saída a longo prazo está, sem dúvida, ligada à sustentabilidade das sociedades locais, ao respeito às autonomias, ao fortalecimento da autodeterminação dos povos indígenas, campesinos, afro-americanos, às experiências comunitárias, urbanas e populares. Urge, então, priorizar a produção agroecológica, agroflorestal, campesina, promovendo um diálogo de saberes, e reforçando a rede de redistribuição campo-cidade (SVAMPA, 2020). Para isso, é preciso construir economias solidarias e regionais realmente autônomas que estejam integradas e que possam caber no sistema global (BASSEY, 2020). Pode-se considerar o *Pacto*, então, um convite ao cuidado com a alimentação, com os corpos e com as economias, para articular outros modos de resistir e reexistir, a fim de permitir a reprodução da vida e um reencontro do ser humano com a natureza (RODRÍGUEZ IBÁÑEZ, 2020).

Para Escobar (2020), o pacto trata de reconstituir o entramado de relações "[...] diferentes do sistema agroindustrial de agrotóxicos para os mercados globais, tramas que vinculem novamente [o ser humano] com as sementes, com a água, com os bosques, com as montanhas, com os conhecimentos ancestrais".

As dinâmicas contidas no *Pacto* recorrem a visões desde baixo, desde coletivos e mobilizações que se centram na busca por mudanças radicais, disruptivas, que estabeleçam uma nova relação com a natureza como sujeito de direitos, e que reconheçam que, apesar das diferenças, de viver em contextos diversos, todos os seres humanos pertencem a um só planeta, pelo que se deve pensar a vida e os direitos dentro de um novo paradigma de política social, que é o cuidado com a terra, a casa comum do ser humano (ESCOBAR, 2020; GUALINGA, 2020).

Em suma, é uma reflexão sobre a necessidade de se tomar uma nova direção, rumo a um futuro sensato (BASSEY, 2020). Somente vivendo em paz com a natureza, assim como os povos indígenas têm vivido há milhares de anos em seus territórios, é que o ser humano pode "viver bem" (SHIVA, 2020b).

Portanto, segundo o *Pacto ecosocial del sur*, é prioritário colocar a sustentabilidade e o cuidado da vida como questão central, desenvolvendo políticas de redistribuição da terra, de acesso à água e de garantia a soberania alimentar. Ainda faz-se necessário construir economias pós-extrativistas para proteger a diversidade natural e cultural, promover uma produção agroecológica, agroflorestal, pesqueira e campesina, assegurar a autonomia das sociedades locais e promover o diálogo entre saberes.

Essas dinâmicas permitem vislumbrar horizontes promissores para a superação do modelo vigente, contribuindo para construção de um verdadeiro Estado de *Buen Vivir* e para o reestabelecimento da corrente preservacionista entre o ser humano e a natureza.

## CONCLUSÃO

A presente discussão objetivou apresentar contribuições teóricas acerca das dinâmicas previstas no *Pacto ecosocial del sur*, considerando o atual cenário de crise sistêmica, analisando a viabilidade da proposta de superação do atual paradigma e da concretização do direito humano à alimentação.

Buscando responder ao problema de pesquisa, foi possível concluir que as dinâmicas previstas no *Pacto ecosocial del sur* contribuem para realização do direito humano à alimentação, para a construção de um Estado de Buen Vivir e para reestabelecer a corrente preservacionista entre o ser humano e a natureza. É, portanto, um convite à construção de imaginários coletivos, desde baixo, a partir dos mais diversos âmbitos das sociedades latino-americanas.

Desse modo, intentou-se produzir nessa pesquisa, com base no marco referencial descolonial, uma revisão crítica do fenômeno cultural da modernidade ocidental, com o objetivo de compreender a relação do homem com a natureza no marco cultural, epistemológico, jurídico e econômico da modernidade ocidental. Ainda buscou-se identificar a *colonialidade da natureza* e denunciar o modelo econômico capitalista como responsável pelo desequilíbrio dos ritmos e ciclos naturais necessários à regeneração da vida.

No item seguinte, procurou-se analisar, a partir do paradigma do cuidado, o conflito economia *vs.* vida diante do colapso ambiental, bem como a (im)possibilidade da realização do direito humano à alimentação no marco do capitalismo verde.

Por fim, no último item, diante da necessidade de se pensar projetos alternativos, baseados no cuidado e respeito à terra e aos corpos, para transcender o atual modelo econômico e agrícola destrutivo, verificou-se as dinâmicas previstas no *Pacto Ecosocial del Sur* para realização do direito humano à alimentação e garantia de um Estado de Buen Vivir.

Ao final, obteve-se a confirmação da hipótese; ou seja, a pesquisa demonstrou que as dinâmicas previstas no *Pacto ecosocial del sur*, construídas a partir dos saberes dos campesinos, dos povos das florestas, das comunidades tradicionais indígenas e das mulheres, que, ao longo dos séculos, têm se relacionado com a natureza e desenvolvido uma agricultura voltada a preservação e conservação, permitem vislumbrar horizontes promissores para a superação do modelo de desenvolvimento vigente, contribuindo para construção de um verdadeiro Estado de *Buen Vivir* e reinserindo o ser humano na natureza.

## REFERÊNCIAS

ABRAMOVAY, Ricardo. **A maior riqueza do Brasil não é só natureza, mas também povos da floresta.** Out. 2020. Disponível em: https://tab.uol.com.br/colunas/ricardo-abramovay/2020/10/24/defesa-da-amazonica-supoe-uma-nova-etica-do-trabalho.htm. Acesso em: 22 jan. 2022.

BASSEY, Nnimmo. *Pacto ecosocial del Sur*. Por un Pacto social, ecológico, eco-nômico e intercultural para América Latina. **Youtube**, [online] 22 jun. 2020. 1 vídeo (1h43m48segs). Publicado pelo canal CLACSO. Disponível em: https://www.clacso.org/pacto-ecosocial-del-sur/. Acesso em 15 nov. 2021.

BOFF, Leonardo. **Sustentabilidade e cuidado: um camino a seguir.** EcoDe-bate. Jun. 2011. Disponível em: https://www.ecodebate.com.br/2011/06/20/sustentabilidade-e-cuidado-um-caminho-a-seguir-artigo-de-leonardo-boff/. Acesso em: 20 jan. 2022.

BOFF, Leonardo. **Economia verde versus economia solidária.** IHU. Jun. 2012. Disponível Em: https://www.ihu.unisinos.br/172-noticias/noticias-2012/510167-economia-verde-versus-economia-solidaria. Acesso em: 22 jan. 2022.

BONIN, Iara. **Cosmovisão indígena e modelo de desenvolvimento.** Encarte Pedagógico V – Jornal Porantim. Junho/Julho 2015. Disponível em: https://cimi.org.br/cosmovisao-indigena-e-modelo-de-desenvolvimento/. Acesso em: 23 jan. 2022.

BRAGATO, Fernanda Frizzo. Para além do discurso eurocêntrico dos direitos humanos: contribuições da descolonialidade. **Revista Novos Estudos Jurídi-cos**, Itajaí, v. 19, n. 1, p. 201-223, abr. 2014. Disponível em: https://siaiap32.uni-vali.br/seer/index.php/nej/article/view/5548. Acesso em: 10 ago. 2021.

BRINGEL, Breno. *Pacto ecosocial del Sur*. Por un Pacto social, ecológico, eco-nômico e intercultural para América Latina. **Youtube**, [online] 22 jun. 2020. 1 vídeo (1h43m48segs). Publicado pelo canal CLACSO. Disponível em: https://www.clacso.org/pacto-ecosocial-del-sur/. Acesso em 15 nov. 2021.

BROCARDO, Daniele; TECCHIO, Caroline. Olhares para a História: pós-co-lonialismo, estudos subalternos e decolonialidade. **Revista Latino-Americana de Estudos em Cultura e Sociedade**, Foz do Iguaçu, v. 3, p. 1-9, dez. 2017. Dis-ponível em: https://periodicos.claec.org/index.php/relacult/article/view/496. Acesso em: 22 ago. 2021.

CASTILHO, Natália M. **Pensamento descolonial e teoria crítica dos direitos humanos na América Latina**: um diálogo a partir da obra de Joaquín Herrera flores. 2013. 197 f. Dissertação (Mestrado em Direito). Programa de Pós-Gra-duação em Direito da Área das Ciências Jurídicas, Universidade do Vale do Rio dos Sinos, São Leopoldo. Disponível em: http://www.repositorio.jesuita.org.br/handle/UNISINOS/3003. Acesso em: 06 ago. 2021.

COMPARATO, Fábio Konder. **A afirmação histórica dos direitos humanos**. 3 ed. São Paulo: Saraiva, 2003. Disponível em: https://edisciplinas.usp.br/pluginfile.php/4977109/mod_resource/content/1/A_afirmacao_historica_dos_direitos_human%20%281%29.pdf. Acesso em: 03 ago. 2021.

COMPARATO, Fábio Konder. Fundamento dos Direitos Humanos. **Instituto de estudos avançados da Universidade de São Paulo**, São Paulo, p. 1-29, 1997. Disponível em: http://www.dhnet.org.br/direitos/anthist/a_pdf/comparato_fundamentos_dh.pdf. Acesso em: 27 ago. 2021.

COSTA, Joaze Bernardino; GROSFOGUEL, Ramón. Decolonialidade e perspectiva negra. **Revista Sociedade e Estado**, Brasília, v. 31, n. 1, p. 15-24, abr. 2016. Disponível em https://www.scielo.br/pdf/se/v31n1/0102-6992-se-31-01-00015.pdf. Acesso em: 18 set. 2021.

DUSSEL, Enrique. **1492:** O encobrimento do outro: a origem do mito da modernidade. Petrópoles: Vozes, 1993. Disponível em: https://enriquedussel.com/txt/Textos_Libros/45.1492_O_encobremento_do_outro.pdf. Acesso em: 20 set. 2021.

ESCOBAR, Arturo. *Pacto ecosocial del Sur*. Por un Pacto social, ecológico, econômico e intercultural para América Latina. **Youtube**, [online] 22 jun. 2020. 1 vídeo (1h43m48segs). Publicado pelo canal CLACSO. Disponível em: https://www.clacso.org/pacto-ecosocial-del-sur/. Acesso em 15 nov. 2021.

ESTERMANN, Joseff. Crisis civilizatoria y Vivir Bien. **Revista Polis**, Santiago, v. 11, n. 33, p. 149-174, 2012. Disponível em: https://www.scielo.cl/scielo.php?pid=S0718-65682012000300007&script=sci_arttext. Acesso em: 17 set. 2021.

GUALINGA, Patrícia. *Pacto ecosocial del Sur*. Por un Pacto social, ecológico, econômico e intercultural para América Latina. **Youtube**, [online] 22 jun. 2020. 1 vídeo (1h43m48segs). Publicado pelo canal CLACSO. Disponível em: https://www.clacso.org/pacto-ecosocial-del-sur/. Acesso em 15 nov. 2021.

GUDYNAS, Eduardo. Concepciones de la naturaleza y desarrollo en América Latina. **Persona y Sociedad**, Santiago de Chile, v. 13, n. 1, p. 101-125, abr. 1999.

Disponível em: https://ecologiasocial.com/2005/02/concepciones-de-la-natu-raleza-y-desarrollo-en-america-latina/#. Acesso em: 01 set. 2021.

HERRERO, Yayo. Una revisión crítica de la modernidade. **YouTube**, [online], 9 fev. 2017. 1 vídeo (74min24seg). Publicado pelo canal Solidaridad Internacional Andalucía. Disponível em: https://www.youtube.com/watch?v=mnBIzXzIGO0. Acesso em: 05 ago. 2021.

LEFF, Enrique. **Epistemologia Ambiental**. Valenzuela, S. (Trad.). 4 ed. São Paulo: Cortes, 2006.

LUDWIG, Celso Luiz. Filosofia e Pluralismo: uma justificação filosófica transmoderna ou descolonial. *In*: WOLKMER, Antonio Carlos; VERAS NETO, Francisco Q.; LIXA, Ivone M. (orgs.). **Pluralismo Jurídico**: os novos caminhos da contemporaneidade. 2. ed. São Paulo: Saraiva, 2013. p. 99-124.

MIGNOLO, Walter. La opción de-colonial: desprendimiento y apertura. Un manifiesto y un caso. **Tabula Rasa**, Bogotá, n. 8, abr. 2008, p. 243-281. Disponível em: http://www.scielo.org.co/pdf/tara/n8/n8a13.pdf. Acesso em: 22 set. 2021.

MIGNOLO, Walter. Colonialidade: o lado mais escuro da modernidade. **RBCS**, São Paulo, v. 32, n. 94, p. 1-18, jun. 2017. Disponível em: https://www.scielo.br/pdf/rbcsoc/v32n94/0102-6909-rbcsoc-3294022017.pdf. Acesso em: 04 set. 2021.

MIGNOLO, Walter. **Histórias locais/projetos globais**: colonialidade, saberes subalternos e pensamento liminar. Belo Horizonte: UFMG, 2020.

MORENO, Tica. La ONU y el capitalismo verde atacan la soberania alimentaria. **Portal Capire,** [S.l.], 24 jul. 2021. Disponível em: https://capiremov.org/es/analisis/la-onu-y-el-capitalismo-verde-atacan-la-soberania-alimentaria/?fbcli-d=IwAR1REEcuHqZRuKKJem97jlXhKyYTSbJEst58zK2kBDHA_Bwz0yi6W-NoQVYI. Acesso em: 22 ago. 2021.

PACKER, Larissa. Economia verde é "falácia miraculosa" para tempos de destruição". Entrevistadoras: Caroline Oliveira; Sheila Oliveira. **Brasil de fato**, São Paulo, 21 set. 2020. Disponível em: https://www.brasildefato.com.br/2020/09/21/economia-verde-e-falacia-miraculosa-para-tempos-de-destrui-cao-diz-larissa-packer. Acesso em: 13 set. 2021.

QUIJANO, Aníbal. Colonialidad y Modernidad/Racionalidad. **Revista Perú Indígena**, Lima, v.13, n. 29, 1992, p. 11-20. Disponível em: https://www.lavaca.org/wp-content/uploads/2016/04/quijano.pdf. Acesso em: 20 ago. 2021.

QUIJANO, Anibal. Colonialidade do poder, eurocentrismo e América Latina. *In*: LANDER, Edgardo (Org.) **A colonialidade do saber:** eurocentrismo e ciências sociais. Perspectivas latino-americana. Buenos Aires: Clacso, 2005. p. 107-130. Disponível em: https://ediscipLinas.usp.br/pluginfile.php/2591382/mod_resource/content/1/colonialidade_do_saber_eurocentrismo_ciencias_sociais.pdf. Acesso em: 29 set. 2021.

QUIJANO, Aníbal. Colonialidade do poder e classificação social. *In*: SANTOS, Boaventura de Sousa; MENESES, Maria Paula (Org.). **Epistemologias do Sul**. São Paulo: Cortez, 2010. p. 84-130.

ROCHA, Nayara Côrtes; BURITY, Valéria Torres Amaral. O direito humano à alimentação no mundo e no Brasil. **Nexo,** São Paulo, 12 abr. 2021. Disponível em: https://pp.nexojornal.com.br/linha-do-tempo/2021/O-direito-humano-%C3%A0-alimenta%C3%A7%C3%A3o-no-mundo-e-no-Brasil>. Acesso em: 20 set. 2021.

RODRÍGUEZ IBÁÑEZ, Mario. *Pacto ecosocial del Sur*. Por un Pacto social, ecológico, econômico e intercultural para América Latina. **Youtube**, [online] 22 jun. 2020. 1 vídeo (1h43m48segs). Publicado pelo canal CLACSO. Disponível em: https://www.clacso.org/pacto-ecosocial-del-sur/. Acesso em 15 nov. 2021.

SANTOS, Boaventura de Sousa. Para além do pensamento abissal: das linhas globais a uma ecologia de saberes. *In*: SANTOS, Boaventura de Sousa; MENESES, Maria Paula (Org.). **Epistemologias do Sul**. São Paulo: Cortez, 2010. p. 31-84.

SANTOS, Boaventura de Sousa. Direitos Humanos, Democracia e Desenvolvimento. *In*: SANTOS, Boaventura de Sousa; MARTINS, Bruna Sena. **O pluriverso dos direitos humanos**: a diversidade das lutas pela dignidade. Belo Horizonte: Autêntica, 2019. Disponível: http://www.boaventuradesousasantos.pt/media/BSS_Direitos%20Humanos%20Democracia%20Desenvolvimento.pdf. Acesso em: 01 ago. 2021.

SHIVA, Vandana. Recuperar a terra, nosso alimento e nossa agricultura. **Revista do Instituto Humanitas Unisinos**, São Leopoldo, mar. 2020a. Disponível em:

http://www.ihu.unisinos.br/597095-recuperar-a-terra-nosso-alimento-e-nos-sa-agricultura-artigo-de-vandana-shiva?fbclid=IwAR1k7ncXY1KuF4K0aZn-bRTYI7dEVIYRGI94qoXWBPFxzg8rUMsuXCxlPiCU. Acesso em: 01 set. 2021.

SHIVA, Vandana. *Pacto ecosocial del Sur*. Por un Pacto social, ecológico, econômico e intercultural para América Latina. **Youtube**, [online] 22 jun. 2020. 1 vídeo (1h43m48segs). Publicado pelo canal CLACSO. Disponível em: https://www.clacso.org/pacto-ecosocial-del-sur/. Acesso em 15 nov. 2021.

SILVA, Tatiana Mareto; KROHLING, Aloísio. Feminismo e decolonialidade na américa latina: a libertação da mulher dos países latino-americanos e sua contribuição para a efetivação da sustentabilidade. **Revista de gênero, sexualidade e direito**, v. 6, n. 1, jul. 2020, p. 117-139. Disponível em: https://www.indexlaw.org/index.php/revistagsd/article/view/6596. Acesso em: 25 set. 2021.

SVAMPA, Maristella. *Pacto ecosocial del Sur*. Por un Pacto social, ecológico, econômico e intercultural para América Latina. **Youtube**, [online] 22 jun. 2020. 1 vídeo (1h43m48segs). Publicado pelo canal CLACSO. Disponível em: https://www.clacso.org/pacto-ecosocial-del-sur/. Acesso em 15 nov. 2021.

TORO ARANGO, Bernardo. El cuidado: el parigma etico de la nueva civilizacion. 2014. Disponível em: https://bibliotecadigital.ccb.org.co/handle/11520/23420. Acesso em 10 dez. 2021.

WOLKMER, Antonio Carlos. Reinvenção dos direitos humanos: um aporte descolonial desde o sul. *In*: RABINOVITCH-BERKMAN, Ricardo. **Los Derechos Humanos desde la Historia**. Immersiones Libres. Chile: EH Hammurabi, 2019. p. 287-298.

ZEIFERT, Anna Paula Bagetti; AGNOLETTO, Vitória. O Pensamento Descolonial e a Teoria Crítica dos Direitos Humanos: saberes e dignidade nas sociedades latino-americanas. **Revista Húmus**, São Luís, v. 9, n. 26, p. 197-218, 2019. Disponível em: http://www.periodicoseletronicos.ufma.br/index.php/revistahumus/article/view/12077/6801. Acesso em: 09 ago. 2021.

# ENSAIO CRÍTICO À TEORIA DECOLONIAL

**Luatom Bezerra Adelino de Lima**
http://lattes.cnpq.br/0261544657032681

**RESUMO**: Este estudo promove um ensaio à reflexão crítica a respeito da Teoria Decolonial defendida por Maldonado-Torres, Tukufu Zuberi, Bernardino-Costa, Ramón Grosfoguel, Frantz Fanon e Oyèrónkę Oyěwùmí, por distorcerem as relevantes contribuições das ciências sociais, econômicas, filosóficas e jurídicas decorrentes dos *europeus iluministas*, pois não as refutam e nem apresentam melhores propostas, ao contrário, tentam destruir conceitos historicamente aceitos, como o Direito e as relações sociais como família e religião, para supostamente valorizar contribuições de ex colonos do hemisfério sul, elevando artificialmente distinções de raça, gênero, classe e sexualidade como pautas políticas tuteladas. Por fim, a Teoria Decolonial não deixa claro o que fazer com os seres autônomos, aqueles que não se sentem condenados ou marginalizados, que almejam liberdade e independência científica, econômica, social, religiosa ou de família para si ou para os seus, de não fazerem parte de coletivos minoritário.

**PALAVRAS-CHAVE**: Iluminismo; Racismo; Teoria decolonial; Crítica.

## APRESENTAÇÃO

A Teoria Decolonial é um movimento latino-americano de origem acadêmica a partir do ano 2000 que busca a independência das escolas científicas fundadas na Europa e nos Estados Unidos, e visa essencialmente valorizar produções científicas e artísticas do hemisfério sul, ou *Atlântico Negro* (BERNARDINO-COSTA, 2018, p. 120), como contraposição a séculos de opressões e aculturamento artificial desses povos. Destacam-se as contribuições teóricas iniciadas pelo sociólogo peruano Aníbal Quijano, quanto a decolonialidade do poder econômico, sob influência marcadamente marxista em forte crítica ao poder capitalista dos Estados Unidos na América Latina (QUIJANO, 2009 e OLIVEIRA, 2020, p. 988), do argentino Walter Mignolo, crítico de teorias sociais pós-coloniais (MIGNOLO, 2017a), que limitam as identidades dos integrantes das ex colônias, fazendo-os desaparecer por insignificância acadêmica, dos porto-riquenhos Ramón Grosfoguel e Nelson Maldonado-Torres e do brasileiro Joaze Bernardino-Costa (BERNARDINO--COSTA e GROSFOGUEL, 2016), que apresentam a decolonialidade a partir do giro decolonial, à semelhança de seus precursores, com valorização das ciências, das artes e da cultura do hemisfério sul em oposição às contribuições eurocêntricas e dos Estados Unidos.

Esta breve análise apresenta sinteticamente as principais propostas teóricas sobre a Teoria Decolonial, além de críticas às suas consequências, com indicações de algumas incoerências históricas e oposições a conhecimentos mundialmente aceitos, com enfoque nas propostas de Maldonado-Torres constantes no Capítulo intitulado *Analítica da colonialidade e da decolonialidade: algumas dimensões básicas,* em obra coletiva por ele organizada juntamente com Joaze Bernardino-Costa e Ramón Grosfoguel (MALDONADO-TORRES, 2018), na qual são tratados esses conceitos, e ao final apresentadas dez teses sobre colonialidade e decolonialidade, durante as quais são trazidas contribuições de Tukufu Zuberi, Bernardino-Costa, Ramón Grosfoguel, Frantz Fanon e Oyèrónkẹ Oyěwùmí.

Este estudo promove um ensaio à reflexão crítica a respeito da Teoria Decolonial, visando contribuir para um olhar acadêmico mais acurado, e não de mera repetição das experiências teóricas dos autores muito próprias talvez de suas realidades locais, assim como não deixando de valorizar as contribuições seculares advindas do *eurocentrismo iluminista* às ciências e às artes no mundo, tão criticado pelos citados autores.

## DESENVOLVIMENTO

No primeiro artigo da obra coletiva da qual organiza, Maldonado-Torres propõe independência do pensamento europeu colonizador, uma libertação de não querer ser como os *europeus iluministas* no âmbito político e econômico, mesmo deles já libertados politicamente (MALDONADO-TORRES, 2018, p. 32), propondo termos como *decolonialidade,* um meio de expressar a contínua luta para não se deixar influenciar pela cultura daqueles colonizadores, em especial no âmbito do *trabalho intelectual, ativista e artístico,* por ser uma luta que visa combater a lógica das ciências europeias quanto ao *historicismo, empiricismo e positivismo.* Porém não apresenta como essa independência trouxe significativa mudança no conhecimento científico humano? Qual a atual contribuição dos ex colonos para uma relevante mudança daquele conhecimento, deixa de expor os fundamentos científicos que refutem toda a construção da ciência europeia iluminista, ou mesmo expõe uma nova proposta científica para que seja assim analisada. Limita-se a explorar expressões vagas, não qualificáveis, e de conteúdo hermético, que talvez lhe faça sentido íntimo ou na conjugação com outros trabalhos seus, mas não expresso nesse, tais como: *colonização e descolonização são a soma do visível e/ou dos eventos quantificáveis que aparecem dentro de um certo período de tempo, ambas fundamentalmente pertencentes a um momento do passado.* E quando justifica o uso do termo *decolonial,* o faz como crítica ao senso comum e ao conhecimento científico referentes *a tempo, espaço, conhecimento e subjetividade,* pois influenciados pelos colonizadores, a exigir um engajamento crítico.

Já quando trata a respeito da *civilização moderna ocidental como modernidade/colonialidade,* critica o marco histórico europeu da modernidade ocidental, como o momento que separa o bárbaro do civilizado, o início do *Iluminismo,* pelo qual se valorizaria o conhecimento científico e a razão, pressupostos do *progresso, soberania, sociedade, subjetividade, gênero e razão,* os quais estabeleceriam enfim um *padrão de civilização* (MALDONADO-TORRES, 2018, p. 35), e do qual adviriam descobertas relevantes como o Continente Americano e o Caminho para as Índias, citando, em tom de crítica, autores que assim teriam registrados esses marcos históricos, como John Locke e Adam Smith, não aleatoriamente expoentes do positivismo e do capitalismo, respectivamente. Propõe uma crítica à modernidade, marcada como um período histórico do surgimento da Revolução Industrial a partir de 1760, por entender reforçar o *colonialismo, o comércio global e o carvão,* promovendo o que chamou de *Antropoceno,* pela influência humana no meio onde vive a nível global. Afirma que *teóricos decoloniais, artistas e ativistas* que lá cita, entendem que este momento foi colonial desde seu nascedouro e que ainda não teria passado, o que exigiria uma mudança na forma de como a ele se refere, como sendo *modernidade/colonialidade.*

E como mudança no entendimento dessa modernidade propõe dez teses sobre colonialidade e decolonialidade. A primeira, sobre *Colonialismo, descolonização e conceitos relacionados provocam ansiedade* (MALDONADO-TORRES, 2018, p. 37), parte do pressuposto de que a existência de impérios ocidentais, que não os individualiza e nem os contextualiza no tempo e nem quais os métodos por eles utilizados, e os Estado-nações, cujo conceito também não desenvolve, seriam os causadores da insegurança e ansiedade dos indivíduos, pois o *Direito* estaria sempre do lado de quem detém o poder, devendo os colonizados desafiarem a legitimidade das fronteiras dos Estados, o respeito a *qualquer conceito normativo* ou prática que justifique esse poder, incluindo o de raça, gênero, classe e sexualidade. Logo, sugere um movimento de contínua insatisfação da pessoa no lugar que ocupa, um sentimento de revolta e ódio que não sabe de onde provém, mas é direcionado a quem detenha o poder, a exigir um comportamento antidemocrático e artificializado de em vez de buscar meios de convencimento de suas pretensões, ou ao menos convergências, parte para o confronto. Não excepciona qualquer comportamento humano de revolta contra os detentores do poder, o que aliado à sua proposta de insatisfação contra *qualquer conceito normativo,* permite supor que até criminosos estariam assim acobertados, desde que intencionalmente ou não estejam de acordo com a revolução social almejada. E quando afirma que o Direito está sempre do lado de quem deteria o poder, não esclarece como imunizaria sua proposta dos mesmos riscos por aqueles que passariam a liderar com base nessa nova teoria. Antecipa críticas a sua proposta com expressões que seriam comumente utilizadas para indicar um conformismo de colonizado:

> "isso aconteceu no passado e precisamos nos mover para frente"; "mas meus antepassados também foram colonizados"; "meus pais eram pobres"; "eu também sou minoria"; "na verdade, nós todos somos racistas"; "minha esposa (meu marido ou meu melhor amigo) é como você"; "eu tento me juntar, mas vocês me rejeitam"; "todas as vidas importam", face à armação de que "vidas negras importam", em um contexto em que os negros são desproporcionalmente mortos pela polícia.

No entanto, utiliza-se de argumento retórico pelo qual só há uma opinião válida, a por ele defendida, e nenhuma crítica seria aceita, porque qualificaria a pessoa imediatamente como opressora ou simpatizante do racismo, do fascismo, da violência ou do sexismo. Aceitar a condição de colonizado, e portanto ser um potencial combatente ao eurocentrismo e adepto da Teoria Decolonial, seria a única opção esperada. O simples fato de discordar já o posicionaria na situação de opressor, conformado ou alienado, nunca um crítico. Não há margem à democracia nesta proposta, pois abusa de argumento meramente dialético para fugir de constatações baseadas na lógica.

Esta tendência de não enxergar no outro senão aquilo que dele espera, racismo, encontra-se também na abordagem sobre a *Teoria Crítica da Raça* descrita por Tukufu Zuberi (ZUBERI, 2016, p. 478), quando acusa os brancos americanos de, mesmo não assim se autoafirmando, serem dotados de uma *cegueira racial*. Para ele, mesmo não identificando em brancos um discurso francamente racista, senão nos autodeclarados supremacistas, os acusa desta cegueira como modo disfarçado de racismo. Denota-se então duas possibilidades: ou todos os brancos americanos seriam racistas e ocultariam esta característica para não sofrerem acusações criminais; ou parte deles assim não o são e não alimentam essa prática, mas mesmo assim seriam identificados por estarem dotados da *cegueira racial* incurável. Desconsidera o progresso social, e o abandonar de velhas práticas desumanas, focando num revanchismo e ódio social, ocultando relações de poder e dominação, ficando a questão racial como um mero pretexto para fins políticos. Sustentar a teoria crítica da raça e a Teoria Decolonial só se compreende como buscar tutelar minorias negras que nem sempre estejam em condições de submissão racial na atualidade. O racismo deve ser combatido em qualquer espaço, e quando provado deve haver exemplar punição criminal a inibir outras ou a alimentar novos adeptos.

Há ainda uma convocação para a luta política em meio acadêmico nas propostas de Bernardino-Costa e Grosfoguel (BERNARDINO--COSTA e GROSFOGUEL, 2016, p. 22), visando *uma chave para evitar o universalismo eurocentrado,* mesmo que contraditoriamente justifiquem que assim o fazem visando um *diálogo crítico,* diálogo este que pressupõe não um aprimoramento das complexas relações sociais a nível global, como pontos de convergências ou interesses comuns, mas em tom de abandono das práticas científicas do hemisfério norte. Já em *Pele negra, máscaras brancas* (FANON, 2008a, ps. 118 e 189), FANON apresenta o preconceito racial aos negros na primeira metade do Século XX em diversas situações da vida, como na apresentação de uma pessoa negra, na elaboração de uma ideia por um negro, no discurso de medo para ser aceito num mundo de brancos. No entanto, nela não se encontram reparações a ancestrais domesticados, não alimenta ódio aos brancos pelo passado de dominações atrozes que impuseram em vários continentes, ao contrário apenas *exigir do outro um comportamento humano,* uma nova perspectiva respeitosa, sem aprisionamento, seja físico ou das ideias, sem propostas dedicadas *a fazer uma avaliação dos valores negros,* sem revanchismo ou reparações históricas, sem ética branca ou negra, apenas humana, muito menos destruição das contribuições da *cultura europeia.*

Voltando as teses Maldonado-Torres, a segunda, *Colonialidade é diferente de colonialismo e decolonialidade é diferente de descolonização* (MALDONADO-TORRES, 2018, p. 40), pretende atribuir relevância acadêmica na distinção entre os termos *colonialidade* e *colonialismo,* e *decolonialidade* e *descolonização,* pela tendência de seus usos simplistas e generalizantes, como forma de normalizar o processo de dominação. Sendo *colonialismo* a dominação histórica dos territórios ocupados por outros povos, termo do qual derivaria outro, *colonialismo moderno,* seria a contínua prática de manter essa dominação desde o *descobrimento* pelos impérios ocidentais; e por *colonialidade,* a ausência de resistência a esse contínuo processo de dominação que desumanizaria as pessoas. Já a *descolonização* seriam os movimentos históricos que contribuíram para o fim dos impérios coloniais e culminaram com suas independências, e *decolonialidade* a luta pela lógica embutida nas relações de poder da atualidade. Embora a *decolonialidade* seja uma contínua luta pelo fim do movimento do *colonialismo moderno*, não apresenta o que fazer com as relevantes contribuições dos impérios ocidentais na construção dos direitos humanos e do constitucionalismo moderno à nível mundial, para apenas ficar no Direito, pois defendem a igualdade e a autonomia dos povos, a liberdade de pensamento e de expressão, a solução pacífica das controvérsias, a valorização das democracias, limites legais pré-estabelecidos para se restringir a vida, a liberdade e o patrimônio. Porque se tudo o que de lá advém, *qualquer conceito normativo*, é entendido como desumanização e imperialismo, haveria a necessidade da formação de novas teorias sociais para a justiça e democracia em favor dos povos colonizados, com a construção de um novo Direito Colonial. Não seria mais simples apresentar as contribuições especiais próprias da região, pela formação cultural dos novos povos miscigenados, e não o fim das teorias sociais construídas por séculos do velho continente? Não se excepciona qualquer conceito normativo, nem mesmo os de *Constituição* e *Democracia*, o que levanta muitas dúvidas para qual caminho pretende levar as sociedades do hemisfério sul.

A terceira tese, *Modernidade/colonialidade é uma forma de catástrofe metafísica* (MALDONADO-TORRES, 2018, p. 42), de que a colonização das Américas foi apenas uma catástrofe demográfica e metafísica pela imposição dos povos conquistados com o uso da força, num primeiro momento, e depois com a imposição de suas concepções religiosas gerando um colapso da intersubjetividade, alteridade, no significado do humano. O mundo cristão ocidental estaria ávido por novas conquistas, mas foram freados pelos mulçumanos nas guerras pelo domínio da Terra Santa. Mas sequer citou o *mercantilismo,* início do comércio global, a conquista de territórios que pudessem ser explorados economicamente, seja diretamente, com a extração de inúmeras riquezas existentes, como o ouro e a prata dos territórios colonizados das Américas e África (SMITH, 2016, p. 712), como indiretamente e posteriormente, pelo comércio dos produtos vindos das *Índias,* ou da Ásia, limitando todo esse período a motivação do uso da fé como meio de dominação, mas longe dos olhos ocidentais. Desconsidera o Cristianismo como crença religiosa dos colonizadores num ser divino que propõe o amor como antídoto ao ódio e ao egoísmo, confundindo-o com seu uso distorcido como ferramenta de poder e dominação, assim como a crença divina nas leis do Alcorão, que não deveriam ser utilizadas como discurso de ódio contra mulheres e homossexuais por líderes mulçumanos que assim dominaram vários partes do Mundo, sendo hoje a segunda religião em número de adeptos, inclusive em parte do Continente africano. Mas ao contrário, limita-se a criticar como a fé cristã foi utilizada como dominação dos primeiros indígenas, e depois dos escravos africanos.

Pela *catástrofe metafísica,* as atuais condições coloniais seriam *zonas de guerras perpétuas,* onde a violência seria justificada aos colonizados que por não deterem o conhecimento científico do ocidente, seriam os maus, os bárbaros, os atrasados e que assim mereceriam as condutas violentas por parte do colonizador, do detentor do poder. Defende que essa violência é direcionada às pessoas em razão da raça, do gênero ou da sexualidade, o colonizado seria desprovido de civilidade ou de pensamento iluminado pelas ciências, merecendo toda a sorte de violência até que se torne dócil, adequado, padronizado e não apresente mais qualquer risco ao pensamento colonizador. E ainda ao impor um gênero e uma sexualidade padrão, apenas a relação homem e mulher casados, e sob as bênçãos de Deus seriam adequados, e marginalizadas as demais interações de afeto. Explicada então a masculinidade agressiva e a docilidade feminina, esta como pessoa submissa e temente a Deus, imposto sutilmente, um padrão de normalidade, aceitabilidade e respeitabilidade. Neste sentido: BERNARDINO-COSTA, 2018, p. 120 e MIGNOLO, 1996b. Sugere e alimenta uma contínua luta social, não excluindo a violência contra pessoas, instituições ou patrimônio, supostamente visando valorizar as minorias. No entanto, não haveria assim uma manipulação para fins de poder? Qual o limite dessa violência admitida como luta ideológica? A tese carece de confirmação histórica, pois durante séculos de dominação inglesa, espanhola e portuguesa nas Américas do Norte, Central e do Sul, as tradições e crenças religiosas cristãs trouxeram não só palavras de conforto e alívio às aflições físicas e morais, pela perspectiva divina que se fundam, mas estabilidade nas relações de afeto, previsibilidade nos deveres paternais, segurança jurídica aos do núcleo próximo, pelo direito sucessório, de propriedade e contratual, com a perenidade das sucessivas gerações de americanos, que povoaram todo o continente, buscando fixar suas famílias e para elas trazer-lhes o melhor. Ora, os grupos familiares se mantiveram unidos apenas pelo patriarcado, como um feudo ou uma tribo, ou se baseou também no afeto das relações entre pais e filhos? Como novas uniões se formaram e se perpetuaram aos milhões? Todas violências sexuais? Foi esse vínculo de afeto que hoje torna-se compreensível as relações entre pessoas do mesmo gênero, e não sua imposição como luta política de *decolonialidade*. O aprimoramento do Direito ocidental valorizou a igualdade entre brancos, negros e indígenas, exigindo dos fortes defenderem e protegerem os vulneráveis socialmente.

A Teoria Decolonial se utiliza então de figuras retóricas da linguagem para criar uma ideia de um grupo minoritário a tutelar (mulheres, negros e homossexuais), que seriam historicamente oprimidos por simplesmente assim o serem, e com isso criar uma outra ideia, natural e óbvia, de uma leva de simpatizantes desses oprimidos. Pois quem seria a favor de oprimi-los gratuitamente na atualidade? No entanto, a evolução social decorre da reflexão racional de que todos merecem respeito como humanos, mas não todas as suas práticas, ante a possibilidade de serem expressados pensamentos dissociativos, beligerantes e criminosos. Ao mesmo tempo, pela Teoria Decolonial se embute a ideia de que qualquer pensamento divergente seria encarado como opressor, fascista ou sexista. Desconsidera a liberdade do indivíduo de pensar por si, de ser o autor e o responsável por suas próprias atitudes, bem como marginaliza todos aqueles que por não integrá-los e não pensarem exatamente como propõe seriam automaticamente considerados como seus opressores. A tese da *catástrofe metafísica*, ao contrário do que pretende, alimenta o racismo, a misoginia e a homofobia, em vez de proteger os integrantes desses grupos, porque os isola e os distancia da suposta maioria que deles integra, e só alimenta uma artificial luta social, visando poder. Qual a possibilidade de angariar simpatia para um possível diálogo se poderia esperar de *minorias* que se arvorem detentoras do poder de desfazer toda uma construção histórica social sem ao menos dar ao outro a possibilidade de mudança ou crítica? O direito já não protegeria os excessos criminosos contra esses mesmos grupos? Mais uma vez, detecta-se um argumento dialético para atacar o oponente e não sua ideia.

Já a autora nigeriana Oyèrónkẹ Oyěwùmí, e também amparada nos postulados da Teoria Decolonial, critica o conceito de gênero, porque derivado *majoritariamente das experiências europeias e estadunidenses* (OYĚWÙMÍ, 2020, p. 95 e 96), entendendo-o como uma construção sociocultural, do qual o conceito de mulher não seria universal e a partir do qual critica a *família nuclear ocidental,* pois a mulher seria uma integrante sempre subordinada e submissa a um patriarcado, tendo o homem, marido e filhos, como os poderosos do lar, modelo do qual explica ter surgido o movimento feminista europeu e dos Estados Unidos, os quais ainda buscam manter aquele núcleo, diversamente do por ela proposto, fruto de sua pesquisa a respeito da *família iorubá tradicional* nigeriana, onde os *centros de poder dentro da família são difusos e não especificados pelo gênero*, mas sim pela ancianidade, aos mais velhos deve-se maior respeito do que aos mais novos. No entanto, e sem aprofundar numa análise crítica a respeito de sua proposta, e mantendo o foco em sua perspectiva de decolonialidade, similar à de Maldonado-Torres, observa-se uma confusão de conceitos e miscigenação de ideias sem correlação fática a justificar ou fundamentar a Teoria Decolonial. Qual a relevância acadêmica em desconstruir o conceito biológico do gênero feminino, admitido mundialmente, apenas para fins de luta por direitos das mulheres? Em que medida a existência deste conceito impede tais exercícios? Não seria mais eficiente partir dele e valorizar suas características próprias e inerentes para daí melhorar suas proteções? Desejam as mulheres, em sua maioria, assim serem consideradas? E em não sendo a maioria, seria condizente com uma percepção democrática de participação de todos nos destinos políticos de uma sociedade assim se impor? Há estudos antropológicos e sociais, a nível global, ou ao menos no hemisfério sul, que apontem nesta direção? É razoável minar a existência da *família nuclear ocidental,* como um dos atuais arranjos familiares aceitos, tal como a família monoparental, a família formada por múltiplos integrantes, que se ligam não apenas por laços consanguíneos, mas essencialmente por afinidades, tão somente para supostamente valorizar a Teoria Decolonial? A *família iorubá tradicional* nigeriana poderia ser um modelo desta nova perspectiva teórica a nível mundial, ou apenas dos países do hemisfério sul ou das ex-colônias americanas? Seria aplicável às demais sociedades africanas ou mesmo latinas? E mesmo que a autora assim não almeje, e afirme não ser esta sua intenção, qual seria então a razão de sua crítica à *família nuclear ocidental*? Não se correria o risco de substituir a figura do patriarcado, tão acusado, pelo da ancianidade, tornando agora os mais jovens como as novas minorias? São indagações, contradições e omissões relevantes por ela não exploradas no seu texto, e nem explicadas pelo uso da Teoria Decolonial.

E partindo para a quarta tese de Maldonado-Torres, *efeitos imediatos da modernidade/colonialidade incluem a naturalização do extermínio, expropriação, dominação, exploração, morte prematura e condições que são piores que a morte, tais como a tortura e o estupro* (MALDONADO-TORRES, 2018, p. 47), apresentada como pressuposto de que ainda é necessário em tempos de *colonialismo moderno* a luta pela distribuição de terras e recursos, pois em ambientes de conflitos beligerantes são utilizados diversos modos de violências físicas, como a tortura e o extermínio, para impedir os do campo de acessarem a terra e suas riquezas, os rebaixando às condições do proletariado metropolitano. Aqui, ao explorar conceito abrangente como a *luta por redistribuição de terras e recursos,* não distingue da similar do também europeu Karl Marx, quanto ao fim das relações de poder entre patrão e empregado, tomada dos meios de produção e retorno à vida comunal, sem no entanto esclarecer como se dariam essas distribuições, quais critérios seriam adotados, e o que fazer com os efeitos econômicos dessa expropriação inversa. No entanto deixa de apresentar qual país ou regime político colonizado por europeus utilizaria a *tortura e o estupro* como *ações que ocorrem perma-*

*nentemente,* visando a dominação social, política, ideológica ou econômica, ou ainda a normalização *do extermínio, expropriação, dominação, exploração e morte prematura.*

E na sequência, propõe como quinta tese, a *colonialidade envolve uma transformação radical do saber, do ser e do poder, levando à colonialidade do saber, à colonialidade do ser e à colonialidade do poder* (MALDONADO-TORRES, 2018, p. 48), por ser necessário se observem as várias e múltiplas visões de mundo a respeito do exercício do *poder* econômico e político (estrutura, cultura e sujeito), dos conceitos de *ser* quanto a autopercepção de seu mundo (tempo, espaço e subjetividade), e do *saber* (sujeito, objeto e método), pois seriam esses os três aspectos que irão moldar a identidade e a subjetividade da pessoa no contexto do *colonialismo moderno.* A formação da subjetividade seria então o resultado da relação entre esses três aspectos mais gerais. E sustentado na Teoria de *Sociogênese* de Fanon, apresenta o indivíduo não apenas como produto, mas também como gerador da estrutura social e cultural no qual está inserido, objeto a ser dominado e controlado pela colonialidade do poder, do ser e do saber. Pela *colonialidade do ser* imporia uma visão lógica colonial nas concepções de tempo e espaço, alterando sua percepção de si e do ambiente onde vive. A *colonialidade do saber* e a *colonialidade do poder* estariam unidas pelo sujeito *damné* ou condenado, que não poderia produzir um saber reconhecido pelos colonizadores, e nem teriam condições de exercer as estruturas de poder, por haver uma intuitiva rejeição até pelos demais condenados de assim se verem representados, *um mundo cindido em dois* (FANON, 2002b, p. 41). Tudo visando mantê-los em seus lugares, fixos, como se estivessem no inferno. Apesar das premissas de uma valorização do ser, do saber e do exercício do poder político e econômico, a proposta não valoriza a autonomia da vontade dos indivíduos e nem suas liberdades de pensarem por si, pois os considera sempre integrantes de um coletivo minoritário de condenados, do qual só de lá saem por força do pensamento uniforme como vítimas históricas, numa atitude passiva e não proativa. Não apresenta exatamente em que consiste o impedimento à formação do conhecimento pelos condenados, ou por quais razões não haveriam um auto reconhecimento das lideranças nascidas internamente dentre eles, sobretudo em países democráticos como o Brasil. Centra-se na perspectiva de que um grupo de fora, os teóricos do saber, deteriam exatamente o conhecimento de como os condenados deveriam ser e exercer o poder político e econômico, afeiçoando-se um silogismo de palavras e apenas mudanças dos donos desse poder.

Já as propostas de teses sexta, sétima, oitava e nona, que tratam do giro decolonial, poderiam ser tratadas como uma só, pois envolvem premissas e propostas semelhantes, no entanto como o autor optou por individualizá-las serão aqui assim também tratadas. A sexta tese, *a decolonialidade está enraizada em um giro decolonial ou em um afastar-se da modernidade/colonialidade* (MALDONADO-TORRES, 2018, p. 51), parte da quinta tese de que o condenado é resultado da colonialidade do saber, do poder e do ser, ainda distancia-se de tudo o que possa os unir ou de tudo o que possa dar-lhes identidade, propondo uma necessária formação de uma *atitude decolonial* para um engajamento crítico à *catástrofe metafísica*, criando um giro decolonial do ser, do saber e do poder, mediante atitudes nas artes, no pensamento, e na luta ativista para pôr fim ao projeto colonial. Retoma a obra de Fanon, agora em *Pele negra, máscaras brancas,* pela qual se propõe uma análise crítica das atitudes da colonialidade e um modo de entender o drama do rompimento de atitude antinegra da *colonialidade moderna,* inclusive praticadas por negros. Aqui, apesar de o autor não apresentar propostas concretas com soluções gerais que englobem todos os que de qualquer forma estejam em situações de vulnerabilidade social ou econômica, independentemente de sua origem de raça, é sem dúvida necessário reconhecer a valorização do pensamento do indivíduo, sua expressão artística, bem como sua participação política, sempre se respeitando a autonomia individual do pensar diferente. A sétima tese, *decolonialidade envolve um giro epistêmico decolonial, por meio do qual o condenado emerge como questionador, pensador, teórico e escritor/comunicador,* ainda da obra de Fanon, critica indivíduos negros que se manteriam em posições de submissão à colonialidade moderna, sugere uma conduta ativa de escrever e se comprometer com a decolonialidade. No entanto, não deixa claro qual a conduta dos adeptos dessa Teoria Decolonial quando indivíduos negros assim não se comportem. Haveria respeito à autonomia individual e ao modo de perceber sua existência, seu aprendizado e como exercitaria seu poder político e econômico, ou seria desconsiderado como *condenado* a tutelar? Não identificando o *condenado* relevância nesta teoria ou mesmo não sentindo em si toda a carga histórica de um passado de escravidão e torturas, como se daria o respeito a essa sua individualidade? As criações artísticas são objeto da oitava tese, *decolonialidade envolve um giro decolonial estético (e frequentemente espiritual) por meio do qual o condenado surge como criador* (MALDONADO-TORRES, 2018, p. 55), como modo de continuamente questionar o processo decolonial, por meio da autorreflexão, dos modos diferentes de conceber o tempo, o espaço, sua subjetividade e sua comunidade, como expressões de uma estética decolonial que interliga seus membros. E apesar de apresentar como uma tese autônoma, na verdade desdobra a anterior, o que fazer com os que assim não desejem assim se expressarem? O pressuposto da nona tese, *a decolonialidade envolve um giro decolonial ativista por meio do qual o condenado emerge como um agente de mudança social* é que tanto o pensamento e a criatividade, como a espiritualidade por si só não mudam o mundo, sendo necessário efetivamente descolonizar o poder, o saber e o ser, pelo próprio sujeito condenado, e não tão somente pela luta de acadêmicos, teóricos e artistas simpatizantes. Necessário que o condenado seja um agente de mudança por si, que tome as rédeas de seu processo de colonização, que o ativismo seja através dele e não para ele.

Por fim, a décima e última tese, *a decolonialidade é um projeto coletivo* apresenta-se não harmônica com a nona, pois enquanto aquela valoriza uma atitude do indivíduo em ser um agente da mudança social onde vive, o que é de todos esperado, independentemente de sua raça, esta última pressupõe a impossibilidade do condenado sozinho ser um agente questionador, um orador, um escritor ou um sujeito criativo, pois a *ordem moderna/colonial* o descartaria de imediato como uma anomalia, rejeitando-o, minimizando suas propostas, humilhando-o, e matando-o, restando portanto senão como alternativa a *renúncia aos sistemas de valores* próprios, sendo necessário que todos os que assim se sintam estendam as mãos. No entanto, ao assim propor retira do *condenado* o senso crítico de autonomia e de responsabilidade pelas escolhas e consequências de suas ações, tornando-o apenas mais um numa massa coletiva nas mãos de novos detentores de poder, agora não mais de poder político e econômico pelo autor tão criticado, mas limitado em seu ser, poder, saber e ser, inclusive no aspecto artístico, religioso, acadêmico, filosófico, onde até mesmo a expressão do pensamento dissonante desse arcabouço teórico importaria em segregação e desamparo. Esta última tese utiliza-se da retórica para propor uma ideia subliminar de um grupo minoritário contra um majoritário, semelhante a já tratada luta de classes, onde se valoriza quem aparenta defender um oprimido, sem qualquer possibilidade de questionamentos das ações individuais, do mérito, do esforço individual, e nem o respeito à autonomia privada e a liberdade individual, pois o que importa é usar da força dessa minoria para alcançar o poder.

## CONSIDERAÇÕES FINAIS

Em síntese, apesar de a Teoria Decolonial almejar ser uma nova perspectiva ao negro ex colono e ex escravo, numa perspectiva de que ainda sofreria um processo histórico de dominação e cancelamento de suas ideias, a proposta vai no mesmo do sentido do que critica, um modo disfarçado de uso de todos os povos escravizados nas ex colônias, para se transformarem agora numa gigantesca massa humana à disposição dos teóricos do saber decolonial, que lhes indicariam o caminho da libertação, sem o qual continuariam condenados e desgraçados eternamente, sem possibilidade de por si encontrarem outras opções. A proposta falha também na abordagem da origem histórica, porque ao contrário do que propõe, o tráfico de negros não visava suas dominações física ou políticas, mas essencialmente como parte integrante de um grande contexto histórico econômico mundial, pós mercantilismo, que visava lucro na venda dessas pessoas. Distorce as relevantes contribuições das ciências sociais, econômicas, filosóficas e jurídicas decorrentes dos *europeus iluministas*, porque não as refuta e nem apresenta melhores propostas, ao contrário, tenta apenas destruir conceitos historicamente aceitos, como o Direito e as relações sociais como família e religião, para supostamente valorizar contribuições de ex colonos do hemisfério sul, elevando artificialmente distinções de raça, gênero, classe e sexualidade como pautas políticas tuteladas, e das quais erigiriam grupo de pessoas minoritárias, merecedoras de uma tutela especial, mesmo que assim não se sintam oprimidas, pois esta seria presumida pelo passado histórico, a merecer um olhar especial.

Observa-se forte crítica da Teoria Decolonial quanto as contribuições da religião cristã, por ser essencialmente europeia e integrar a fé dos colonizadores, além de crítica a *família nuclear ocidental* na vida dos ex colonos negros, tendo o papel de desvirtuar e desconsiderar o modo como os ex colonos entendiam sua fé e suas práticas, visando aprisioná-los, agora mentalmente, numa plêiade de regras artificiais de condutas que não representariam suas intenções. Já a crítica à família nuclear ocidental estaria centrada na figura machista e patriarcal, também opressora, do homem que domina a mulher e lhe retira a autonomia. No entanto, ao assim propor desconsidera os dois aspectos mais relevantes da fé cristã e da moral familiar, construções base de uma identidade humana, as quais estiveram presentes não só nas sociedades colonizadoras, como nas colonizadas.

Já o uso da Teoria Decolonial para demonstrar um racismo atual retira daquele que é assim acusado qualquer capacidade de defesa, pois nada o que faça ou demonstre em sentido oposto será suficiente para lhe retirar essa pecha, alimentando artificialmente um revanchismo histórico e um ódio entre integrantes de uma mesma sociedade, mesmo quando assim não se sentem, sem qualquer possibilidade de progresso ou melhoria. Neste ponto observa-se que os conceitos de raça, gênero e sexualidade são utilizados para separar, em vez de unir, ao menos em torno de certos aspectos não conflituosos das relações sociais. É que embora haja grandes distinções sociais, seja no aspecto econômico, grandes concentrações de rendas e riquezas nas mãos de poucos e a dificuldade de sua fluidez aos demais integrantes, sejam nos aspectos dos interesses individuais, como significados de identidades próprias quanto à origem étnica, racial, ou de comportamento, o que poderia advir desta Teoria, sem grandes dificuldades de aceitação, seriam pontos de convergências, de interseções, e não um focar nos extremos dessas relações, em razão da insegurança que se gera mudar posições antes assumidas ou normalizadas. Poderia ser explorado pela Teoria Decolonial, presente na construção do pensamento iluminista europeu, conceitos como liberdade de pensamento e expressão, e igualdade em condições semelhantes, aproximando com isso pensadores, teóricos, artistas e julgadores a pautas comuns, e minimizando com o tempo os pontos de alta divergência.

Por fim, a Teoria Decolonial não deixa claro o que fazer com os seres autônomos, aqueles que não se sentem condenados ou marginalizados, que almejam liberdade e independência científica, econômica, social, religiosa ou de família para si ou para os seus, de não fazerem parte de coletivos minoritários. E apesar de sugerir valorizar autores do *Atlântico Negro* não cita a contribuição de William Arthur Lewis, Prêmio Nobel de Economia em 1979 e agraciado em 1963 com o título de Cavaleiro de Sua Majestade do Reino Unido inglês, por sua contribuição na análise econômica de países em desenvolvimento (RANIS, 2004), embora fosse ele também um negro pobre nascido no Caribe em 1915, filho de imigrantes africanos e estudando com bolsa na Escola de Economia e Ciência Política de Londres. Também desconsidera as inúmeras contribuições acadêmicas, científicas, teóricas, políticas, religiosas e econômicas dos europeus iluministas que protegem aqueles mesmos condenados, dando-lhes fundamentos para lutarem por si com ferramentas do Direito e da moral, sem necessidade de abandoná-las ou reconstruir a humanidade inteira a partir dos teóricos do *Atlântico Negro,* os quais podem ser apenas os novos dominadores, dos quais sequer se poderá questioná-los.

## REFERÊNCIAS

BERNARDINO-COSTA, Joaze. Decolonialidade, Atlântico Negro e intelectuais negros brasileiros: em busca de um diálogo horizontal. *In* **Revista Sociedade e Estado** – Volume 33, Número 1, Janeiro/Abril 2018. p. 119-137.

BERNARDINO-COSTA, Joaze e GROSFOGUEL, Ramón. Decolonialidade e perspectiva negra. *In* **Revista Sociedade e Estado** – Volume 31 Número 1 Janeiro/Abril 2016.

FANON, Frantz. **Pele negra, máscaras brancas**. Tradução de Renato da Silveira. Salvador: EDUFBA, 2008.

_____. *Les damnés de la terre.* Préface de Jean-Paul Sartre (1961). Préface de Alice Cherki et postface de Mohammed Harbi (2002). Paris: Éditions La Découverte & Syros, 2002

MALDONADO-TORRES, Nelson. Analítica da colonialidade e da decolonialidade: algumas dimensões básicas. *In* **Decolonialidade e pensamento afro-diaspórico**. Organizadores: Joaze Bernardino-Costa, Nelson Maldonado-Torres, Ramón Grosfoguel. Belo Horizonte: Autêntica Editora, 2018. (Coleção Cultura Negra e Identidades).

MIGNOLO, Walter. *COLONIALIDADE: O lado mais escuro da modernidade.* Tradução de Marco Oliveira. *In* **Revista Brasileira de Ciências Sociais** - Vol. 32 n. 94, junho/2017: e329402. p. 1-17.

_____.. *Herencias coloniales y teorías postcoloniales.* Biblioteca Virtual de Ciencias Sociales Disponível em https://eva.fcs.edu.uy/pluginfile.php/116721/mod_resource/content/0/Mod7%20obligatorio1%20Mignolo1996%20Herencias%20coloniales%20y%20teor%C3%ADas%20poscoloniales.pdf, acesso em 16.07.2021.

OLIVEIRA, Lucas Amaral. Desafios para uma sociologia pós-colonial. *In* **Revista Sociedade e Estado** – Volume 35, Número 3, Setembro/Dezembro 2020, ps. 983-990.

OYĚWÙMÍ, Oyèrónkẹ. Conceituando o gênero: os fundamentos eurocêntricos dos conceitos feministas e o desafio das epistemologias africanas. *In* **Pensamento feminista hoje: perspectivas decoloniais**. Organizadora Heloísa Buarque de Holanda. Rio de Janeiro: Bazar do Tempo, 2020.

QUIJANO, Aníbal. Colonialidade do Poder e Classificação Social. *In* **Epistemologias do Sul**. Org. Boaventura de Sousa Santos e Maria Paula Meneses. Coimbra: 2009, p. 73-117.

RANIS, Gustav. *Arthur Lewis' contribution to development thinking and policy.* Economic Growth Center Yale University. Center Discussion Paper n. 891 August 2004.

SMITH, Adam. **A riqueza das nações.** Vol. II. Tradução de Alexandre Amaral Rodrigues e Eunice Ostrensky. São Paulo: Editora WMF Martins Fontes, 2016.

ZUBERI, Tukufu. Teoria Crítica da Raça e da sociedade nos Estados Unidos. *In Cadernos* do CEAS. Tradução de Fabiana Pires Rodrigues de Sousa, Gianmarco Ferreira e Marcos Lustosa Queiroz. Salvador, n. 238, p. 464-487, 2016.

# FORMAÇÃO DOCENTE NAS FACULDADES DE DIREITO COMO FERRAMENTA DE INCLUSÃO DAS PESSOAS COM TRANSTORNO DO DÉFICIT DE ATENÇÃO E HIPERATIVIDADE (TDAH)

Fernanda Araújo Domingues
http://lattes.cnpq.br/9991165191754944

**RESUMO:** O presente estudo tem como fundamento principal, a análise das dificuldades enfrentadas pelos alunos que possuem o Transtorno do Déficit de Atenção e Hiperatividade (TDAH) voltado para a realidade das Faculdades de Direito, de modo a explorar como a formação docente nas universidades pode servir como ferramenta de inclusão das pessoas que possuem o TDAH. Sendo assim, o principal objetivo desse estudo é indicar as características e os sintomas mais expressivos do transtorno, explorando seus principais desafios no ambiente escolar e no ensino superior, a partir de uma perspectiva inclusiva dentro das universidades, no qual a atuação dos professores é fundamental para assegurar o aprendizado dos discentes que possuem o TDAH, se tornando imprescindível que as Faculdades de Direito proporcionem a formação de seus docentes como mecanismo de inclusão, a partir de uma indispensável análise da formação dos professores, que deve visar uma educação jurídica inclusiva, que busque conciliar o princípio da igualdade com o direito à diferença no curso de Direito, a fim de garantir a todos um tratamento igualitário na medida de suas desigualdades. Nesse viés, adotou-se como metodologia o método dedutivo, que foi fundamentado em uma fonte de pesquisa ordenada, composta por estudos bibliográficos, doutrinas e artigos científicos, explorados como objeto de informação, com o propósito de aprofundar o conhecimento sobre o TDAH, baseando-se em uma concepção inclusiva dentro das Faculdades de Direito. Dessa forma, deve ser levada em consideração a falta de conhecimento sobre o transtorno, que resulta de uma falha na formação dos docentes, que não são preparados para lidarem com os alunos que possuem TDAH, que são constantemente rotulados como pessoas inquietas, problemáticas, e com baixo QI, devido à falta de informação, já que os estudos demonstram de forma contraditória ao que muitos acreditam que tais discentes são altamente capazes e inteligentes. Todavia, é imprescindível uma preparação da faculdade e dos professores, pois quando instruídos com o devido cuidado, esses alunos podem surpreender a todos com o constante desenvolvimento, inteligência e habilidade.

**PALAVRAS-CHAVE:** TDAH; Ensino Superior; Inclusão; Docente.


## LISTA DE ABREVIATURAS E SIGLAS

ABDA – Associação Brasileira do Déficit de Atenção
DDA – Distúrbio de Déficit de Atenção
LDB – Lei de Diretrizes e Bases da Educação
OMS – Organização Mundial da Saúde
TDAH – Transtorno do Déficit de Atenção e Hiperatividade
TDA – Transtorno do Déficit de Atenção


## INTRODUÇÃO

No passado, as pessoas que possuíam algum tipo de transtorno ou deficiência, eram excluídas da sociedade, pois acreditavam que esses indivíduos eram ineficientes, e incapazes de conviver em harmonia em um ambiente com pessoas "normais". Sendo assim, por muito tempo considerou ser necessário e eficaz a segregação desses cidadãos, pois acreditava que essas pessoas ao se relacionarem somente com pessoas com os mesmos problemas, estariam seguras e protegidas para se desenvolverem, já que esses indivíduos com transtornos eram compreendidos por não possuírem a mesma capacidade intelectual que as outras pessoas.

Todavia, a perspectiva sobre essas pessoas foram mudando ao longo do tempo, pois através dos avanços tecnológicos advindos da Revolução Industrial, houve a possibilidade de aprimorar as pesquisas, fazendo com que o estudo sobre as psicopatologias (Transtornos de Desenvolvimento) se aprimorassem, ampliando o conhecimento das pessoas. Por conseguinte, a sociedade passou a compreender que devido à herança histórica, muitas pessoas com transtornos de desenvolvimento foram duramente injustiçadas e segregadas de forma equivocada, bem como especifica o documento:

> Os indivíduos com deficiências, vistos como "doentes" e incapazes, sempre estiveram em situação de maior desvantagem, ocupando, no imaginário coletivo, a posição de alvos da caridade popular e da assistência social, e não de sujeitos de direitos sociais, entre os quais se inclui o direito à educação. Ainda hoje, constata-se a dificuldade de aceitação do diferente no seio familiar e social, principalmente do portador de deficiências múltiplas e graves, que na escolarização apresenta dificuldades acentuadas de aprendizagem. (BRASIL, 2004, p. 322).

A partir da nova compreensão sobre as pessoas com deficiências e transtornos, no Brasil existiu a necessidade de reparar o equívoco cometido por tanto tempo, o que levou o surgimento de uma nova legislação, que tinha a intenção de reparar tal erro. Sendo assim, através da promulgação da Constituição de 1988, foram garantidos no Art. 5º e seus incisos, os direitos e garantias fundamentais de todo o cidadão, sendo esse um princípio norteador para se alcançar a inclusão dentro da sociedade, a partir de uma igualdade de direitos individuais e coletivos, que garantem também o direito a uma educação de qualidade (BRASIL, 1988).

Sobretudo, a mudança da legislação tinha a intenção de mudar a realidade dessas pessoas, principalmente no âmbito escolar. No entanto, as mudanças de paradigma no contexto social, não mudam apenas com mudanças legislativas, pois a forma de pensar das pessoas é enraizada, pois são instruídas desde novas com um mesmo pensamento, se tornando difícil a mudança de mentalidade, o que leva tempo, tendo em vista que as novas gerações é que serão instruídas a essa nova realidade inclusiva.

Sendo assim, as pessoas com deficiência e transtornos globais de desenvolvimento até hoje encontram dificuldades para se adequarem ao ambiente escolar, sobretudo dentro do ensino superior, visto que há um vasto despreparo das instituições para lidarem com os discentes que necessitam de uma educação especial inclusiva. Posto isso, iremos focar a análise para os indivíduos que possuem o Transtorno do Déficit de Atenção e Hiperatividade, tendo em vista que tal transtorno é o que mais interfere na vida dos estudantes, acometendo de 3 a 5% de meninos e meninas em todo o mundo (ABDA, 2019).

Dessa forma, os estudantes que possuem TDAH constantemente são expostos a uma alteração de atenção, impulsividade e hiperatividade física e mental, que afetam o seu aprendizado. Tal realidade na maior parte das vezes acompanha o discente desde a infância, devido à falta de preparo dos professores e falta de informação dos pais, que acabam por negligenciar o transtorno, fazendo com que essa criança não receba os cuidados adequados, o que pode ampliar suas dificuldades quando adultos, já que os desafios enfrentados sem o devido apoio acabam por gerar inseguranças nesses alunos, que constantemente são apontados como os mais burros, inconvenientes, e bagunceiros da sala de aula, sendo o alvo de reclamação dos professores e pais de alunos.

Concomitantemente, muitos alunos que possuem TDAH ao ingressarem no ensino superior, se encontram desamparados, tendo em vista que a maior parte das faculdades e dos professores se encontram despreparados para receberem esses alunos, que necessitam de uma demanda maior de atenção e cuidado para aprenderem a matéria repassada dentro da sala de aula. Tal situação é ampliada se levarmos em consideração as Faculdades de Direito, pois as matérias visualizadas pelos alunos durante o curso são extremamente técnicas e formais, o que aumenta a improdutividade dos docentes que possuem TDAH, visto que a maior parte dos professores são terminantemente pragmáticos ao repassarem a matéria, não possuindo o hábito de dinamizar a aula, o que faz o ensino ser pouco eficiente, já que o método expositivo tende a afastar o professor do aluno, fazendo com que o aluno que possui TDAH não tenha abertura para ser incluído dentro da sala de aula.

Assim, é possível destacar que atualmente nas faculdades de direito, existe uma escassez de metodologia inclusiva, havendo a necessidade de atuação dos professores como forma de inclusão do aluno com TDAH, cabendo às faculdades a responsabilidade de instruir não só o corpo docente, mas também os funcionários, para que dessa forma aprimorem seus conhecimentos sobre o TDAH, a fim de garantir uma maior estrutura para os alunos que possuem o transtorno a ponto de revolucionar o aprendizado deles, que durante a caminhada estudantil perpassam por diversos desafios na hora de aprender.

Contudo, para que isso ocorra, e a educação jurídica se torne inclusiva, é preciso que a faculdade e o corpo docente trabalhem de forma unida, pois não adianta que apenas um se esforce para apoiar os discentes que possuem TDAH. Torna-se necessário então que as faculdades se preparem para receberem esses alunos, se tornando acessível para que eles possam realizar as provas em locais separados, longe de movimentação e barulho externo, além de promover palestras e debates a seus funcionários, que precisam estar capacitados para lidar com os docentes que possuem o transtorno, pois tais medidas inclusivas se encontram em falta dentro das Faculdades, o que diminui as chances de inclusão.

Além disso, é necessário que o professor possua uma qualificação adequada, e entenda que dar aula é mais que apenas apresentar a matéria, é preciso que ele esteja preparado para lidar com as dificuldades do seu aluno e estar apto a remanejar as estratégias de ensino. No entanto, isso só é possível se houver uma adequada formação de professores, o que tem deixado de acontecer, pois durante a graduação, a maior parte dos alunos não são preparados para lidarem com a sociedade em que vivem, muito menos com a realidade que enfrentarão ao entrarem no mercado de trabalho, o que dificulta a vida dos professores, que ao ingressarem na instituição de ensino para lecionar, são desafiados a realidades nunca vista e nem vivenciada antes, fazendo com que encontrem-se desqualificados para atender os alunos que possuem TDAH.

Nessa perspectiva, é importante que o professor receba uma formação eficaz durante a graduação, para que saiba avaliar a realidade vivenciada por cada aluno dentro da sala de aula, e assim saiba conciliar o princípio da igualdade e da diferença, a ponto de garantir que as faculdades e os professores sejam uma ferramenta que garanta a inclusão das pessoas com TDAH.

## 1.  O TDAH: CARACTERÍSTICAS E SINTOMAS MAIS EXPRESSIVOS

A sociedade atual, devido aos avanços tecnológicos, advindos da revolução industrial do século XVIII e XIX, tem vivido em um ritmo extremamente acelerado, onde os jovens são incentivados desde novos a alcançarem uma profissão promissora, que ofereça uma carreira estável, cheia de conquistas e sucesso.

Contudo, essa mudança cultural, o estilo de vida, e o grande bombardeio de informação, tem feito com que os jovens mergulhem em uma espécie de ciclo vicioso, onde não possuem tempo para realizar atividades prazerosas, ficando reféns do tempo e dos estudos, o que desencadeia uma série de sintomas expressivos de psicopatologias (Transtornos mentais), que tem afetado cada vez mais os jovens. Nesse contexto, Diniz Neto Sena (apud LOPES), aborda que:

> O TDAH é uma das síndromes psiquiátricas mais comuns, sendo encontrada em estudos epidemiológicos uma predominância de, aproximadamente, 3 a 7% na população. Assim, em uma sala de aula com 30 alunos, encontra-se, em média, um ou dois alunos com necessidades especiais. O número de pessoas com TDAH está distribuído de igual maneira nas classes sociais e econômicas [...]. (SENA – apud LOPES –, 2011, p. 17)

Dado esse contexto, há de se afirmar que uma das psicopatologias que mais tem se manifestado nas pessoas atualmente é o TDAH (Transtorno do Déficit de Atenção e Hiperatividade), tendo em vista as questões genéticas e também o ritmo de vida acelerado que as pessoas se encontram na sociedade atual. No entanto, muitas das pessoas que sofrem dos sintomas mais característicos, não tratam de forma adequada o problema que possuem, ou simplesmente o negligenciam.

Tais circunstâncias são muito recorrentes, uma vez que na sociedade atual, há um estigma muito grande em torno das pessoas que usam medicações por haver algum tipo de problema. Além de haver um preconceito com os especialistas que cuidam da medicação desses pacientes, sendo eles os Psiquiatras, pois muitos acham que procurar ajuda desses profissionais, ou levar seus filhos e parentes para serem tratados, é como rotulá-los de loucos.

Sendo assim, é importante que se fale sobre o Transtorno do Déficit de Atenção e Hiperatividade, para que as pessoas possam cada vez mais, ter conhecimento, podendo assim ajudar a incluir as pessoas que sofrem do transtorno, ao invés de criar rótulos, que em sua maioria, não são realistas quanto às dificuldades enfrentadas pelos portadores do transtorno, que inclusive já é reconhecido pela OMS (Organização Mundial da Saúde), de acordo com a Associação brasileira do Déficit de Atenção (ABDA, 2019).

Logo, é preciso salientar que o TDAH é considerado um transtorno devido à alteração que é causada no cérebro, de modo que a área psíquica do indivíduo em situações atípicas e incomuns é tomada por uma ansiedade e falta de concentração extrema, causada por mudanças na região frontal e nas conexões com o resto do cérebro, que são os responsáveis pela atenção, controle e ordenação (ZENKLUB, 2018).

Dessa forma, é importante ressaltar que o TDAH é um transtorno neurobiológico, sendo o cérebro o centro de alteração, que dá origem às ações de uma criança e um adulto que possui o TDAH. Ademais, Paulo Mattos (2015, p.84-85) observa que as substâncias químicas produzidas pelos neurônios no cérebro, através dos neurotransmissores, sobretudo a dopamina, a noradrenalina e a serotonina, capazes de transmitir informações entre as células, são afetados. Assim, é originada uma anomalia sobre o sistema funcional que processa informações e norteiam comportamentos, dando origem à diminuição no desempenho das células, capazes de transmitirem as informações, atingindo as funções executivas da pessoa, sendo esse processamento cerebral, a origem do Transtorno do Déficit de Atenção e Hiperatividade. Concomitante a esse entendimento, a Associação Brasileira do Déficit de Atenção (ABDA) define o TDAH como:

> [...] um transtorno neurobiológico, de causas genéticas, que aparece na infância e freqüentemente acompanha o indivíduo por toda a sua vida. Ele se caracteriza por sintomas de desatenção, inquietude e impulsividade [...]. (ABDA, 2019)

Posto isso, é importante salientar que o TDAH não é considerado deficiência, mas sim uma disfunção neurobiológica. Portanto, deficiência segundo o Decreto 3.298/99, é classificada como:

> Toda perda ou anomalia de uma estrutura ou função psicológica, fisiológica ou anatômica que gere **incapacidade para o desempenho de atividade**, dentro do padrão considerado normal para o ser humano. (BRASIL, 1999 – grifo nosso)

Sendo assim, segundo a Associação Brasileira de TDAH (2019), as pessoas que possuem tal transtorno são disfuncionais, pois possuem dificuldades de realizar algumas atividades, porém não são incapazes de realizá-las, como é o caso das deficiências que incapacitam a pessoa de praticar algumas tarefas. (ABDA, 2019)

Nesse sentido, a pessoa que possui o TDAH, pode apresentar diferentes quadros comportamentais, podendo variar desde os mais brandos, aos mais graves, sendo essas alterações capazes de atingir em maior ou menor intensidade, a vida social do cidadão. Sobretudo, Ana Beatriz Barbosa Silva (2010, p. 13) especifica que algumas das condutas, chamadas de trio de base alterada, são as características principais que norteiam a vida do cidadão que possui os sintomas do TDAH. Sendo elas, a alteração da atenção, da impulsividade e a hiperatividade física e mental, que são indicativos que perpassam por muitos vieses, englobando elas, muitas da característica do universo do transtorno.

Assim sendo, Ana Beatriz Barbosa Silva (2010, p. 13-14) observa que a alteração da atenção, é a manifestação mais característica do transtorno, sendo definido como o sintoma que vai estar presente durante toda a vida do indivíduo, cabendo a cada um se adequar a sua realidade da melhor forma possível. Uma vez que a pessoa desatenta, é aquela que não consegue se manter concentrada diante das atividades diárias, podendo a falta de atenção ser relativa, se manifestando somente em algumas ocasiões, principalmente aquelas que demandam maior atenção, e que costumam ser as consideradas mais chatas, como em atividades na escola, e no trabalho.

De modo que, em atividades prazerosas e de grande interesse para o indivíduo, como navegar no celular, ele pode demonstrar ter um grande foco, que não permanece igual, nas demais atividades. O que é objeto de grande ausência de entendimento das pessoas à sua volta, que levam a falta de atenção como uma escolha do indivíduo, ocasionando julgamentos que podem gerar sofrimentos, tendo em vista que o adulto ou a criança, não possui nenhum controle sobre sua concentração, sendo julgados diante da falta de entendimento, ou de rótulos das pessoas. Sendo assim, Mayara Albuquerque Caetano afirma que:

> A escola, os professores e a família precisam estar preparados para compreender as crianças, pois a sociedade atual não é igual à da época de nossos pais. Os jogos de computadores são mais eletrizantes e os desenhos animados bem mais elaborados e agitados. As crianças com TDAH precisam apenas ser compreendidas antes mesmo de serem criticadas. (CAETANO, 2012, p. 18)

Por outro lado, ter que conviver com a desatenção, desencadeia outros problemas, pois não ter controle sobre os seus próprios pensamentos, faz com que a pessoa demande mais tempo para realizar as suas atividades. Assim, ocasiona uma falta de organização, já que a pessoa não tem como estimar quanto tempo levará para fazer suas tarefas, embora se esforce ao máximo para realizar, acaba por muitas vezes atropelando os prazos, e se tornando uma pessoa desorganizada, por não adequar os horários.

Tais fatores são plenamente visualizados pelo cidadão diagnosticado com TDAH. Contudo, não possui controle sobre suas dispersões, que geram além dos problemas já citados, uma grande insatisfação, e cobrança própria, de modo que é comum a pessoa se subestimar, achando que nada do que faz ou realiza é bom o suficiente, se comparado a pessoas que não possuem nenhum tipo de distração, podendo desencadear com o passar dos anos, baixa autoestima, insegurança, estresse e ansiedade, gatilhos que são muito presentes em indivíduos diagnosticados.

Já a Impulsividade, é um fator que abrange todas as emoções, impactando todo o contexto do indivíduo, de forma que suas ações são tomadas por impulsos, que fazem com que a pessoa aja sem pensar. Tal modo de agir é coordenado por um misto de emoções, que fazem o portador de TDAH ter grandes variações de humor, podendo ter as mais diversas reações diante de uma situação em que seja necessário tomar uma atitude, assim como evidencia Ana Beatriz Barbosa Silva:

> Pequenas coisas são capazes de lhe despertar grandes emoções, e a força dessas emoções gera o combustível aditivado de suas ações. A mente de um TDA funciona como um receptor de alta sensibilidade que, ao captar um pequeno sinal, reage automaticamente sem avaliar as características do objeto gerador do estímulo. (SILVA, 2010, p.17)

Nesse contexto, um grande fator ligado à impulsividade, é o exagero. No qual, a pessoa tomando atitudes de maneira impensada, pode gerar conflitos no meio social, já que suas decisões são realizadas de forma precipitada, sem serem levadas em conta as necessidades da situação, ou o que vai ser atingido. Não sendo possível, portanto, definir a melhor forma de resolução, pois suas atitudes são coordenadas por emoções intensas, fazendo com que não analise as consequências de seus atos.

Sobretudo, a pessoa impulsiva, após de já realizadas suas ações, costuma refletir sobre elas, e na maioria das vezes chegam à conclusão que poderiam ter tomado atitudes diferentes. Dessa forma, agir de forma impensada por causa da ansiedade, amplia maiores sensações, já que ao repensarem suas atitudes, a pessoa é tomada por uma série de sentimentos, como a culpa e a angústia.

Assim, Ana Beatriz Barbosa Silva (2010, p. 18) destaca que um TDAH pode chegar a desenvolver gatilhos que servem como uma forma de liberar a ansiedade, havendo maior probabilidade dos portadores de TDAH terem vícios, em jogos, em comidas, em drogas, entre outros, impactando de forma negativa na vida desses cidadãos, por terem que lidar com uma série de problemas que desencadeiam outros, difíceis de serem controlados ou entendidos.

Sob o mesmo ponto de vista, Ana Beatriz Barbosa Silva (2010, p. 19) considera que a terceira característica que um TDAH poderá ter é a Hiperatividade, que pode ser tanto física, quanto mental, podendo também abranger ambas. A hiperatividade física é definida por uma grande agitação ou inquietação, que é mais difícil de ser controlada na fase infantil, pois além de não ter muita percepção do perigo ou das consequências dos seus movimentos, é comum que o menor se coloque em situações perigosas, ou inconvenientes, sem mesmo perceber, simplesmente pelo fato de possuir muita disposição, o que amplia ainda mais sua agitação.

Portanto, essa agitação extrema acaba causando desconforto nos adultos responsáveis, pois não sabem como "desligar" o pequeno, que está sempre à procura de novidades, com um pique que nunca acaba. Por outro lado, a autora Ana Beatriz (2010, p. 19) destaca que o adulto hiperativo, já consegue ter maior noção de espaço e perigo, entretanto sua agitação se desencadeia de outras formas, fazendo com que esse adulto possua uma agitação diferente. Ao passo que, a hiperatividade interfere na sua ansiedade para resolver suas questões diárias, na sua inquietação nos ambientes, principalmente os mais formais, e também na forma de falar, que geralmente é rápida e descontrolada.

Além do fato de não conseguirem permanecer quietos, há também a Hiperatividade Mental, que se dá através de uma ansiedade psíquica, ou seja, tanto a criança ou o adulto TDAH, possuem um modo de pensar extremamente acelerado, o que faz com que se dispersem mais rapidamente, pois seus pensamentos variam muito, podendo ir de um ponto até o outro, totalmente diferente, em questão de segundos. Sendo assim, essa condição psíquica pode interferir até mesmo no seu sono, pois por terem uma mente muito agitada, é difícil que os seus excessos de pensamentos cessem, sendo comum a insônia, essencialmente quando algo muito esperado está para acontecer.

Tendo em vista a hiperatividade física e mental, é imprescindível ressaltar que nem todo TDAH terá a característica da hiperatividade, podendo ter somente o chamado TDA (Transtorno do Déficit de Atenção) ou DDA (Distúrbio de Déficit de Atenção), sendo essas expressões usada para quem não possui a hiperatividade. De modo que, pode se manifestar de forma intensa, mediana, ou mesmo se exteriorizar somente na forma física ou mental. Cabendo ao médico responsável fazer o diagnóstico completo, já que cada organismo se manifesta de forma diferente ao TDA/TDAH.

Dessa forma, ante o exposto anteriormente, o trio de base alterada do TDAH que comporta a alteração da atenção, a impulsividade, e a hiperatividade física e mental, são caminhos norteadores dos diversos sintomas que podem afetar a pessoa que possui o déficit. Sobretudo, por apresentarem tais sintomas, que as pessoas diagnosticadas com o déficit são mais propensas a desencadear problemas de baixa autoestima e insegurança, além de serem mais sensíveis, hiperativas, estressadas, ansiosas e desatentas, podendo também apresentar sinais de retração e isolamento, por ser quem são.

## 1.1. A presença de pessoas com TDAH no ambiente escolar

O período da infância de uma pessoa diagnosticada com TDAH é uma fase considerada muito importante, tendo em vista que é durante sua trajetória de vida que sua personalidade será formada, sendo ela essencial para moldar a forma que a criança irá lidar com os traumas vivenciados ao longo do processo de aprendizagem. Sendo assim, é evidente que durante o período que se encontra em casa, a criança é submetida a uma realidade mais confortável, já que não possui muita cobrança e nem contato com outras crianças, fato que não acontece ao iniciar o processo escolar, no qual é submetida a perspectivas diversas, como ter que fazer tarefas, ter contato com outros alunos, além da comparação, que se torna mais evidente e presente nesse período. Sendo assim, Paulo Mattos observa que:

> Quando o TDAH se manifesta na apresentação com predomínio de desatenção, sua detecção pode ser mais difícil e essas crianças podem ser encaradas por pais e professores apenas como indolentes, preguiçosas, burras ou "limitadas". Elas mesmas podem começar a se perceber dessa forma. Afinal, assistem às mesmas

> aulas que as demais, mas são mais lentas para fazer as tarefas, requerem aulas particulares, horas extras de estudo e, ainda assim, tiram notas baixas! Isso gera o sentimento de que não importa o quanto se esforcem, estão predestinadas a falhar. Isso provoca baixa autoestima, desinteresse pelos estudos e ansiedade. (MATTOS, 2015, p. 113)

Dessa forma, é possível identificar que no ambiente escolar, o aluno com TDAH se destaca por seus atributos um pouco inconstantes. De modo que suas atitudes são sempre ampliadas, se comparadas às crianças que não possuem o transtorno, o que as tornam nitidamente diferente dos outros, sendo então suscetíveis a estereótipos, muitas vezes pela falta de preparo das instituições de ensino, juntamente com os professores, que não sabem lidar com a energia a mais dos pequenos.

Logo, segundo Ana Beatriz Barbosa Silva (2010, p. 46) é muito comum que diante do convívio nas escolas, um TDAH seja repelido pelos colegas de classe devido à sua grande disposição e também pela impulsividade nas ações e na fala, podendo ser considerado mal-educado e indisciplinado pela equipe da escola e por pais de outros alunos. Tal fato é frequente devido às ações reflexivas, ou seja, atos dotados de estímulos imediatos e inconscientes, ocasionados pelo fluxo constante de ideias na mente de uma criança que ainda não sabe lidar muito bem com a grande quantidade de emoções que o permeia.

Dado o exposto, é possível observar que a presença de pessoas com TDAH no ambiente escolar, pode gerar situações diversas, podendo ser bastante positiva, garantindo um grande aprendizado para todos, se observados os processos pedagógicos necessários. Desse modo, é nítido que a agitação extrema de um TDAH, faz com que ele tome atitudes cheias de energias, que vão desde as brincadeiras no intervalo, ao compartilhamento de matérias, e demonstrações de carinho, fazendo com que os colegas a sua volta se sintam mais dispostos e animados a interagirem, podendo ser grandes aliados nos momentos de agitação da turma, colocando todos para cima. Além de se revelarem alunos bem inteligentes, com uma grande capacidade criativa, reagindo muito bem a incentivos, mesmo diante de um turbilhão de pensamentos e dificuldades. Sendo assim, Mayara Albuquerque Caetano afirma que:

> As crianças com TDAH são bastante inteligentes, mas possuem grandes dificuldades na hora de se concentrar e isso se torna um grande desafio para o professor em sala de aula. Sendo assim é necessário que o professor faça algumas adaptações e adequações no ambiente escolar, tanto nos materiais didáticos como em sua postura em sua prática pedagógica. (CAETANO, 2012, p. 25)

Ainda assim, o convívio com as pessoas que possuem o TDAH faz com que as crianças ao longo do tempo percebam a diferença existente entre elas, e aquelas que possuem um diagnóstico constatado. Tal situação pode ser extremamente favorável se trabalhada da forma correta pela escola juntamente com os professores, que podem ensinar aos alunos sobre o respeito às diferenças, demonstrando o quanto isso é importante para o bem-estar não só do aluno que possui algum déficit ou deficiência, mas para a sociedade em geral. Fazendo com que a partir do contato frequente, essas crianças aprendam a serem mais respeitosas umas com as outras, a ponto de influenciarem positivamente no processo de aprendizagem dos seus colegas contribuindo para uma sociedade mais igualitária, que busca promover a inclusão.

Destaca-se, portanto, que além dos fatores positivos acima citados, pode haver tantos outros, que, no entanto, são minimizados diante das características dotadas como negativas e da falta de preparo. Portanto, no ambiente escolar, principalmente na realidade vivenciada atualmente, o aluno é bombardeado com informações, sendo obrigado a acompanhar o ritmo acelerado das mesmas, fazendo com que seu cérebro pense de forma rápida, o que gera lapsos de memória, comum a todos, mas que se intensificam quando se fala em TDAH, já que a causadora do déficit é justamente uma falha na transmissão de informações, como já exposto anteriormente. Sendo necessária maior dedicação do aluno, para que a fixação do conteúdo ocorra de forma adequada.

Todavia, de acordo com Ana Beatriz Barbosa Silva (2010, p. 55), outro ponto importante a ser evidenciado é a inconstância nas ações, tendo em vista que o aluno TDAH pode oscilar entre momentos de hiperconcentração e animação, mas também podem surgir momentos de bastante desatenção, preguiça e nervosismo, o que deixa as pessoas sem o devido preparo, sem saberem como agir, achando que tudo não passa de uma criança mimada e birrenta, sendo que tais fatores acontecem devido às grandes variações de humor. Sendo assim, é imprescindível destacar que nem toda criança vai ser altamente ativa, pois existem aqueles com grau mais elevado de hiperatividade que outros, cabendo ao professor reconhecer a necessidade de cada aluno individualmente. Desse modo, Lígia Márcia Martins destaca que:

> [...] o êxito do profissional assenta-se em sua capacidade para manejar situações concretas do cotidiano e resolver problemas práticos mediante a integração "inteligente e criativa" do conhecimento e da técnica. A capacidade de analisar situações significa, nessa perspectiva, possibilitar permanentemente a elaboração de ações adequadas em relação aos contextos e às próprias possibilidades existentes, o que, em última instância, representa preparar os professores para as aceleradas mudanças sociais características do mundo atual. (MARTINS, 2015, p. 11)

Posto isso, há de se observar que em virtude da hiperatividade, muitas crianças se demonstram muito dispostas, enturmadas e falantes, muito embora haja aqueles que são altamente calados e introspectivos, possuindo dificuldades de se inserir no meio social, preferindo se isolar, pois a ação da criança não depende só do TDAH, mas também da sua personalidade. Contudo, não deixam de apresentar os sintomas do TDAH, afetando sua vida escolar por não terem muita afinidade com os coleguinhas, ou pelo receio de se manifestar em atividades grupais, gerando ansiedades, desatenção, entre outros fatores que são desencadeados. De modo que para o professor, é ainda mais difícil ter que identificar nesse aluno o déficit, pois suas ações são facilmente confundidas com timidez.

Tendo em vista as dificuldades vivenciadas no ambiente escolar, há de se observar que as mais comuns são a falta de atenção, que desencadeiam dificuldades na realização de atividade pedagógica. Visto que a pessoa se distrai facilmente, errando coisas consideradas fáceis, não pela falta de conhecimento, mas pela divagação do cérebro, que pode gerar dificuldades na aprendizagem, além de contribuir para que a criança perca mais facilmente seus pertences, e não consiga ficar atenta a instruções muito longas, tendendo a serem mais desobedientes.

De outro modo, é muito comum que pessoas TDAH sejam extremamente agitadas ou introspectivas, podendo também ser ansiosas e impulsivas. Tais sintomas afetam as crianças que possuem o transtorno, sendo esses os principais norteadores para a instabilidade e a agressividade de um TDAH, pois devido à grande carga emocional que vivenciam, precisam lidar com a dificuldade de realizar as atividades propostas na escola e serem julgadas justamente por suas falhas, que estão fora do seu controle, fazendo com que seja pouco compreendido no ambiente escolar. Rotta Et Al (apud VALLE) destaca a:

> [...] hiperatividade como atividade motora intensa, sendo demonstrada pelos seguintes comportamentos: agitar as mãos ou os pés ou se remexer na cadeira; não conseguir permanecer sentado; correr em demasia; falar muito; não conseguir envolver-se em atividades de lazer de modo silencioso; parecer estar a mil por hora; não conseguir controlar seu próprio corpo e não manter o foco na atividade cognitiva, gerando uma produção intelectual pobre. Para eles, os comportamentos impulsivos são manifestados por dificuldade em aguardar a vez, responder à pergunta antes de seu término e intrometer-se na conversa dos outros. Junto à impulsividade, pode-se observar também instabilidade, apatia, irritabilidade, agressividade, baixo limiar a frustrações e reações catastróficas (ROTTA, 2006). (VALLE, 2009, p. 193)

Portanto, conforme disposto, é evidente, que a pessoa com TDAH desde muito nova é obrigada a lidar com as suas dificuldades. Então há muitos que precisam de todo um suporte, mas também há aqueles que durante sua caminhada, encontram meios de lidar com os sintomas mais expressivos, de forma que se torna dispensável a utilização de tratamentos, pelo simples fato de seu problema não afetar seus afazeres.

## 1.2. A presença de pessoas com TDAH no ensino superior

Antes de mais nada, verifica-se que os desafios enfrentados pela pessoa com TDAH na educação básica é muito diferente da realidade vivenciada no ensino superior, já que conforme especificado no tópico anterior, o adulto passa a ter maior consciência de suas ações, passando a ter maior responsabilidade. Portanto, ao ingressar no ensino superior, há a expectativa que o aluno já tenha uma maturidade, então o professor não tem o mesmo cuidado e assistência que um professor que dá aula no ensino fundamental.

Sendo assim, durante a vida adulta, os sintomas do TDAH continuam a se manifestar, contudo, a maioria desses cidadãos já possui uma longa caminhada de experiência, por vivenciar as dificuldades desde a infância. Portanto, muitos conseguem definir bem quais são as manifestações do déficit que mais os prejudicam em suas vidas sociais, fazendo com que consigam trabalhar melhor essas áreas com a ajuda dos profissionais adequados. No entanto, além da família e dos médicos, é imprescindível que as faculdades através de seus professores também se preparem para lidar com as questões e dificuldades vivenciadas por um TDAH, assim como estipula do Decreto 3.298/99:

> Art. 27. As instituições de ensino superior deverão oferecer **adaptações de provas e os apoios necessários, previamente solicitados pelo aluno** portador de deficiência, inclusive **tempo adicional para realização das provas**, conforme as características da deficiência.
> § 1º As disposições deste artigo aplicam-se, também, ao sistema geral do processo seletivo **para ingresso em cursos universitários de instituições de ensino superior.**
> § 2º O Ministério da Educação, no âmbito da sua competência, expedirá instruções para que os **programas de educação superior incluam nos seus currículos conteúdos, itens ou disciplinas relacionadas à pessoa portadora de deficiência.** (BRASIL, 1999 – grifo nosso)

Dessa forma, conforme o Decreto especifica, os alunos que têm algum tipo de transtorno ou deficiência possuem o direito de receber toda a assistência necessária, para que possam realizar suas atividades acadêmicas da melhor forma possível, devendo ser acompanhados pelos professores e pela direção, no que tange às suas necessidades, que devem ser previamente informadas. Todavia, o que muitos TDAH's vivenciam dentro das faculdades é o oposto disso, pois ainda há muita falta de informação entre os professores e direção, que não são bem-preparados para lidarem com essa disfunção neurobiológica, fazendo com que essas pessoas encontrem muitas dificuldades no ensino superior.

Destarte, o aluno com TDAH possui o direito a uma hora a mais ao fazer suas provas, podendo realizá-las em um espaço separado, a fim de contribuir com a concentração desse aluno, que não terá nada que o distraia no ambiente. Porém, muitas das faculdades, não possuem uma estrutura adequada, não possuindo salas específicas para comportar esses alunos, que são direcionados a locais sem a devida ambientação, no qual possuem grandes barulhos externos, ou grande quantidade de distração. Dessa forma, Mara Lúcia Sartoretto destaca que:

> A inclusão só é possível lá onde houver respeito à diferença e, consequentemente, a adoção de práticas pedagógicas que permitam às pessoas [...] aprender e ter reconhecidos e valorizados os conhecimentos que são capazes de produzir, segundo seu ritmo e na medida de suas possibilidades. Qualquer procedimento pedagógico ou legal, que não tenha como pressuposto o respeito à diferença, e a valorização de todas as possibilidades [...] não é inclusão. (SARTORETTO, 2013, p. 78)

Nesse sentido, pode ser citado como exemplo de distração, o aluno que realiza a prova em uma sala com muitas janelas, em um local onde circulam pessoas a todo o momento. Contribuindo dessa forma, para que o aluno não se concentre no que tem que fazer, devido à falta de estrutura da faculdade, que não cria espaços específicos para que esses alunos realizem suas provas, separando para eles locais inadequados, com uma grande rotatividade de pessoas e janelas, que acabam por distrair o aluno, que diante dessa falta de preparo, opta por permanecer dentro da sala de aula junto com sua turma durante as atividades avaliativas, visto que por um período mínimo de tempo conseguirá manter o foco, enquanto que ninguém pode sair da sala, tempo esse que dura pouco, pois a partir do momento que o primeiro sai, à pessoa não consegue mais se concentrar efetivamente, devido às movimentações que acontecem.

Além disso, outro fator que dificulta a aprendizagem e a concentração é a forma de ensino dos professores, que muitas vezes não prestam a assistência necessária, ou mesmo, não fazem questão de manterem uma interação com os alunos. Dada essa realidade, há um afastamento entre aluno e professor, no qual o professor das universidades é colocado, ou se coloca, em um plano superior, no qual o aluno não se sente confortável para demonstrar suas dificuldades durante o curso. Sendo assim, Paulo Mattos expõe que:

> O método expositivo (as aulas tradicionais) tem o professor como autoridade e o aluno tem um papel passivo; este método é o pior de todos, seja para quem tem ou não TDAH. Ele é o mais utilizado nas escolas porque dá segurança ao professor e preserva seu poder de autoridade, além de ser muito mais cômodo e econômico. Porém grande parte do conteúdo se perde, nem sempre gera motivação e depende muito da capacidade de empatia e comunicação do professor.
> [...]
> O método ativo, considerado o mais eficaz, é aquele no qual o ensino é focado no aluno e o professor passa para o papel de facilitador. A aprendizagem, neste caso, advém da própria atividade e a ênfase é na descoberta pessoal [...]. (MATTOS, 2015, p. 152)

Dado esse entendimento, é possível observar que a falta de instrução e aproximação com o professor dificulta a aprendizagem daqueles que possuem o TDAH, tendo em vista que uma boa relação com os professores é fundamental para quem possui o déficit. Uma vez que costumam reagir positivamente a incentivos, que costumam ocorrer somente quando há uma grande comunicação extra aula, ou seja, os estudantes possuem a liberdade de interagir com o professor sobre assuntos além do retratado em sala de aula como matéria. Tal comunicação é possível, e totalmente benéfica para todos, mas deve partir do professor o primeiro impulso para que essa relação seja construída, de modo que os alunos com o passar do convívio se sintam mais aproximados da figura do docente. Dessa forma, Mayara Albuquerque Caetano entende que:

> A formação continuada de professores será uma alternativa para que os profissionais da área da educação aprofundem seus conhecimentos sobre a TDAH. Tais formações podem acontecer de

> diversas maneiras: palestras, para que eles possam melhor compreender os comportamentos apresentados por seus alunos, mesas redondas com outros professores é possível discutir a melhor solução e a metodologia adequada a ser aplicada para a aprendizagem desses alunos, especialização, dentre outras. Buscando uma compreensão de que todos têm capacidade para aprender e que nós como mediadores do conhecimento precisamos ter estratégias para alcançar tais crianças. Quando esses alunos são alcançados, eles se dedicam e envolvem-se, trazendo grandes surpresas para os professores. Essa é uma maneira de sensibilizar professores e a comunidade escolar, a fim de buscar habilidades que possibilitem lidar com esses alunos, sem perdê-los. (CAETANO, 2012, p.12-13)

Ademais, outra razão que influencia nos desafios encontrados dentro das salas de aula é a forma que o professor encontra de expor os ensinamentos para a turma. Logo, um TDAH, precisa receber estímulos diversos para se concentrar, já que o seu cérebro a todo o momento está em busca de novidades. Assim, o professor precisa elaborar a aula de modo que ela se torne mais dinâmica, com atrativos diversos, para que esse aluno se concentre por mais tempo e absorva a matéria de forma adequada, além de ser necessário que a sua fala seja de uma forma mais firme e relativamente devagar. Assim, Sheilla Alessandra B. de Menezes, acredita que:

> [...] Qualquer que seja o nível de ensino, é de fundamental importância a educação para as diferenças. Aqui o foco recai sobre as necessidades específicas de formação docente no ensino superior, que não tem sido considerada uma exigência, e precisa ser revista diante dos desafios da educação inclusiva. A competência técnica não garante a condição de reconhecer e trabalhar com as diferenças em direção à emancipação [...]. (MENEZES, 2015, p. 246)

Tal necessidade de preparo do professor é importante, contudo, não é o que acontece na maioria das faculdades. Uma vez que não são todos os professores que têm essa preocupação, e facilidade de dinamizar a aula, fazendo com que o TDAH se disperse mais facilmente, e não crie uma afinidade com a matéria, o que dificulta sua aprendizagem. De outro modo, alguns professores ao se encontrarem pressionados pela instituição a darem conta do plano de curso, acabam por correr com a matéria, o que por consequência, faz com que sua forma de falar em sala ocorra de forma muito rápida, fazendo com que os alunos precisem absorver rapidamente o conteúdo, fator que é um empecilho para um TDAH, que não consegue assimilar as informações faladas de forma rápida, fazendo com que o entendimento da matéria ocorra de forma picada, e não linear, ocasionando dificuldades.

A faculdade deve ser analisada como um local que exige mais do aluno, pois o preparam para o mercado de trabalho, no qual deverão exercer funções que irão necessitar o máximo de desempenho e aprendizagem possível, diferentemente do ensino médio, que preparam os estudantes para terem conhecimentos variados do mundo e de necessidades sociais. Assim, no ensino superior os trabalhos e provas exigem mais do aluno, pois eles são colocados diante de maior pressão, fazendo com que o aluno TDAH encontre maiores dificuldades, se tornando mais ansiosos.

Esse problema aumenta de perspectiva se forem levadas em consideração as atividades avaliativas que envolvem mais de uma pessoa. Visto que muitos alunos que possuem TDAH, precisam lidar com as dificuldades de concentração, com os impulsos de ação, ou timidez extrema em alguns casos, o que não é muito compreendido por seus colegas de sala, que não entendem essas dificuldades, e acabam por subestimar e julgar a capacidade daqueles que possuem TDAH, que são vistos pelos outros como pessoas lentas e preguiçosas, que não gostam de realizar os trabalhos propostos, ocasionando em alguns momentos a exclusão desses colegas por não terem a mesma desenvoltura de concentração, estímulo psicológico e comportamento físico e mental. Fatores que são facilmente detectados pelos alunos TDAH's, que se sentem inseguros e atrasados, sendo essa uma questão bem delicada e difícil para eles, que tentam demonstrar "serviço", mas muitas vezes são repelidos pelas dificuldades advindas do transtorno. Com base nisso, Mayara Albuquerque Caetano, afirma que:

> Considerando a criança diagnosticada é necessário que o tratamento seja devidamente feito e assistido, ou se não a mesma poderá sofrer dificuldades ao longo do seu desenvolvimento es-

colar e social. Espera-se então que o professor juntamente com a escola busque estratégias para adequar suas práticas pedagógicas de acordo, que ajude no desempenho do aluno, respeitando o seu ritmo e seu limite. Assim também como os demais alunos sem TDAH, apresentam ritmos diferenciados de desenvolvimento. (CAETANO, 2012, p. 25)

Tendo em vista as dificuldades encontradas pelo TDAH no ensino superior, que como exposto, vão além dos sintomas causados por seu transtorno, perpassando por despreparo das instituições, professores e alunos. É imprescindível ressaltar a necessidade de fazer com que o sistema se adeque e esteja preparado para se dedicar aos estudantes com TDAH, que necessitam de muito apoio para lidarem com os ambientes em que estão inseridos. Pois a falta de inclusão ocasiona danos bem maiores para essas pessoas, que já precisam ter que lidar diariamente com os seus desafios pessoais, não havendo a necessidade de elas se adequarem ao sistema como ocorre constantemente.

## 2.   A EDUCAÇÃO SUPERIOR INCLUSIVA E ATUAÇÃO DOS PROFESSORES COMO FORMA DE APRENDIZADO

Partindo do pressuposto de que os professores do ensino superior possuem um grande espaço na vida acadêmica dos seus alunos, sendo eles os responsáveis por formarem todo o conhecimento básico necessário, para que os discentes se insiram no mercado de trabalho. É de salientar que as atuações dos professores podem interferir diretamente no aprendizado de um cidadão que possui TDAH, e beneficiar não só o período vivenciado dentro da faculdade, mas também os projetos futuros dessa pessoa, que por ter tido um apoio dentro da instituição de ensino, consegue se sobressair melhor. Tendo em vista que quando amparada/acolhida, o rendimento e confiança da pessoa que possui o déficit aumenta, fazendo com que ela produza mais.

Tendo em vista que o acesso à educação é um direito de todos, positivado na Constituição brasileira de 1988. É indispensável afirmar que todo cidadão que possui algum tipo de educação especial no ensino médio e superior, deve ser amparado pelo professor, e pela instituição de ensino que frequenta, devendo receber o apoio necessário, conforme estipula a Lei de Diretrizes e Bases da Educação (LDB), prevista na Lei 9.394/96, em seu Art.58, caput e 59, inc. I e III, que trata do aluno com necessidades especiais, de modo que:

> **Art. 58.** Entende-se por educação especial, para os efeitos desta Lei, a modalidade de educação escolar oferecida preferencialmente na rede regular de ensino, para educandos com deficiência, transtornos globais do desenvolvimento e altas habilidades ou superdotação. (LDB, 1996)
>
> (...)
>
> **Art. 59.** Os sistemas de ensino assegurarão aos educandos com deficiência, transtornos globais do desenvolvimento e altas habilidades ou superdotação:
>
> **I** - currículos, **métodos, técnicas, recursos educativos e organização específicos, para atender às suas necessidades;**
>
> (...)
>
> **III** - **professores com especialização adequada em nível** médio ou **superior, para atendimento especializado**, bem como professores do ensino regular capacitados para a integração desses educandos nas classes comuns; (BRASIL, 1996 – grifo nosso)

Em conformidade ao que é previsto pela LDB, o direito à educação está intimamente ligado à preparação dos professores, que precisam ter a capacitação necessária para receber qualquer tipo de adulto em sua sala de aula. Dessa forma, durante a graduação, os docentes precisam ser preparados para lidarem com as dificuldades do magistério, pois na caminhada profissional encontrarão alunos que possuem maiores dificuldades, que irão necessitar de uma maior assistência, flexibilidade e paciência do professor, que deverá estar altamente capacitado para lidar com esses discentes, a fim de contribuir para o aprendizado desses.

Portanto, de que forma os professores do ensino superior podem contribuir para o ensino dos alunos? Como pressuposto inicial, os docentes devem se inteirar sobre o assunto, sendo assim, devem se informar sobre o TDAH, para além do que lhes é ensinado brevemente nos cursos de sua formação, de tal forma que busquem ler e pesquisar sobre o tema, a fim de buscar compreender a situação em que seus alunos se encontram tendo o diagnóstico de TDAH.

Desta maneira, os professores, poderão compreender melhor as ações de seus alunos, a ponto de transformar a visão que possuem sobre suas atitudes, pois buscando o conhecimento, são capazes de deixar os preconceitos e julgamentos de lado, passando a contribuir de forma adequada para a formação desses discentes que necessitam de maior contribuição no quesito paciência e cuidado. Sendo assim, Rosita Edler Carvalho considera importante salientar que:

> A inclusão do ponto de vista individual otimizará as possibilidades de todos os alunos desenvolverem com a diversidade e com a diferença. A educação inclusiva não é só uma questão de acesso, mas sim e, principalmente, de qualidade. A inclusão representa um grande desafio para as escolas regulares, que estão sendo chamada para levar em conta a diversidade e as características e necessidades dos alunos, adotando um modelo nele centrado e não no conteúdo, com ênfase na aprendizagem e não, apenas, no ensino. (CARVALHO, 2000, p. 148)

Dado o ponto inicial, que é o conhecimento sobre as dificuldades enfrentadas por um TDAH, o professor precisa passar pela experiência, que pode ser desafiadora, já que o mesmo através do conhecimento adquirido deve saber identificar em cada aluno os sintomas do déficit que são mais expressivos. Pois dessa forma, poderá adaptar seus métodos de ensino, com o intuito de aprimorar o aprendizado dos seus alunos que possuem o transtorno, respeitando as individualidades de cada um, observando, sobretudo, as diferenças de desenvolvimento e suas dificuldades.

À vista disso, os professores, devem buscar estratégias de ensino mais dinâmicos e eficientes de repassar a matéria, adequando também os materiais didáticos para que prendam mais a atenção do aluno que possui o transtorno, a fim de favorecer a atividade pedagógica. Além disso, deve buscar ter um diálogo constante com o aluno, buscando entender individualmente o que ajuda ou atrapalha seu aprendizado dentro da sala de aula, buscando assim diminuir a distância que há entre professor e aluno nas universidades, aproximando dessa forma a relação, para que o aluno se sinta mais seguro em expressar o que sente.

Tal maneira de se conectar ao aluno através do conhecimento e diálogo, faz com que a atuação dos professores do ensino superior se torne mais eficaz. Sendo assim, quando o aluno em sala de aula apresentar algum tipo de dificuldade que esteja ligado ao Transtorno do Déficit de Atenção, o professor saberá buscar o suporte necessário. Como exemplo, alunos TDAH's costumam processar as perguntas e explicações de forma mais lenta, o que exige do professor cautela na fala e na ação, na hora de repassar a matéria, que deve ser aplicada de forma mais lenta, de modo que o professor esteja preparado para esperar o tempo de processamento do aluno, para que ele absorva a matéria de maneira perdurável, ou mesmo, tenha o tempo necessário para organizar seu pensamento para responder uma pergunta. Consoante a esse entendimento, Paulo Mattos destaca que:

> O professor deve se expressar claramente, de modo conciso e, de preferência, apresentar aquilo que está sendo dito também sob forma visual (slides, quadro-negro, pôsteres), em função das dificuldades de manutenção da atenção. (MATTOS, 2015, p. 169)

Acontece, no entanto, que os professores precisam ter toda uma preparação, instrução de profissionais, e apoio da faculdade como um todo, para que seu trabalho possa ser aperfeiçoado, através de uma rede de apoio, que ficará disponível ao atendimento ao aluno e professor, a fim de serem desenvolvidas técnicas para o aprimoramento do ensino dentro das faculdades.

Assim, é possível definir que as atuações dos professores, no ensino superior, como forma de inclusão e aprendizado, perpassam por três principais áreas, sendo elas o conhecimento, as estratégias de ensino e o diálogo. Dessa forma, cabe aos profissionais buscarem estar cada vez mais capacitados para lidarem com as diferenças, e dificuldades que encontrarão ao lecionar, buscando o aperfeiçoamento nessas três áreas, que definem bem a necessidade de um aluno TDAH, mas também de alunos que podem ter algum tipo de dificuldade, sem mesmo ter qualquer tipo de déficit, pois uma boa convivência e troca em sala de aula, motiva ainda mais os alunos, sendo capazes de absorver ainda mais o conteúdo proposto, tendo em vista que a compreensão e confiança surtem mais efeitos positivos, do que o julgamento e desinteresse.

## 2.1. A inclusão dos alunos com TDAH nos cursos jurídicos, uma análise de como as faculdades de Direito podem capacitar os docentes

A partir do entendimento de que os professores das faculdades possuem uma influência muito grande na formação dos seus alunos diagnosticados com TDAH, existe a necessidade de trabalharem com um ensino que compreenda as três principais áreas de aprendizagem, que são o: conhecimento, as estratégias de ensino e o diálogo. Sendo assim, cabe às instituições de Ensino Superior, o dever de dar o suporte necessário para que o corpo docente consiga trabalhar da melhor forma possível, na intenção de auxiliar e incluir, cada vez mais, pessoas que possuem transtornos mentais.

Nesse viés, é preciso observar que as instituições, em um contexto geral, precisam criar estruturas para receberem alunos que possuem certos tipos de necessidades especiais. Contudo, no presente artigo, será restringida a análise sobre as Faculdades de Direito, tendo em vista que a área jurídica é uma área muito ampla, na qual o discente após formado terá contato direto com outros cidadãos, cabendo a instituição a responsabilidade de qualificar os alunos que possuem tal necessidade, além de formar profissionais capacitados para lidar com as necessidades do próximo.

Partindo do pressuposto que nos cursos de Direito as exposições das aulas são mais teóricas, possuindo uma menor incidência de aulas práticas, cabe ao corpo docente o desafio de diversificar as estratégias de ensino, a fim de fazer com que o aluno que possui o transtorno do déficit de atenção ache a aula mais interessante, a ponto de prender mais sua atenção. No entanto, deixar a aula mais interativa, pode ser um desafio ao professor do Direito, tendo em vista que a maioria das matérias contextualizadas na prática é mais direcionada para ambientes fechados e formais, não permitindo, na maioria das vezes, que o aluno tenha uma interação fora do ambiente da sala.

Consoante a essa realidade do mundo jurídico, é importante levar em consideração as adversidades enfrentadas pelos professores das faculdades de Direito, que devem estar preparados para lidar com todo o tipo de situação que possa vir a ocorrer dentro de uma sala de aula. No entanto, muitas vezes, pela falta de preparação e apoio das instituições de ensino em que trabalham se sentem despreparados para lidar com tal situação.

Posto isso, não há dúvidas que o aluno diagnosticado com TDAH necessita de atenção e apoio especial. Para tanto, não basta que o professor se capacite para lidar com esses discentes, pois não é o suficiente para uma efetiva inclusão. Tornando-se imprescindível que as Faculdades de Direito sejam sensíveis à realidade vivenciada por seus alunos, na intenção de incentivar a sua equipe de professores e funcionários, para que recebam a devida qualificação, e capacitação para manejar as situações que interferem e dificultam a vida acadêmica dos alunos que possuem transtornos de atenção e hiperatividade, pois é evidente que uma equipe trabalhando por um determinado objetivo, gera mais resultados positivos, do que uma só pessoa.

Todavia, a grande questão a ser explorada é a forma como as faculdades de Direito podem proporcionar medidas efetivas que visem fazer a diferença no ensino dos seus alunos. Em uma primeira observação, as universidades devem partir do pressuposto elencado no Decreto 3.298/99, que disciplina sobre a integração da pessoa portadora de deficiência e disfunção neurobiológica, evidenciando em seu Artigo 24, caput, incisos I, II, III e VI quê:

> Art. 24. Os órgãos e as **entidades da Administração Pública Federal direta e indireta responsáveis pela educação dispensarão tratamento prioritário e adequado** aos assuntos objeto deste Decreto, **viabilizando, sem prejuízo de outras, as seguintes medidas:**
> I - **a matrícula compulsória em cursos regulares de estabelecimentos públicos e particulares de pessoa portadora de deficiência capazes de se integrar na rede regular de ensino;**
> II - **a inclusão, no sistema educacional, da educação especial como modalidade de educação escolar que permeia transversalmente todos os níveis e as modalidades de ensino;**

III - **a inserção**, no sistema educacional, **das escolas ou instituições especializadas públicas e privadas;**
(...)
VI - **o acesso de aluno portador de deficiência aos benefícios conferidos aos demais educandos, inclusive material escolar, transporte, merenda escolar e bolsas de estudo.** (BRASIL, 1999 – grifo nosso)

Sendo assim, é significativo que as faculdades de Direito criem mecanismos, que promovam a inserção desses alunos, direcionando toda estrutura de apoio que a faculdade puder oferecer, a fim de promover a integração do aluno TDAH. Tal inclusão pode ser estabelecida a partir do momento que o aluno apresentar o laudo médico, pois a partir disso, as instituições podem designar pessoas qualificadas para terem uma conversa com o aluno, de modo a fazerem um levantamento de quais são as suas maiores dificuldades e desafios em sala de aula.

Por conseguinte, as faculdades de Direito poderão abranger ainda mais esse relatório, promovendo conversas com os pais e profissionais responsáveis pelo tratamento desse aluno, no intuito de colher maiores informações, a fim de filtrar e tomar conhecimento de suas necessidades. Dessa forma, a partir de tal relatório, é preciso que os professores sejam informados e instruídos da realidade e dificuldades vivenciadas pelo discente, com o propósito de elaborar as devidas estratégias de forma prévia, para que o aluno receba o suporte necessário, que seja adequado a suas necessidades individuais, na intenção de favorecer o seu desempenho e desenvolvimento, para que se torne um profissional altamente capacitado, com uma grande de gama de conhecimento.

Em conformidade com as devidas iniciativas, é essencial que os funcionários que atuam dentro das faculdades, principalmente aqueles que convivem diretamente com os alunos, sejam instruídos e capacitados para lidar com alunos com TDAH, o que pode ser promovido através de palestras com psicólogos e psiquiatras, especialistas em cuidar de pessoas que possuem psicopatologias, a fim de serem instruídos quanto ao transtorno, evitando a falta de conhecimento, e despreparo na instituição.

Além disso, é primordial que além do suporte ao professor e instrução aos funcionários, as faculdades de Direito tenham capacidade estrutural para receber alunos com transtornos globais de atenção, se adequando assim aos regimentos do país. Assim sendo, toda pessoa com disfunção neurobiológica tem o direito que suas particularidades sejam atendidas, sendo muito comum que um aluno com TDAH, necessite realizar provas em salas separadas, longe de barulhos externos, ou mesmo precise fazer as avaliações com uma hora a mais, e quando necessário, é preciso que seja designado professor de apoio, para que o discente consiga cumprir com as suas obrigações como aluno. Assim como estipula o Decreto 3.298/99, em seus Artigos 24, §2°, 4° e 27, caput, §1°, 2°, bem como:

> § 2º A **educação especial caracteriza-se por constituir processo flexível, dinâmico e individualizado, oferecido principalmente nos níveis de ensino considerados obrigatórios.**
>
> § 4º A **educação especial contará com equipe multiprofissional, com a adequada especialização, e adotará orientações pedagógicas individualizadas.**
>
> Art. 27. **As instituições de ensino superior deverão oferecer adaptações de provas e os apoios necessários, previamente solicitados pelo aluno portador de deficiência, inclusive tempo adicional para realização das provas, conforme as características da deficiência.**
>
> § 1º **As disposições deste artigo aplicam-se, também, ao sistema geral do processo seletivo para ingresso em cursos universitários de instituições de ensino superior.**
>
> § 2º O **Ministério da Educação, no âmbito da sua competência, expedirá instruções para que os programas de educação superior incluam nos seus currículos conteúdos, itens ou disciplinas relacionadas à pessoa portadora de deficiência.** (BRASIL, 1999 – grifo nosso)

Nesse viés, é preciso que a faculdade se estruture a ponto de criar espaços específicos para que esses direitos sejam garantidos. Mesmo porque, seria altamente contraditório a uma faculdade de Direito, baseada em propor o conhecimento jurídico aos seus alunos, que não promovesse a devida aplicação da lei, deixando de respeitar a legislação, não cumprindo, portanto, com seu dever de inclusão ao corpo discente.

Entretanto, em contrapartida ao disposto anteriormente, a realidade prática vivenciada por alunos diagnosticados com TDAH nas Faculdades de Direito destoam da teoria. Posto que, nos ambientes universitários, pessoas que possuem transtornos globais de desenvolvimento se encontram nas mais diversas dificuldades, sendo a principal delas, a falta de apoio, inclusão e estrutura física adequada, como pode ser observado na pesquisa de campo realizada pela Mestra em Direito Luana Siquara Fernandes:

> ...os entrevistados foram questionados a respeito de eventuais dificuldades enfrentadas no momento do ingresso na educação superior, especificamente no curso de Direito. **Buscou-se, aqui, verificar se esses alunos vivenciaram alguma situação, sejam objeções ou impedimentos por parte das respectivas Instituições, que representasse um dificultador** para ingressarem nas mesmas.
>
> Da totalidade dos alunos participantes, **08 (oito) alegaram não ter vivenciado nenhum tipo de situação que pudesse representar dificuldade ao seu ingresso. 02 (dois) responderam de forma positiva e apontaram como dificuldade a ausência de ambientes fisicamente adequados para recebê-los.** Nota-se que, **novamente, a existência de uma estrutura física adequada apresenta-se como fator fundamental na questão que envolve o acesso das pessoas com deficiência ao ambiente escolar em todos os níveis educacionais, de forma que sua ausência pode resultar na impossibilidade desse acesso se concretizar.**
>
> ...Uma participante, aqui denominada de Janaína Petit, trouxe em seu discurso ponto que merece ser mencionado. Segundo a mesma, "[...] **as dificuldades no acesso à educação pelo deficiente não terminam na sala de aula. A capacidade intelectual não é o único requisito para completar um curso: é preciso adequação do ambiente onde ela será desenvolvida e de materiais a serem utilizados".** (FERNANDES, 2018, p.140)

Conclui-se, portanto, que as Faculdades de Direito possuem uma grande e notória responsabilidade na instrução de seus funcionários, e também sobre o aprendizado de seus discentes diagnosticados com TDAH. Sobretudo, devem criar mecanismos que facilitem o acesso à educação, a fim de proporcionar aos docentes o apoio necessário, a fim de que eles possam ser um mecanismo de melhor atenção e apoio ao aluno que possui o transtorno, sendo que juntamente a eles, o corpo de funcionários esteja altamente capacitado para lidar com as necessidades do estudante, de modo a auxiliar o professor em sala de aula.

## 3. A NECESSÁRIA FORMAÇÃO DE PROFESSORES PARA UMA EDUCAÇÃO JURÍDICA INCLUSIVA

Diante da realidade educacional, o ideal seria que o professor em seu período de graduação fosse corretamente capacitado para enfrentar as dificuldades que podem surgir na profissão, a fim de estarem mais bem preparados para atuarem no mercado de trabalho. Contudo, essa não é a realidade vivenciada pela maior parte dos docentes, que contam com a realidade prática, como meio de aprendizagem, do que não lhes foi ensinado na graduação.

A partir disso, é possível observar que as matérias estudadas pelos professores durante o curso de formação, não são abrangentes. Portanto o conhecimento não é ampliado à diversidade que existe dentro de uma sala de aula, e muito menos a realidade urbana que é tão complexa, com alunos heterogêneos, e com particularidades diferentes, que demandam do corpo docente certo conhecimento que não lhes foi ensinado na grade curricular da universidade.

Dessa forma, grande parte dos docentes que não obtiveram uma formação adequada passa a terem que lidar sozinhos com a realidade e diversidade existente dentro da sala de aula. Sendo assim, alguns professores acabam tendo que se reinventar, e conseguem fazer com que a prática os forme, de modo que através dessa realidade vivenciada, aprendam e aprimorem a arte de ensinar. Contudo, há aqueles que ficam perdidos diante de tanta novidade e dificuldade, fazendo com que não se adequem, e nem desenvolvam práticas de ensino, o que atinge diretamente o corpo discente, e principalmente aqueles que possuem maior dificuldade.

Conforme o abordado sobre a falta de preparação do corpo docente, Gilsilene Passon Picoretti Francischetto observa que:

> [...] O currículo dos cursos de pedagogia e de outras licenciaturas pouco discute as especificidades que fogem da realidade urbana, ou que tematizam condições generalizadas que não dialogam com o chão da escola. Para os autores, pensar em questões específicas não se deu em suas graduações. Suas aproximações para com as temáticas se deram a partir de suas práticas na escola, comunidade ou em outros momentos de sua formação profissional. Por sua vez, o impacto que esses educadores sofrem quando chegam à escola pode ser paralisante, o que o impede de refletir sobre sua realidade, pensar sobre a sua prática, além de ocasionar dificuldades de colocar em diálogo o que vivenciou em sua formação e a realidade concreta da escola [...]. (FRANCISCHETTO, 2018, p.187)

A partir dessa realidade, é possível observar que a formação humanística, deve estar presente em toda formação profissional, tendo em vista que a maior parte das profissões lida diretamente, ou indiretamente, com pessoas, ou seja, os profissionais estão rotineiramente ligados às particularidades sociais, cabendo às universidades a instrução adequada para que esses futuros trabalhadores sejam sensíveis à realidade social, sendo esse um dos fundamentos da formação humanística universitária, que visa à formação de um profissional mais bem preparado, que entenda seu lugar como ser humano e como ser social, bem como possuidor de uma visão crítica e profunda da diversidade social em que vive.

Desse modo, a formação humanística durante o curso, segundo Cenci e Fávero (2008, p. 05) são de extrema importância, pois prestando serviços à sociedade, é necessário que o profissional esteja inteiramente capacitado para alcançar a função social de sua profissão. Sendo assim, para que a formação humanística seja alcançada nas universidades, o aluno deve ser preparado para lidar com a realidade da sociedade em que vive, pois assim será possível que ele compreenda o valor, e as dificuldades do seu próximo, a fim de que dentro do seu ramo, esse profissional tenha responsabilidade e comprometimento com a sociedade, de modo a atingir positivamente a vida do outro, pois sabe compreender a realidade vivenciada por ele, se sensibilizando com questões que devem ser atingidas, estando preparado para enfrentar os problemas sociais que envolvem sua profissão.

Diante disso, nas Faculdades de Direito, a formação humanística deve ser levada em consideração. Pois as universidades voltadas para o ramo jurídico possuem uma grande escassez em seu currículo, tendo em vista que os profissionais em formação são qualificados para serem terminantemente pragmáticos, pois durante o curso, conforme situa Abikair Neto (2018, p. 49), lidam com um formalismo e um tecnicismo constante, de modo que, em sua grande maioria, o ensinamento humanístico é deixado de lado, em detrimento do positivismo existente nos cursos de Direito.

Nesse viés, uma formação humanística é de total importância para a realidade acadêmica dos cursos jurídicos. Portanto, é preciso que as universidades tenham como base curricular tal ensinamento, pois assim os alunos irão conseguir ampliar o seu conhecimento, pois serão formados para serem pessoas que pensam além do que a grade curricular os ensina, não sendo escravos de um ensino mecanizado, mas sim de uma formação que os estimulem a serem seres pensantes, críticos, e com olhar para as necessidades sociais.

Logo, ter a formação humanística englobada na grade curricular das faculdades de Direito faz com que os alunos desde a graduação, sejam preparados para lidar com as circunstâncias que podem surgir no mercado de trabalho. Tal fator é extremamente positivo quando a universidade se preocupa em ensinar sobre a diversidade existente dentro do contexto educacional, pois é diante de tal realidade que o profissional irá ter contato direto ao ingressar no mercado de trabalho, fazendo com que a preparação durante o curso garanta que ele esteja apto para lidar com as inconstâncias que podem surgir. De modo que, o devido conhecimento sobre as questões que podem atingir seus futuros alunos beneficia a esse professor recém-formado, que já vai saber lidar com alunos que possuem diversas dificuldades tanto motoras, intelectuais, psicológicas, e entre outros fatores, que com o devido conhecimento, elevam esse profissional, que terá mais chances de ter êxito na formação de seus discentes, por já vim da universidade com a sensibilidade e preparado adequado para lidar com esse mundo totalmente diversificado e desafiador, garantindo uma educação jurídica inclusiva.

A partir dessa realidade, o professor além de ter o conhecimento, é imprescindível que ele também saiba proporcionar ao aluno essa informação, possuindo habilidades de lecionar, pois ele o principal mediador no processo de aprendizado. Dessa forma, Doris Pires Vargas Bolzan e Silvia Isaia (apud POWACZUCK e BOLZAN) defendem que para que se tenha êxito, a pedagogia deve tratar de valores importantes, sendo eles:

> Sensibilidade frente ao aluno; b) valorização dos saberes da experiência; c) ênfase nas relações interpessoais; d) aprendizagem compartilhada; e) indissociabilidade teoria/prática; f) o ensinar enfocado a partir do processo de aprender do aluno, tudo isso voltado para o desenvolvimento dos sujeitos em formação como pessoa e profissional. (BOLZAN; IZAIA, – apud POWACZUCK e BOLZAN – ,2009, p. 08)

Sendo assim, é importante afirmar que uma adequada formação de professores, é altamente necessária para uma educação jurídica transformadora e inclusiva, pois é através do docente que podem ser alcançados novos rumos educacionais, já que ele é o responsável por garantir maior integração entre as disciplinas, dando suporte para que a transdisciplinaridade seja efetivada, garantindo maior entendimento da complexa sociedade contemporânea. A partir disso, é importante que se formem professores altamente qualificados para lidarem não somente com sua disciplina, mas sim com diversas outras competências interligadas ao ensino, pois ter conhecimentos amplos sobre as diversidades diferenciam professores, de meros ministradores de aula.

Nesse contexto, os professores e universidades precisam estar preparados para receberem alunos com todos os tipos de necessidades, sejam estudantes com deficiência, transtornos globais de desenvolvimento, altas habilidades ou superdotação. Para isso, é importante que os funcionários no ambiente escolar realizem ações que irão garantir a aplicação da razão cosmopolita, que objetiva a realização de condutas solidárias dentro das escolas, que primam pela inserção de didáticas, que desafiam os professores a estabelecerem novas práticas de ensino, não reconhecidas, que visam aumentar a performance em sala de aula, a fim de atingir a todos os alunos, reinventando a forma de dar aula, promovendo a inclusão e tendo como fundamento o respeito à diferença.

Dessa forma, observando e colocando em prática a razão cosmopolita, o professor deixará de lado a razão indolente, que visa à realização de comportamentos solitários na rotina institucional, beneficiando assim comportamentos que afastam o professor da realidade vivenciada pelo aluno, instruindo a competitividade e afastamento da função social, de modo que essa segunda corrente vai de encontro ao lado oposto de uma educação jurídica inclusiva, que é o que se busca atualmente, e que pode ser encontrada com a aplicação da razão cosmopolita. Nesse sentido, Gilsilene Passon Picoretti Francischetto observa que:

> O desenvolvimento de ações solidárias promove a tradução de conhecimentos/experiências de pedagogos e professores para a inventividade pedagógica; resgata a importância de se subjetivar o estudante como sujeito de direito e de conhecimento; alça o professor/pedagogo como pesquisador de novos-outros saberes-fazeres; fortalece o diálogo e a cooperação; reestabelece a função social da escola; e rompe com a ideia de que o profissional da Educação é um prático puro que não retroalimenta suas ações pedagógicas com perspectivas teóricas. (FRANCISCHETTO, 2018, p. 15)

A introdução de ações solidárias beneficia o aprendizado jurídico, uma vez que há atualmente uma escassez de normas no ordenamento, tendo em vista que atualmente há uma necessidade de se adequar o direito a sociedade atual, que passou por mudanças, sendo que a grande quantidade de informação e avanços atualmente faz com que a forma de aplicação da educação jurídica, anteriormente dogmática, passe a incorporar demais temas, através de conceitos interdisciplinares.

Dessa forma, as faculdades de Direito necessitam que o professor implemente dentro da sala de aula, interpretações e ensinamentos interdisciplinares, a fim de direcionar o estudante a uma compreensão ampla da realidade existente no mundo atual, abarcando dentro de uma só disciplina, situações que alcancem um maior nível de conhecimento da realidade social, a fim de proporcionar a esse aluno uma visão crítica das necessidades sociais, de modo a garantir que esse profissional futuramente lute por maiores perspectivas normativas, que atualmente são escassas, quando se trata de igualdade de direitos e necessidades individuais. A partir dessa necessidade, em 2004, o Conselho Nacional de Educação editou a Resolução nº 09, que incentiva o professor a estimular o aluno a desenvolver seu senso crítico, suas habilidades e competências, ensinando-os a sair de suas zonas de conforto, prevendo que:

> Art. 5º **O curso de graduação em Direito deverá contemplar**, em seu Projeto Pedagógico e em sua Organização Curricular, **conteúdos e atividades que atendam aos seguintes eixos inter-ligados de formação:**
> I - **Eixo de Formação Fundamental**, tem por objetivo integrar o estudante no campo, **estabelecendo as relações do Direito com outras áreas do saber, abrangendo** dentre outros, **estudos que envolvam conteúdos essenciais sobre Antropologia, Ciência Política, Economia, Ética, Filosofia, História, Psicologia e Sociologia.**
> II - **Eixo de Formação Profissional, abrangendo, além do enfoque dogmático, o conhecimento e a aplicação, observadas as peculiaridades dos diversos ramos do Direito, de qualquer natureza, estudados sistematicamente e contextualizados segundo a evolução da Ciência do Direito e sua aplicação às mudanças sociais, econômicas, políticas e culturais do Brasil e suas relações internacionais,** incluindo-se necessariamente, dentre outros condizentes com o projeto pedagógico, conteúdos essenciais sobre Direito Constitucional, Direito Administrativo, Direito Tributário, Direito Penal, Direito Civil, Direito Empresarial, Direito do Trabalho, Direito Internacional e Direito Processual; e
> III - **Eixo de Formação Prática**, objetiva a **integração entre a prática e os conteúdos teóricos desenvolvidos nos demais Eixos, especialmente nas atividades relacionadas com o Estágio Curricular Supervisionado, Trabalho de Curso e Atividades Complementares**. (BRASIL, 2004 - grifo nosso)

No entanto, para que de fato a educação jurídica se efetive, a ponto de ser inclusiva, é necessário mais que uma mudança normativa, pois é imprescindível que os professores e universidades trabalhem juntos para uma concreta formação pedagógica de seus alunos. Sendo assim, é importante que o professor ensine seu aluno a pensar além do que é ensinado nos livros de Direito, pois a forma de ensino atualmente faz com que o estudo jurídico se torne mecânico, com os livros se tornando verdadeiras "bíblias" para os estudantes, que se apegam ao que está escrito, a ponto de não realizarem uma avaliação crítica do que está sendo exposto, aceitando a opinião do autor de forma fiel e irredutível, sem levar em consideração a realidade social em que vive. Tal fator demonstra a necessidade de haver uma eficaz formação dos professores, pois só assim, haverá mudanças, que levam a formação de professores altamente capacitados, com habilidades para lecionar, respeitando sempre a realidade de seu aluno e suas necessidades, contribuindo para a formação de alunos pensantes, que irão perpetuar esses ideais de respeito ao próximo, contribuindo assim, para uma educação jurídica inclusiva, por meio de uma efetiva formação de professores.

### 3.1.    A conciliação entre a igualdade e à diferença nos cursos de Direito

A Constituição Federal de 1988 foi criada com base em ideais da Revolução Francesa ocorrida em 1789, sendo assim, a carta magna brasileira tem como fundamento a Liberdade, a Igualdade e a Fraternidade, que são garantidos através dos direitos e garantias fundamentais previstas por lei, a todos os brasileiros. A partir disso, Jorge Abikair (2018, p. 50), aduz que tais direitos fundamentais devem ser levados em consideração para uma concreta mudança social. Porém, para que isso seja efetivado, é preciso que a formação humanística seja sustentada por tais ideais, pois eles colaboram para que os direitos das pessoas sejam garantidos.

Nesse sentido, é preciso envolver diferentes temas na formação dos estudantes, envolvendo política, religião, etnia, sexualidade, cultura e grupos, para que as características individuais de cada um sejam respeitadas, e os discentes passem a compreender a situação do próximo, e saibam lidar com as pessoas que passam pelos diferentes problemas que circundam a sociedade, de modo que a formação dos alunos seja pautada em um viés humanístico, sobressaindo assim os direitos fundamentais, garantindo uma maior igualdade às diferenças.

Desse modo, nos cursos superiores, é importante que o professor garanta que todos os alunos sejam colocados em condições de igualdade dentro da sala de aula, respeitando o limite de suas desigualdades, através de metodologias diversificadas que deverão ser propostas pelo corpo docente. Tal situação se faz necessária, pois em um ambiente escolar, há uma série de diversidades e necessidades individuais entre os alunos, portanto para que haja uma conciliação entre a igualdade e a diferença, é preciso que uns recebam mais atenção que outros, tendo em vista a sua maior dificuldade de aprendizado, para que dessa forma ele se encontre em igualdade com aquele que não tem nenhuma dificuldade de aprendizado. Dessa forma, o professor deverá encontrar maneiras de lidar com os desafios advindos da pedagogia, como explicita Claudio Roberto Baptista:

> As dificuldades que envolvem a cognição, o pensamento, a abstração, a comunicação e a interação social exigem de nós uma grande atenção aos modos como instituímos nossas práticas, como elaboramos nossos planejamentos e realizamos nossas avaliações. Refletir sobre como ensinamos e como aprendem esses alunos nos ajuda a ensinar melhor, ou a favorecer que os alunos em geral sejam colocados em condições de aprender. (BAPTISTA, 2013, p.16)

A partir desse entendimento, é fundamental que o professor busque conhecer e visualizar o processo histórico que levou as pessoas com necessidades diferentes, a serem excluídas do ambiente escolar, pois entendendo esse contexto, ele poderá evitar ações repetidas que estimulem a desigualdade e a exclusão desses alunos. Logo, Francischetto (2018, p.15) alude que o principal fator que desencadeou o afastamento de alunos com deficiência, altas habilidades, transtornos globais de desenvolvimento e superdotação nas escolas e faculdades, foi à razão indolente, pois tal entendimento vislumbrava as pessoas com necessidades especiais, como pessoas que não dariam retorno a sociedade capitalista, que valoriza o imediatismo como uma qualidade essencial. Dessa forma, por terem que receber tratamentos diferenciados, os alunos especiais passaram a serem compreendidos como pessoas que não iriam agregar para o desenvolvimento da sociedade, pois eram julgados como incapazes de aprender, de aprimorarem suas habilidades e conhecimentos. Consoante a esse entendimento, Adriana Oliveira e Silvia Sigolo, ponderam que no passado, a sociedade:

> Se apoiava na ideia de que a pessoa com deficiência, não produtiva, ficaria mais bem protegida e cuidada se fosse mantida em ambiente separado da sociedade. (OLIVEIRA; SIGOLO, 2009, p. 41).

Nesse contexto, a falta de conhecimento sobre deficiência e transtornos, levou a sociedade a ditar o que era importante a esses alunos, sem levar em consideração suas verdadeiras necessidades. Logo, passou-se a ser incentivada a exclusão desses alunos do ambiente escolar, por serem considerados inadequados para aquele meio, havendo a necessidade de criar escolas especializadas, que seriam capazes de manipular com eficácia esses alunos com capacidade de aprendizagem "atrasada", se comparada aos alunos "normais".

Contudo, tal separação em nenhum momento foi de fato positiva aos alunos, que recebiam apenas curativos para suas limitações advindas da deficiência ou do transtorno que possuíam, pois a segregação incentivou ainda mais a exclusão desses alunos, aumentando a desigualdade, pois se tornou comum fazer juízo de valor da capacidade estudantil e profissional de uma pessoa, observando apenas a sua "incapacidade", o que estimulou o preconceito contra esses indivíduos, que por serem mantidos afastados, acarretou na falta de contato com as diferenças no ambiente escolar, desencadeando, a perplexidade e repulsa dos outros alunos tidos como "normais", quando um aluno especial, em casos extremamente raros, se matriculava em uma escola comum, pois a falta de tato e contato desestimulava os alunos, que ao invés de se unirem para ajudar esse colega, faziam o oposto, mantendo-se afastados desse aluno, que era motivo de gozação e piada entre os colegas, de modo que esse discente especial se sentisse sozinho, e desamparado, o que gerava neles uma baixa produtividade e ainda maiores dificuldades de aprendizado e inseguranças, além de não quererem mais estar naquele ambiente que era tóxico para eles, pela falta de inclusão dos colegas e professores.

Tal realidade social desestimulava os alunos com deficiência, altas habilidades, transtornos globais de desenvolvimento e superdotação, pois passaram a não serem reconhecidos na medida que deveriam, dado o histórico preconceituoso que a sociedade foi estimulada a criar sobre esses cidadãos, fazendo com que eles fossem invisibilizados e considerados não capacitados para o convívio social. Sendo assim, Maria Salete F. Aranha, considera que a sociedade:

> [...] caracterizou-se, desde o início, pela retirada das pessoas com deficiência de suas comunidades de origem e pela manutenção delas em instituições residenciais segregadas ou escolas especiais, frequentemente situadas em localidades distantes de suas famílias. Assim, pessoas com retardo mental ou outras deficiências, freqüentemente ficavam mantidas em isolamento do resto da sociedade, fosse a título de proteção, de tratamento, ou de processo educacional. (ARANHA, 2001, p.161)

Sendo assim, há de se observar que a razão indolente por muito tempo foi ineficaz e estimulou o crescimento da exclusão e da desigualdade. Em contrapartida, a evolução no conhecimento abriu caminho para uma nova realidade, e perspectivas, no qual se visualizou que essas pessoas foram injustiçadas e invisibilizadas por muito tempo, de forma incorreta e inaceitável, pois o que se pregava sobre esses indivíduos, não condizia com a realidade, pois são sim seres altamente capacitados para o aprendizado, podendo se destacar até mais que um aluno comum, se for lhe dado o devido apoio. Nesse sentido, a fim de mudar essa realidade, a razão indolente abriu espaço para a razão cosmopolita, que objetiva o processo inverso, incentivando a igualdade e a inclusão desses discentes.

Destarte, a conciliação entre a igualdade de direito a diferença nos cursos superiores, é fundamentada em dois princípios, sendo eles a igualdade formal e a igualdade material. Sendo assim, a igualdade formal, tem como base o tratamento igualitário de todas as pessoas, sem haver diferenças no modo de tratamento, independente da necessidade da pessoa. Por outro lado, a igualdade material tem como finalidade o tratamento desigual das pessoas, na medida de suas desproporcionalidades, de modo que dessa maneira, poderia existir uma igualdade realmente concreta, no qual o equilíbrio seria a base inicial, de modo que o que tem muito receberia menos, do que o que tem pouco, de tal modo que aquele que possui maior necessidade de atenção dentro de uma sala de aula receberia maior concentração e preocupação do corpo docente, enquanto que o aluno que não precisa dessa maior atenção, receberia menos desse apoio, por não fazer falta e não haver necessidade dele para o seu processo de aprendizado, logo, ambos estariam em equilíbrio no ambiente escolar.

Nesse contexto, Francischetto (2018, p.79-80) observa que a Constituição de 1988, se preocupou em tratar o princípio da igualdade formal como um pressuposto fundamental da democracia, consagrando-o em seu ordenamento, no Art. 5º da carta magna, que garante a todos os cidadãos, brasileiros e estrangeiros residentes no país, a igualdade de direitos, sem haver qualquer distinção, através de um tratamento isonômico perante a lei. Todavia, o princípio formal pondera que no plano prático, a igualdade deveria ser aplicada a todas as pessoas, porém tal situação só funciona na teoria, tendo em vista que na prática, a realidade de muitas pessoas é a desigualdade, já que nem todos recebem as mesmas oportunidades, comprovando, no entanto, que a igualdade formal ao invés de fortalecer a igualdade, a impossibilitava, fortalecendo a desigualdade.

Não obstante, enquanto a igualdade formal era vista como um método eficaz de garantir a igualdade, embora conduzisse a desigualdade, a igualdade material, por evidenciar as diferenças, era tida por muitos como uma metodologia incerta, haja vista que na visão de algumas pessoas, o tratamento diferenciado e desigual, contribuiria ainda mais para que a desigualdade estivesse em evidência na sociedade. Porém o que muitos não imaginavam, era que a igualdade material é a melhor forma de restringir a desigualdade, pois é justamente a desproporcionalidade e a falta de oportunidade que leva a desigualdade, e se a mesma não for observada, de modo a garantir as necessidades de cada um, jamais haverá uma sociedade igualitária, pois ao dar a mesma oportunidade para quem tem muito e quem tem pouco, aquele que possui menos, ainda ficará em desvantagem, conforme é observado na igualdade formal. Todavia, se for observado às diferenças, e a partir delas for distribuído às oportunidades, direcionando mais para quem possui menos, e menos para quem possui mais, como se fundamenta a igualdade material, haverá uma maior transformação social, a ponto de fazer com que os direitos individuais sejam garantidos de forma igualitária.

Consoante, Gilsilene Passon Picoretti Francischetto aduz que:

> ...o princípio da igualdade passou por processo de evolução ao conseguir trazer novos parâmetros no tratamento igualitário àqueles que se encontram em situações específicas, a fim de garantir o direito às diferenças, no instituto de eliminar as desigualdades e as práticas discriminatórias existentes.
>
> Portanto, o tratamento isonômico é destinado a todos, considerando as diferenças individuais e sociais, não se limitando ao simples texto escrito, já que se propõem a entender o princípio da igualdade, no seu aspecto material, devendo ser aplicado no sentido amplo, pois a igualdade se fará presente quando houver tratamento igual entre iguais. (FRANCISCHETTO, 2018, p.80-81)

Nesse sentido, há de se considerar que o princípio da igualdade e o princípio da diferença, devem ser conciliados, pois não existe a igualdade se não houver a desigualdade. Posto isso, Boaventura de Souza Santos (SANTOS, 2006, p. 313) alega que todos possuem o direito de serem iguais quando a diferença os inferiorizar, e também o direito de ser diferente, quando a igualdade os descaracterizar. Tendo em vista que a aplicação da igualdade material é uma ampla observação da desigualdade, das diferenças, das necessidades, do cotidiano e da cultura, sem deixar de levar em consideração também a igualdade formal, que é tão importante para alguns textos legislativos, devendo ser eficaz a junção entre a igualdade formal, previstas na lei, e a material, que observa as necessidades do mundo físico, além da teoria, pois ambas são importantes para que haja a conciliação entre a igualdade e a diferença nos cursos superiores, e também no cotidiano da sociedade.

## CONSIDERAÇÕES FINAIS

Considerando o que foi abordado sobre o TDAH durante o presente estudo, conclui-se que mesmo diante de tanta evolução e conhecimento sobre as pessoas com transtornos globais de desenvolvimento, ainda permanece em nossa sociedade a herança histórica que segrega essas pessoas por suas dificuldades. Porém, tal separação se dá de forma diferente, tendo em vista que hoje em dia a exclusão é feita através da não inclusão dessas pessoas no ambiente da qual fazem parte, deixando de respeitar as suas diferenças, e dar-lhes o devido apoio.

Sendo assim, como pressuposto inicial, deve ser considerado como um viés problemático a falta de formação adequada dos professores, que ainda nos dias de hoje, não são preparados durante a graduação para lidarem com os alunos que possuem algum tipo de deficiência, transtorno global de desenvolvimento, ou superdotação. Dessa forma, ao entrarem no mercado de trabalho e encontrarem dentro da sala de aula um aluno que possui TDAH, não saberão como lidar com o mesmo, nem tão pouco conseguirão identificar suas dificuldades, fazendo com que esse aluno seja incompreendido diante da falta de preparo do professor.

Posto isso, é importante que o professor busque o conhecimento individual quando esse não lhe for garantido durante a graduação, para que assim possa compreender melhor essa realidade. Será necessário então que o profissional se capacite, buscando conhecimento através de conversas com especialistas e com pessoas que possuem o transtorno, a fim de entender a vivência e as dificuldades de um aluno TDAH, sob a perspectiva de quem realmente possui o transtorno, para que dessa maneira esse profissional saiba como melhor instruir seus discentes que possuírem alguma dificuldade.

Para, além disso, é imprescindível que as faculdades preparem seus alunos para além do que está disposto nos livros, cabendo às universidades a responsabilidade de formar profissionais capacitados para encarar a realidade que irão vivenciar fora do ambiente universitário, a fim de garantir uma formação de professores adequada e consciente da realidade, que saiba compreender as necessidades sociais sob um viés humanista, sabendo o momento correto de aplicar a igualdade material e a igualdade formal, para que dessa forma as faculdades contribuam para a formação de docentes que propiciarão a seus alunos uma educação jurídica inclusiva, deixando de lado os paradigmas do passado, que segregam esses alunos, ao invés de incentivá-los de maneira adequada.

A partir disso, é importante também que o professor dentro das Faculdades de Direito saiba identificar os principais desafios que seus alunos que possuem o TDAH enfrentam na graduação. Para isso, é imprescindível que o professor esteja aberto para receber esse aluno, demonstrando reciprocidade e atenção, pois os docentes que possuem TDAH respondem muito bem a incentivos, e se percebem que o professor está aberto para ajudá-lo, esse aluno se aflora, demonstrando um maior interesse, o que atenua a falta de atenção do aluno, que tende a ter maior concentração nas matérias nas quais os professores demonstram interesse em ajudá-los, o que aumenta sua capacidade de entendimento, surpreendendo a todos com tamanha inteligência e conhecimento.

Sobretudo, os professores devem compreender e evitar que o contrário ocorra, pois quando o aluno percebe que não é bem-visto pelo professor, ele pode regredir, fazendo com que os sintomas do TDAH se tornem mais expressivos, o que por consequência gera dificuldades de aprendizagem para esse aluno, que sofre por ter um baixo rendimento dentro de sala. Dessa forma, é fundamental que o professor trate esses alunos de forma desigual, na medida de suas desproporcionalidades, para que assim, esses discentes sejam colocados em um patamar de igualdade com os outros.

Para que isso ocorra, é imprescindível que as faculdades de Direito incentivem o corpo discente, para que juntos estabeleçam novas metodologias inclusivas, para que o aluno com TDAH ao ingressar na universidade, receba o devido apoio, e incentivo dos professores, de modo a aprimorar a qualidade de ensino desses cidadãos que por muito tempo foram injustiçados e excluídos da sociedade, promovendo a partir dessa nova perspectiva, a formação docente como ferramenta de inclusão, promovendo a igualdade do aluno com TDAH nas faculdades de direito, respeitando, sobretudo os limites de sua diferença.

## REFERÊNCIAS

ABDA - Associação Brasileira de Déficit de Atenção. **O que é TDAH**. Disponível em: <https://tdah.org.br/sobre-tdah/o-que-e-tdah/>. Acesso em: 20 set. 2019.

_____ - Associação Brasileira de Déficit de Atenção. **Tirando Dúvidas: Direito das Pessoas com TDAH**. Disponível em: <https://tdah.org.br/tirando-duvidas-direito-das-pessoas-com-tdah/>. Acesso em: 22 out. 2019.

ABIKAIR NETO, Jorge. **Educação jurídica e formação de professores**. Curitiba: Juruá, 2018.

ARANHA, Maria Salete Fábio. Paradigmas da relação da sociedade com as pessoas com deficiência. **Revista do Ministério Público do Trabalho**, ano XI, n. 21, p. 160-173, 2001. Disponível em: <http://www.anpt.org.br/attachments/article/2732/Revista%20MPT%20-%20Edi%C3%A7%C3%A3o%2021.pdf> Acesso em: 03 ago. 2020.

BAPTISTA, Claudio Roberto. **Tornar-se: trajetórias de alunos e formação de professores**. In: VICTOR, Sonia Lopes; DRAGO, Rogério; PANTALEÃO, Edson (Org.). Educação Especial no Cenário Educacional Brasileiro. São Carlos: Pedro e João Editores, 2013.

BOLZAN, Doris Pires Vargas; ISAIA, Silvia, apud POWACZUCK, Ana Carla; BOLZAN, Doris Pires Vargas. A construção da professoralidade do professor do ensino superior. **Anais do IX Congresso Nacional de Educação** – EDUCERE e III Encontro Sul Brasileiro de Psicopedagogia – PUCPR, Londrina: s/p; 26 – 29 out. 2009. Disponível em: <http://www.ufsm.br/unidades-universitarias/ce/wp-content/uploads/sites/373/2019/02/8c900d9697f071bfb615f5f1b8e-94cbf.pdf>. Acesso em: 28 jul. 2020

BRASIL. Conselho Nacional de Educação. Resolução nº 9, de 2004. **Diário Oficial da União**, Brasília, DF, Seção 1, p. 17, 1º de out. de 2004. Disponível em: <http://portal.mec.gov.br/cne/arquivos/pdf/ces092004direito.pdf>. Acesso em: 30 jul. 2020.

_____. **Constituição da República Federativa do Brasil**. 49 ed. - Brasília: Câmara dos Deputados. Edições Câmara, 2016.

_____. Decreto-lei nº, 3.298, de 20 de dezembro de 1999. **Diário Oficial da União**, Poder Executivo, Brasília, DF, 21 dez. 1999, p. 10.

_____. **Direito à educação: subsídios para a gestão dos sistemas educacionais**. Orientações gerais e marcos legais. Brasília: 2004. 353 p.

_____. Lei de Diretrizes e Bases da Educação Nacional nº, 9.394, de 20 de dezembro de 1996. **Diário Oficial da União**, Poder Legislativo, Brasília, DF, 23 dez.1996, p. 27.833.

CAETANO, Mayara Albuquerque. **As dificuldades da criança com TDAH e as intervenções do professor no ambiente escolar**. 2012. Monografia (Título de Licenciatura em Pedagogia) – Faculdade Cearense, Fortaleza, 2012. Disponível em: <http://ww2.faculdadescearenses.edu.br/biblioteca/TCC/PED/AS%20 DIFICULDADES%20DAS%20CRIANCAS%20COM%20TDAH%20E%20 AS%20INTERVENCOES%20DO%20PROFESSOR%20NO%20AMBIEN-TE%20ESCOLAR.pdf> Acesso em: 18 nov. 2019.

CARVALHO, Rosita Edler. **Removendo Barreiras para a Aprendizagem**: Educação Inclusiva. Porto Alegre: Editora Mediação, 2000.

CENCI, Angêlo Vitório; FÁVERO, Altair Alberto. **Notas sobre o papel da formação humanística na universidade**. Revista Pragmateia Filosófica, Passo Fundo, a.2, n.1, out. 2008. Disponível em: <https://www.nuep.org.br/site/images/pdf/rev--pragmateia-v2-n1-out-2008-notas-sobre-o-papel.pdf>. Acesso em: 25 fev. 2020.

FERNANDES, Luana Siquara. **A Inclusão da pessoa com deficiência e com transtornos globais de desenvolvimento nos cursos de direito de Vitória (ES)**: limites e possibilidades de ingresso e permanência. 2018. 184 f. Dissertação (Mestrado em Direitos e Garantias Fundamentais) – Faculdade de Direito de Vitória, Vitória, 2018.

FRANCISCHETTO, Gilsilene Passon P. (Org.). **Construção de ecologias de saberes e práticas**: Diálogos com Boaventura de Sousa Santos. Vitória: FDV Publicações, 2018.

MARTINS, Lígia Márcia. **A formação social da personalidade do professor**: um enfoque vigotskiano. 2. Ed. São Paulo: Autores Associados, 2015.

MATTOS, Paulo. **No mundo da lua**: Transtorno do déficit de atenção com Hiperatividade. 16. Ed. Rev. Ampl. [S.I.]: Associação brasileira do déficit de atenção, 2015.

MENEZES, Sheilla Alessandra Brasileiro de. **O Direito à Educação e a Igualdade de Oportunidades na Universidade**: percursos de estudantes com deficiências no ensino superior à distância no Brasil e na Espanha. 2015. 403 f. Tese de Doutorado (Programa de Pós-Graduação em Educação: Conhecimento e Inclusão Social) – Faculdade de Educação da universidade Federal de Minas Gerais, Belo Horizonte, 2015. Disponível em: <https://sucupira.capes.gov.br/

sucupira/public/consultas/coleta/trabalhoConclusao/viewTrabalhoConclusao.
jsf?popup=true&id_trabalho=3451094> Acesso em: 20 maio 2019.

OLIVEIRA, Adriana Maria Leone Alves; SIGOLO, Silvia Regina Ricco Luca-
to. Sala de recursos e educação inclusiva: interconexões entre contextos. In:
DALL'ACQUA Maria Julia Canazza; ZANIOLO, Leandro Osni (Org.). **Educação Inclusiva em Perspectiva**: reflexões para a formação de professores. Curitiba: CRV, 2009.

ROTTA, N. T. Et Al, 2006, apud VALLE, Tânia Gracy Martins do. **Aprendizagem e desenvolvimento humano**: avaliações e intervenções. São Paulo: Cultura
Acadêmica, 2009.

SARTORETTO, Mara Lúcia. Inclusão: da concepção à ação. In: MANTOAN,
Maria Teresa Eglér (Org.). **O desafio das diferenças nas escolas**. 5. ed. Rio de
Janeiro: Vozes, 2013.

SENA; Diniz Neto, apud LOPES, Maria da Luz Curado. **Inclusão, Ensino, e Aprendizagem do aluno com TDAH**. 2011. 42 f. Monografia (Curso de Especialização
em Desenvolvimento Humano, Educação e Inclusão) – Faculdade UAB/UNB, Brasília, 2011. Disponível em: <https://bdm.unb.br/bitstream/10483/2187/1/2011_
MariadaLuzCuradoLopes.pdf> Acesso em: 10 ago. 2019.

SILVA, Ana Beatriz Barbosa. **Mentes Inquietas**: TDAH: desatenção, hiperatividade e impulsividade. Ed. Rev. Ampl. Rio de Janeiro: Objetiva, 2010.

ZENKLUB. **TDAH**: o que é, quais são os sintomas e como tratar. 18 set. 2018.
Disponível em: <https://zenklub.com.br/blog/saude-bem-estar/tdah/> Acesso
em: 15 abr. 2020.

# O DIREITO POSITIVO *VERSUS* A JURISCIÊNCIA: UM COMPARATIVO SISTÊMICO A PARTIR DA TEORIA PURA KELSENIANA

**Cristian Ricardo Prado Moises**

Doutor em Direito pela Pontifícia Universidade Católica de São Paulo (PUC/SP). Mestre em Direito pela Pontifícia Universidade Católica do Rio Grande do Sul (PUC/RS).

**RESUMO:** além da demonstração de que o universo jurídico apresenta formação dual (o direito posto mais a jurisciência), o presente trabalho tem como objetivo esmiuçar esses dois sistemas, evidenciando os seus diferentes elementos, estruturas, finalidades e características. Ainda, este texto - apesar de ter como base a teoria pura do direito de kelsen - expõe a impossibilidade de adoção integral dessa construção doutrinária para a explicação das diferenças entre o direito posto e a jurisciência.

**PALAVRAS-CHAVE**: Direito; Ciência; Sistemas; Kelsen

## CONSIDERAÇÕES INICIAIS

A significação do termo "direito" é, com certeza, uma das mais controvertidas no âmbito das Ciências Sociais Aplicadas. Como diretiva para a feitura deste trabalho, atribui-se, de uma maneira geral, ao referido termo o significado de instrumento, dotado de força coercitiva, que possui a finalidade de regulação das condutas intersubjetivas. De modo mais específico, o direito é considerado como um meio, de que dispõe a sociedade politicamente organizada, para a execução de 3 (três) funções básicas: 1ª) evitar o surgimento de conflitos entre as pessoas (função preventiva); 2ª) solucionar eventuais contendas intersubjetivas (função resolutiva); 3ª) promover transformações na própria estrutura social (função modificativa).

Considerando-se a natureza dessas três funções, verifica-se que o direito não é uma ciência. Ele não visa ao conhecimento, à explicação e, tampouco, à crítica de nenhuma área do mundo social ou da natureza. Diferentemente, o direito, como meio de condicionamento das condutas intersubjetivas, é o objeto (GRAU, 2014. p. 37) de estudos crítico-descritivos por parte de uma ciência, qual seja, a ciência jurídica (ou do direito).

A principal característica em comum entre o instrumento de regulação social em tela e o seu estudo científico é a natureza sistêmica. Tanto o direito, bem como a ciência jurídica, não são meros somatórios de caracteres aglomerados de forma aleatória, sem qualquer propósito. Ao revés, como será objeto de estudo em detalhes no presente trabalho, em virtude de serem conjuntos de elementos peculiares reunidos de modo minimamente organizado (com finalidades específicas[1]), o direito e a sua ciência constituem diferentes sistemas. A integração dessas duas totalidades sistêmicas forma o denominado universo jurídico.

---

1    Com base no pensamento kantiano (KANT, Immanuel. *Crítica da razão pura*. São Paulo: Ícone, 2007, p. 522), entende-se que, para a constituição de um sistema, são necessários três requisitos: 1) a existência de dois ou mais elementos (repertório); 2) que tais caracteres relacionem-se de forma organizada (estrutura); 3) que tal organização tenha uma razão de existir (finalidade). No mesmo sentido: TORRES, Heleno Taveira. *Direito constitucional tributário e segurança jurídica*: metódica da segurança jurídica do sistema constitucional tributário. São Paulo: Revista dos Tribunais, 2011, p. 85-87. De modo diverso, alguns estudiosos sustentam que basta a existência de apenas dois requisitos (repertório e estrutura) para a configuração sistêmica. Por exemplo, Tercio Sampaio Ferraz Júnior leciona: "Entendemos por sistema um conjunto de objetos e seus atributos (repertório do sistema), mais as relações entre eles, conforme certas regras (estrutura do sistema).". (FERRAZ JUNIOR, Tercio Sampaio. *Teoria da norma jurídica*: ensaio de pragmática da comunicação normativa. Rio de Janeiro: Forense, 2006, p. 140).

Concernente ao direito, é importante ressaltar que ele pode ser visto sob duas perspectivas distintas: a idealizada e a real. O direito ideal, de acordo com os estudos da ciência jurídica, nunca efetivamente existiu em nenhuma fase histórica das diferentes sociedades políticas do mundo. Ele consiste no instrumento regulador capaz de cumprir as três funções básicas (preventiva, resolutiva e modificativa)[2], referidas no primeiro parágrafo destas "Considerações Iniciais", de maneira perfeita, isto é, em completa sintonia com os valores predominantes na sociedade (justiça, liberdade, igualdade, bem-estar etc.).

Por sua vez, o direito real (mais conhecido como positivo ou posto) é o instrumento regulador de condutas, com força coercitiva oficializada, firmado pelo sistema político vigente na sociedade. O mesmo consiste no direito que é, geralmente, aplicado e seguido pelas pessoas. Nas precisas palavras de Kelsen, cuida-se do "Direito tal como ele é, e não como ele deve ser" (KELSEN, 2012, p. 118). De modo diverso do direito ideal, o positivo não desempenha as funções preventiva, resolutiva e modificativa, em plena harmonia com os valores sociais prevalecentes. A propósito, tal instrumento regulador chega até, em alguns casos, a ser indevidamente empregado, pelos responsáveis pela sua produção, em sentido contrário aos anseios do povo.

A pior imperfeição que pode apresentar o direito posto é a exteriorização de conteúdo contrário ao valor justiça. Entretanto, mesmo nessa hipótese, o instrumento regulador em tela não deixa de ser direito, ou seja, ele não perde o seu caráter jurídico. A fim de aumentar a plausibilidade dessa ausência de perda ontológica, vale lembrar que um indivíduo, por mais imperfeito que se apresente (física ou moralmente), não deixa de ser homem, não sendo possível negar a sua natureza humana.

Desse modo, o direito positivo, mesmo que repleto de injustiças (conteúdos discriminatórios, cerceadores de liberdades individuais etc.), em virtude da manutenção da sua juridicidade, não pode deixar

---

2    Aliás, numa análise mais profunda, chega-se à constatação de que, na hipótese de existência efetiva do direito ideal, o instrumento de regulação em tela passaria a ter, apenas, duas funções básicas (a preventiva e a modificativa), pois, em virtude da maximização daquela, deixariam de existir conflitos intersubjetivos na sociedade, com a perda do objeto da função resolutiva.

de ser objeto de exame pela ciência do direito. Aliás, essa obrigatoriedade de investigação científica reforça-se ante o fato de que o instrumento regulador em tela, por mais imperfeito que seja, revela-se muito
mais importante, para o cotidiano dos integrantes da sociedade, do que
o próprio direito ideal.

Haja vista, inclusive, tal importância, no próximo item deste trabalho, será analisado o direito posto, com abstração do seu conteúdo e
sob o enfoque sistêmico, com o objetivo de explicar os seus elementos,
a sua estrutura e o seu propósito, bem como as características peculiares. De maneira análoga, no item 3, estudar-se-á o sistema formado pela
ciência do direito, examinando-se, além das qualidades próprias, as respectivas composição, estruturação e finalidade. Por último, no item 4,
serão apresentadas as proposições conclusivas sobre os temas abordados
no presente texto.

## 2. A SISTEMATICIDADE DO DIREITO POSTO

### 2.1. Elementos, Estruturação e Finalidade

#### 2.1.1. As Normas Jurídicas e a Prescrição de Condutas

O sistema do direito real possui como elemento formador a
norma jurídica. Ela não tem caráter descritivo das condutas, sendo incorreto considerá-la como instrumento explicativo ou crítico dos comportamentos subjetivos. Ao revés, a norma jurídica possui natureza prescritiva (KELSE, 2012. p. 83), com a finalidade intrínseca de condicionar
a conduta dos sujeitos, no sentido dos valores acolhidos pelo sistema
do direito posto. A regulação dos comportamentos dos integrantes da
sociedade, pelas normas jurídicas, ocorre mediante a utilização de três
modais deônticos (proibido, permitido e obrigatório).

Em decorrência do caráter prescritivo do discurso da norma
jurídica, ela situa-se fora do campo temático da lógica apofântica, que
é aplicável às proposições descritivas. O teor normativo-jurídico não
pode ser objeto de aferição relativa aos valores de veracidade ou falsidade. Por causa da natureza prescritiva, o elemento formador do direi-

to posto está sujeito à lógica deôntica (VILANOVA, 1997. p. 40). Nesse contexto, a norma jurídica, apenas, pode ser aferida quanto à (im) pertinência relativamente ao sistema jurídico, isto é, no que concerne a sua validade ou invalidade.

Por outro lado, sob o ponto de vista semântico, a expressão "norma jurídica" é ambígua, pois é passível de compreensão tanto em sentido amplo, quanto em acepção estrita. *Lato sensu*, as normas jurídicas consistem no suporte físico (CARVALHO, 2013. p. 283) veiculador do direito posto. Nesse sentido, elas são os textos, que visam a regular as condutas intersubjetivas, resultantes dos trabalhos das pessoas competentes (legisladores, magistrados etc.). Tais elementos textuais podem ser considerados de modo completo (*v.g.*, leis, decretos e sentenças) ou parcial (dispositivos, enunciados ou preceitos[3]).

*Stricto sensu*, a norma jurídica não se confunde com os textos ou os fragmentos textuais das leis, decretos etc. Ao contrário, ela, nessa acepção, situa-se no plano imaterial das significações. De modo mais exato, a norma jurídica em sentido estrito consiste no resultado do processo hermenêutico-aplicativo, conduzido pela pessoa que, conforme o sistema jurídico, possui competência para a produção do direito. Tal processo tem início com a leitura dos textos prescritivos e, após a composição articulada das respectivas significações[4] pelo intérprete competente, finaliza-se com a aplicação do direito quando ocorre a produção da norma jurídica *stricto sensu*.

Como ensina Paulo de Barros Carvalho, em sentido estrito, a norma jurídica exterioriza a "unidade mínima e irredutível de signifi-

---

3     Nesse sentido, sustenta José Souto Maior Borges: "O preceito é o signo sensível, impresso em papel ou digitalizado em computador. Mas é sobretudo significante.". (BORGES, José Souto Maior. *Curso de direito comunitário*: instituições de direito comunitário comparado: União Europeia e Mercosul. São Paulo: Saraiva, 2009, p. 1).

4     CARVALHO, Paulo de Barros. *Direito tributário*: linguagem e método. São Paulo: Noeses, 2011, p. 128. No mesmo diapasão, leciona Aurora Tomazini de Carvalho: "Tendo-se em conta o percurso gerador de sentido dos textos jurídicos, a norma jurídica em sentido estrito aparece [...] como significação construída a partir dos enunciados do direito positivo estruturada na forma hipotético-condicional 'D (H→C)'". (CARVALHO, Aurora Tomazini de. *Curso de teoria geral do direito*: o constructivismo lógico-semântico. São Paulo: Noeses, 2013, p. 284).

cação do deôntico" (CARVALHO, 2010. p. 41). Isso não quer dizer que os enunciados dos textos jurídicos (artigos, parágrafos, alíneas etc.) não tenham qualquer conteúdo prescritivo. Na verdade, ao se afirmar que a norma jurídica *stricto sensu* é a menor unidade significativa do deôntico, busca-se explicar que apenas ela, considerada na sua completude, terá a capacidade de expressar integralmente a prescrição (proibição, permissão ou obrigação) produzida pela pessoa competente para regular a conduta intersubjetiva.

Desse modo, não existe, em regra, uma correspondência exata entre o elemento textual e o normativo *stricto sensu*. Na maioria das vezes, é necessária a conjugação, por quem tem competência para interpretar e aplicar o direito, de dois ou mais enunciados prescritivos para a feitura da norma jurídica em sentido estrito. Por ilustração, convém apresentar o seguinte exemplo (BORGES, 2009. p.3). O artigo 3º do Código Tributário Nacional[5]fornece o conceito de tributo no direito brasileiro. Entretanto, tal dispositivo, por si só, não exterioriza, com inteireza, nenhuma prescrição no sentido de que uma conduta deve ser obrigatória, proibida ou permitida. Unicamente por meio da combinação com outros enunciados prescritivos, a pessoa competente (intérprete e aplicador) poderá obter a norma jurídica em sentido estrito, *in casu*, uma proposição que expresse, numa relação intersubjetiva (Fisco x contribuinte), uma obrigação de pagamento, uma proibição de cobrança ou outra mensagem deôntica completa relativa a uma dívida específica.

Ainda sobre a norma jurídica *stricto sensu*, cabe ressaltar que a exegese dos textos jurídicos, por qualquer pessoa, não é suficiente para criá-la. Aliás, nem mesmo a interpretação dos enunciados prescritivos, pelos cientistas do direito, tem o condão de produzir tal elemento sistêmico. Isso porque a prescritividade, que é característica indispensável para a norma, só pode ser atribuída à proposição (aqui entendida como resultado do processo hermenêutico-aplicativo) que emane de quem detém competência não só para interpretar, mas, sobretudo, para aplicar o direito positivo (conforme atribuição do próprio sistema jurídi-

---

5    "Art. 3º Tributo é toda prestação pecuniária compulsória, em moeda ou cujo valor nela se possa exprimir, que não constitua sanção de ato ilícito, instituída em lei e cobrada mediante atividade administrativa plenamente vinculada.".

co). Assim, em geral[6], apenas as autoridades oficialmente constituídas (parlamentares, magistrados e administradores públicos) podem criar as normas jurídicas, inclusive, em sentido estrito.

Para encerrar o presente subitem, tratar-se-á das classificações jurídico-normativas. As duas mais comentadas pelos doutrinadores são as seguintes: a) princípios x regras; b) normas de conduta x normas de organização. Sob a ótica daquela, a norma jurídica é um gênero que possui como espécies os princípios e as regras. Fazem parte da primeira espécie as normas consideradas pela Constituição, pela lei, pela jurisprudência e/ou pela doutrina, como de maior relevância ou, então, como caracterizantes[7] da totalidade ou de parcela do sistema do direito positivo. Por sua vez, a segunda espécie normativa (regras) consiste nas normas jurídicas axiologicamente inferiores (FREITAS, 2004. p. 292) aos princípios e que existem para concretizá-los.

Além de acolher classificação em tela, Robert Alexy apresenta uma diferenciação qualitativa entre os dois tipos normativos, *in verbis* [8]:

> Princípios são, por conseguinte, *mandamentos de otimização*, que são caracterizados por poderem ser satisfeitos em graus variados e pelo fato de que a medida devida de sua satisfação não depende somente das possibilidades fáticas, mas também das possibilidades jurídicas.
>
> [...]

---

6    No próximo subitem deste trabalho, será exposto que, em situação bastante específica, os particulares podem produzir conteúdos jurídico-normativos.

7    GUASTINI, Riccardo. *Das fontes às normas*. São Paulo: Quartier Latin, 2005, p 187. Em sentido diametralmente oposto, Alfredo Augusto Becker sequer reconheceu natureza jurídica em alguns princípios: "Os chamados 'princípios constitucionais programáticos' [...] são exemplos de ausência de juridicidade por *impraticabilidade*". (BECKER, Alfredo Augusto. *Teoria geral do direito tributário*. São Paulo: Noeses, 2013, p. 75).

8    ALEXY, Robert. *Teoria dos direitos fundamentais*. São Paulo: Malheiros, 2011, p. 90-91. No mesmo sentido, Ronald Dworkin, para distinguir as duas espécies jurídico-normativas em exame, afirmou: "As regras são aplicáveis à maneira do tudo-ou-nada". (DWORKIN, Ronald. *Levando os direitos a sério*. São Paulo: Martins Fontes, 2010, p. 39).

1 Já as *regras* são normas que são sempre ou satisfeitas ou não satisfeitas. Se uma regra vale, então, deve se fazer exatamente aquilo que ela exige; nem mais, nem menos. Regras contêm, portanto, *determinações* no âmbito daquilo que é fática e juridicamente possível.

Concernente à outra classificação jurídica mais comentada pela doutrina (normas de conduta x normas de organização), ela foi exposta, com originalidade, por Kelsen, na sua *Teoria Pura do Direito*. Conforme o referido jurista, as normas jurídicas, além de serem meios para a disciplinados comportamentos intersubjetivos, consistem em instrumentos para a regulação do modo de criação delas próprias (através das atribuições de competências (KELSEN, 2012. p. 81) e dos estabelecimentos de outras exigências para a produção jurídico-normativa). Assim, as normas de conduta são as veiculadoras de prescrições (obrigações, permissões ou proibições), que devem ser observadas pelos integrantes da sociedade em geral. Por sua vez, as normas de organização abrangem as atributivas de poder ou de competência aos legisladores *lato sensu* (parlamentares, juízes, governantes etc.), bem como as fixadoras de formalidades do processo legislativo (*v.g.*, a estipulação de quórum mínimo para a aprovação das leis).

Entretanto, a classificação descrita no parágrafo anterior é válida, exclusivamente, para fins didáticos. Através de uma análise mais profunda, é possível chegar à constatação de que todas as normas jurídicas são, na essência, de conduta (FOLLONI, 2013. p. 223). De maneira intrínseca, as chamadas normas de organização também regulam comportamentos entre integrantes da sociedade. Entretanto, elas não visam a disciplinar as condutas da generalidade das pessoas; mas, apenas, as dos entes competentes para a criação do direito. Sob essa ótica, por exemplo, numa lei que atribui competência a um juízo *x* para julgar matéria *y*, há uma prescrição, oriunda do legislador *stricto sensu* (Parlamento), direcionada especificamente ao comportamento de outro ente com capacidade para produzir normas jurídicas (órgão jurisdicional).

Finalizado o estudo do elemento formador e da finalidade regulatória (ou prescritiva) do sistema do direito posto, nos parágrafos seguintes, será objeto de análise a respectiva estrutura.

## 2.1.2.    O Escalonamento Piramidal e a Crescente Complexidade Sistêmica

Quanto à estruturação do direito positivo, inexiste consenso na doutrina. Uma minoria dos autores sustenta que as normas jurídicas não se encontram todas organizadas, de modo sistêmico, numa só hierarquia. Por exemplo, Tercio Sampaio Ferraz Jr., apesar de adotar uma estrutura circular relativa ao sistema do direito posto, defende haver várias séries de subordinação entre os elementos jurídico-normativos, que não podem ser reduzidas numa unidade hierarquizada. Afirma o referido jurista que, quando uma daquelas séries "não dá conta das demandas" (FERRAZ JUNIOR, 2013. p. 160) que surgem na sociedade, aparece a necessidade deformar-se uma nova série de normas jurídicas. Assim, essa formação serial contínua configura, para Tercio Sampaio Ferraz Jr., a existência de uma pluralidade de hierarquias normativas, ao invés de apenas uma unidade escalonada.

Todavia, a maioria dos estudiosos do direito entende que as normas jurídicas encontram-se organizadas num único conjunto hierarquizado. Nessa doutrina prevalecente, a teoria mais aceita, para explicar a estruturação do sistema do direito positivo, é a da pirâmide, que foi originalmente apresentada por Kelsen.

De acordo com o jurista austríaco, todas as normas postas não estão num mesmo plano; mas, sim, estruturadas numa só estrutura escalonada (composta por diferentes camadas ou níveis jurídico-normativos). Como o direito regula a sua própria criação, uma norma para pertencer ao sistema jurídico-positivo (ou seja, para ser válida) precisa ser produzida segundo as determinações de outra. Nesse contexto, Kelsen (KELSEN, 2012. p. 247) denominou esta como norma superior e aquela, como inferior.

Na camada mais elevada do escalonamento em exame, está a Constituição. Como o sistema jurídico-positivo não se prolonga indefinidamente no seu ápice, a Carta Magna não obtém sua validade com suporte noutra norma posta; mas, sim, com fundamento numa norma pressuposta (a norma fundamental). Por sua vez, esta, conforme Kelsen, não pertence ao escalonamento normativo, pois consiste numa pressuposição lógico-transcendental ("devemos conduzir-nos como a Consti-

**291**

tuição prescreve"[9]), que é necessária, em última análise, para fundamentar e dar unidade a toda sistemática jurídico-positiva.

Especificamente sobre a Carta Magna, é imprescindível explicar o seu singular papel na estruturação das normas. A Constituição regula a produção das normas gerais (KELSEN, 2012. p. 247) do sistema jurídico-positivo, compreendendo a atribuição das competências aos órgãos criadores do direito e o estabelecimento dos processos legislativos próprios para as referidas espécies normativas. Assim, a Carta Magna, no topo do escalonamento, determina os requisitos para a elaboração e, em consequência, para a validade das normas jurídicas situadas na camada subsequente da estrutura em análise.

A próxima camada normativa é composta por normas gerais produzidas pelo Parlamento (principalmente pelas leis), que versam *in abstracto* sobre as mais diversas matérias: direito civil, penal, administrativo, etc. Com o objetivo de regulação específica das diferentes relações intersubjetivas, os tipos normativos em tela devem obrigatoriamente ser observados pelas pessoas competentes para a aplicação do direito (magistrados, administradores públicos e até mesmo particulares) na elaboração das normas *in concreto* (sentenças, portarias, negócios jurídicos, etc.). Esse processo de regulação específica foi denominado, por Kelsen, de "individualização (ou concretização)" (KELSEN 2012, p. 256) das normas gerais.

Considerando o exposto no parágrafo anterior, verifica-se a natureza intermediária da camada dos tipos normativos gerais. Isso porque situa-se entre a Constituição e as normas mais inferiores do escalonamento (sentenças, portarias, negócios jurídicos etc.). Assim, na estruturação piramidal kelseniana, existem três níveis normativos, como via de

---

9    KELSEN, Hans. *Teoria pura do direito.* São Paulo: Martins Fontes, 2012, p. 224. A respeito da pressuposição em tela, Miguel Reale, após lembrar que o jurista austríaco era adepto da filosofia kantiana, afirmou: "Kant denomina 'transcendental' toda condição lógica que torna possível a experiência. Dessarte, do ponto de vista estritamente lógico, é a norma fundamental que torna possível a experiência do Direito como um conjunto gradativo de regras entre si logicamente subordinadas e coerentes". (REALE, Miguel. *Lições preliminares de direito.* São Paulo: Saraiva, 1995, p. 194).

regra[10]: 1º) o constitucional; 2º) o legislativo geral; 3º) o legislativo concretizado (composto por normas judiciais, administrativas e negociais).

No que concerne à camada normativa inferior do sistema, mais especificamente às normas produzidas pelos magistrados, vale dizer que as sentenças dos juízes de primeira instância situam-se sempre no plano da concretização do direito. Diversamente, quanto às decisões das Cortes de justiça (jurisprudência), Kelsen admitiu que nem sempre elas podem ser consideradas como exemplos de atos normativos *in concreto*. Com muito acerto, ele fez observação no sentido de que, em alguns sistemas jurídico-positivos, "os tribunais têm o poder de criar normas jurídicas gerais sob a forma de decisões com força de precedentes"[11].

Também a respeito do nível inferior do escalonamento em tela, Kelsen sustentou que o sistema do direito positivo, ao disciplinar os negócios jurídicos, atribui à generalidade dos particulares, competência para produzir normas. Consoante tal doutrinador, os atos resultantes das avenças possuem juridicidade, pois são capazes de criar direitos e deveres recíprocos entre os negociantes, revelando teor prescritivo (exteriorizado em obrigações, proibições ou permissões). Entretanto, ele destacou que tais tipos jurídico-normativos só têm validade e, consequentemente, força prescritiva entre as partes envolvidas, se forem celebrados com suporte em normatização geral que os autorize[12].

Antes de encerrar o exame da pirâmide do sistema jurídico-positivo, é preciso tratar da posição das normas consuetudinárias na estrutura escalonada. Esse posicionamento irá depender de qual norma

---

10    Sobre essa quantidade de camadas sistêmicas, ressalvou o próprio jurista austríaco que: "a organização em três escalões não é inevitável. É possível que a Constituição não institua qualquer órgão legiferante especial, por forma a que os tribunais e autoridades administrativas sejam considerados pela Constituição imediatamente competentes para criarem eles próprios as normas que considerem adequadas ou justas para aplicar nos casos concretos." (KELSEN, Hans. *Teoria pura do direito*. São Paulo: Martins Fontes, 2012, p. 250).

11    KELSEN, Hans. *Teoria pura do direito*. São Paulo: Martins Fontes, 2012, p. 282.

12    Por ilustração, transcrever-se-á o ensinamento de Kelsen: "Na medida em que a ordem jurídica institui o negócio jurídico como fato produtor de Direito, confere aos indivíduos que lhe estão subordinados o poder de regular suas relações mútuas, dentro dos quadros das normas gerais [...]". (KELSEN, Hans. *Teoria pura do direito*. São Paulo: Martins Fontes, 2012, p. 284-285).

jurídica superior atribui ao costume juridicidade[13]. Se tal caráter for atribuído por norma geral diferente da Constituição (*v.g.*, por uma lei que determine que, na solução de certos casos, os juízes podem aplicar as práticas costumeiras), nessa hipótese, necessariamente, o direito consuetudinário situar-se-á na camada inferior da estrutura piramidal. Entretanto, como ressaltou Kelsen[14], o costume pode ser elevado ao nível intermediário das normas gerais elaboradas pelo Parlamento (inclusive das leis) desde que a própria Magna Carta assim determine.

A título de encerramento da análise da estrutura de pirâmide do sistema do direito positivo, vale dizer que tal representação geométrica resulta da variação da quantidade de elementos formadores (normas jurídicas) entre as três camadas. O topo da estruturação, como é constituído apenas por um pequeno número de componentes (as normas constitucionais), é mais restrito. Em sequência, a camada intermediária é mais ampla, em virtude de possuir uma maior quantidade de elementos sistêmicos (as normas gerais). Finalmente, o nível das normas concretas apresenta amplitude predominante em relação aos níveis superiores, por ter uma miríade de tipos normativos (decisões judiciais, normas administrativas, negócios jurídicos etc.), oriundos da necessidade de regulação específica dos inúmeros relacionamentos intersubjetivos relevantes para o direito posto.

Analisada a estruturação piramidal descrita por Kelsen, é importante ainda referir, no presente subitem, que, por força da crescente expansão das relações sociais (em termos quantitativos e qualitativos), há um processo contínuo de aumento da complexidade da sistematização jurídico-positiva. Diante da necessidade de regular mais satisfatoriamente campos temáticos muito peculiares, o Constituinte e o legislador infraconstitucional têm, cada vez mais, utilizado a nomenclatura "sistema" para fazer referência a conjuntos de normas jurídicas sobre temas

---

13    Nesse sentido, Alfredo Augusto Becker, após destacar que o Ente estatal é a única fonte do direito positivo, sustentou a ausência de juridicidade intrínseca (ou independente) dos costumes: "A juridicidade da regra consuetudinária não provém de um poder que seria específico ao costume [...], mas advém sempre do *poder* inerente ao Estado [...]". (BECKER, Alfredo Augusto. *Teoria geral do direito tributário*. São Paulo: Noeses, 2013, p. 223).

14    KELSEN, Hans. *Teoria pura do direito*. São Paulo: Martins Fontes, 2012, p. 251.

restritos (*v.g.*: o Constituinte brasileiro, no Título VI da Carta de 1988, denominou o Capítulo I "Do Sistema Tributário Nacional"). Contudo, tal aumento de complexidade não levou a doutrina predominante a abandonar a tese da unidade organizacional das normas jurídicas; mas, sim, a reconhecer que o direito posto é um grande sistema (o ordenamento jurídico-positivo) composto por diversos sistemas menores, subsistemas e, até mesmo, por microssistemas[15].

## 2.2.    Características Correlacionadas à Complexidade da Ordenação

Nos parágrafos a seguir deste trabalho, serão tratadas duas qualidades marcantes (coerência geral e completabilidade) do ordenamento composto por todas as normas jurídicas. Ambas as características relacionam-se com a complexidade do direito positivo.

### 2.2.1.    Coerência geral

Para que o conjunto de normas jurídicas forme um sistema uno (mais especificamente uma estrutura piramidal escalonada), é necessário haver coerência entre elas, o que *a priori* pressupõe a ausência de conflitos normativos. Entretanto, quanto mais complexo o ordenamento jurídico (inclusive, com a existência de diversas fontes do direito, combinada com uma crescente produção legislativa), maior é o aparecimento de tipos normativos com conteúdos contraditórios. Nesse contexto, surge a seguinte questão: como conciliar as necessidades sistêmicas de unidade e de coerência do ordenamento com os inevitáveis conflitos entre os seus elementos formadores (as normas jurídicas)?

---

15    Para ilustrar: conforme Heleno Taveira Torres, dentro do ordenamento jurídico pátrio, mais especificamente no sistema tributário, o regime jurídico só dos impostos de um ente federado constitui um exemplo de microssistema, em relação ao subsistema formado por todos os tributos dessa mesma unidade da Federação. (TORRES, Heleno Taveira. *Direito constitucional tributário e segurança jurídica*: metódica da segurança jurídica do sistema constitucional tributário. São Paulo: Revista dos Tribunais, 2011, p. 108).

A fim de responder tal pergunta, é preciso lembrar[16] os três requisitos necessários para a constituição de qualquer sistema (inclusive o jurídico-positivo):1) dois ou mais elementos agrupados (repertório); 2) relacionamentos desses componentes sob uma formatação organizada (estrutura); 3) propósito de existência dessa estruturação (finalidade).

Considerando tais requisitos, cabe esclarecer que é prescindível que os elementos de um conjunto tenham relacionamentos, totalmente, harmônicos entre si para que haja a constituição sistêmica. A existência de um sistema não pressupõe uma estrutura perfeita. Ao revés, o que é indispensável para constituição em tela é uma harmonia, entre os elementos do repertório, em patamar mínimo para o desempenho do propósito sistêmico. Assim, a ocorrência de eventuais contradições entre os componentes do sistema, em que pese dificultar o desempenho da respectiva finalidade, não tem o condão de desconstituí-lo[17].

Com foco no sistema jurídico-positivo, o seu propósito (na linha do expendido no Item 1 deste trabalho) é a regulação das condutas dos integrantes da sociedade. Admitida tal premissa, o direito posto só deixaria de ter natureza sistêmica se suas antinomias[18]atingissem grau (quantitativo ou qualitativo) suficiente para inviabilizar o alcance da referida finalidade. A rigor, isso poderia ocorrerem duas hipóteses: 1ª) contradições normativas tão frequentes ou intensas que o ordenamento positivo, mais do que prevenir conflitos intersubjetivos, os provocaria; 2ª) incompatibilidades excessivamente numerosas ou fortes entre as nor-

---

16   *Vide* a nota de rodapé n. 3 deste texto.

17   Nesse sentido, Claus-Wilhelm Canaris, depois de julgar as contradições como tipo de ruptura sistêmica, sustentou: "As quebras irremediáveis no sistema impedem de facto uma formação cabal do sistema mas deixam-no, intocado, nos demais âmbitos não directamente atingidos pela quebra [...]". (CANARIS, Claus-Wilhelm. *Pensamento sistemático e conceito de sistema na ciência do direito*. Lisboa: CalousteGulbenkian, 2002, p. 286). No mesmo diapasão: CARVALHO, Aurora Tomazini de. *Curso de teoria geral do direito*: o constructivismo lógico-semântico. São Paulo: Noeses, 2013, p. 128.

18   Com base no ensinamento de Norberto Bobbio, define-se a antinomia jurídica como aquela situação em que se detecta a incompatibilidade entre duas normas de direito, pertencentes ao mesmo ordenamento (ou a ordenamentos inter-relacionados) e com o mesmo âmbito de validade. (BOBBIO, Norberto. *Teoria do ordenamento jurídico*. São Paulo: EDIPRO, 2011, p. 93).

mas, de modo que seria descabida a aplicação delas pelos operadores do direito para solucionar a maioria das controvérsias e, tampouco, para proporcionar transformações sociais.

Entretanto, via de regra, os próprios ordenamentos jurídicos, a fim de evitar a concretização das hipóteses citadas, já adotam diversos mecanismos (*v.g.*, a positivação dos clássicos critérios solucionadores de antinomias[19] e a criação de maiores exigências para o processo legislativo) em prol da harmonização sistêmica. Aliás, particularmente quanto à realidade brasileira, merece ser observado que a permanência dos conflitos normativos em grau tolerável deve-se, em relevo, ao controle concentrado de constitucionalidade feito pelo Supremo Tribunal Federal. Através dessa atividade, é conservada a harmonia do sistema jurídico-positivo, nas matérias submetidas ao crivo da referida Corte, mediante a interpretação conforme a Constituição das normas conflitantes ou, então, por meio da exclusão total ou parcial de uma delas do ordenamento.

Em suma, como término da resposta à pergunta do início deste tópico, há de se dizer que o ordenamento jurídico, apesar das inevitáveis contradições entre os respectivos elementos formadores, consegue, em virtude da manutenção da finalidade sistêmica (combinada com a força da norma fundamental), preservar a sua unidade de estrutura[20]. D'outra banda, haja vista tais discrepâncias, o direito posto não chega a ser um

---

19    No Brasil, todos os referidos critérios (com exceção do hierárquico) encontram-se expressamente positivados no art. 2º do Decreto-Lei n. 4.657/1942 (Lei de Introdução às Normas do Direito Brasileiro). No parágrafo primeiro do citado artigo, o legislador contemplou o critério cronológico e, na disposição subsequente, o da especialidade.

20    Maria Helena Diniz apresenta entendimento divergente, sustentando que o *jus positum não* tem, sem o trabalho da ciência do direito, uma forma organizada (uma estrutura) e, em consequência, não pode ser considerado um sistema. Por ilustração, será colacionado ensinamento da referida doutrinadora: "Do exposto pode-se concluir que o direito não é um sistema jurídico, mas uma realidade que pode ser estudada de modo sistemático pela ciência do direito. É indubitável que a tarefa mais importante do jurista consiste em apresentar o direito sob uma forma ordenada ou 'sistemática' [...] Parece evidente que a função do cientista do direito não é mera transcrição das normas, já que estas não se agrupam numa ordem, em um todo ordenado [...]". (DINIZ, Maria Helena. *Compêndio de introdução à ciência do direito*. São Paulo: Saraiva, 2012, p. 221).

sistema caracteriza do pela coerência plena; mas, sim, pela geral (com uma harmonia internormativa mínima, ao invés de perfeita, para a regulação das condutas intersubjetivas).

### 2.2.2. Completabilidade

No tópico anterior, verificou-se que o direito posto não é um sistema ideal, pois apresenta antinomias jurídicas embaraçadoras ao seu funcionamento. Nas próximas linhas, estudar-se-á outra característica do ordenamento jurídico-positivo, que também exterioriza a sua ausência de perfeição.

Em virtude de razões didáticas, é necessário, inicialmente, apresentar diferentes visões sobre a totalidade sistêmica formada pelas normas jurídicas. Sob um ângulo, o direito posto é um sistema-continente, vez que é composto por outros de extensão inferior (sistemas menores, subsistemas e microssistemas jurídicos). Por outro ponto de vista, o ordenamento positivo é um sistema-conteúdo, pois integra um sistema de imensa proporção, qual seja, a sociedade. Além do direito posto, outros sistemas (*v.g.*, a economia e a política) compõem a megaestrutura sistêmica social.

Considerado o segundo ponto de vista, é possível a ocorrência de situações de descompasso entre a sistemática maior (sociedade) e a menor (ordenamento positivo). Mais precisamente, pode se concretizar um acontecimento na sociedade que, apesar de relevante para tal sistema e com impacto nas relações intersubjetivas, não encontre, de modo específico, nenhuma previsão normativa na sistemática do direito posto. Quando tal lapso sistêmico surge, tem-se o que a doutrina denomina de lacuna[21] do ordenamento jurídico-positivo.

Neste trecho, cabe dizer que, por mais clara que pareça a possibilidade de ocorrência de acontecimentos socialmente importantes sem a devida regulação nas normas jurídicas, não há consenso doutrinário quanto à existência de lacunas no direito posto. Há teorias no sentido

---

21     Em harmonia com o entendimento apresentado, Aurora Tomazini de Carvalho conceitua a lacuna como "a ausência de norma na ordem jurídica que regulamente determinado caso concreto." (CARVALHO, Aurora Tomazini de. *Curso de teoria geral do direito*: o constructivismo lógico-semântico. São Paulo: Noeses, 2013, p. 493).

de que o ordenamento jurídico-positivo não apresenta tais lapsos, sendo um sistema completo e, por consequência, fechado para a incorporação de novas matérias. *V.g.*, conforme Kelsen, quando uma conduta não encontra disciplina específica em nenhuma norma jurídica, por decorrência lógica, ela é "regulada pela ordem jurídica negativamente, isto é, regulada pelo fato de tal conduta não lhe ser juridicamente proibida e, neste sentido, lhe ser permitida"[22].

Entretanto, predomina entre os doutrinadores o entendimento no sentido da falta de completude do direito posto e consequentemente da existência de abertura cognitiva. De acordo com a maioria doutrinária, há lacunas no sistema jurídico-positivo, pois os elaboradores das normas em abstrato (Constituintes e legisladores *stricto sensu*) não conseguem antever todos os acontecimentos relevantes, que poderão se concretizar no âmbito da sociedade[23]. Assim, por força das limitações humanas ante o dinamismo e a complexidade social, o ordenamento jurídico-positivo não se apresenta completo, faltando normas específicas para diversos casos futuros.

D'outra banda, após admitida a existência de lacunas, há de se ter a convicção de que o sistema jurídico-positivo não pode deixar de prescrever nenhuma resposta para um caso concreto, que demande providências por parte do Estado. Isso porque entendimento em sentido contrário acabaria por desprezar uma das três funções básicas do direito posto (qual seja, a resolução de conflitos intersubjetivos), com a geração de fortíssima insegurança jurídica na sociedade. Nesse

---

22   KELSEN, Hans. *Teoria pura do direito*. São Paulo: Martins Fontes, 2012, p. 273. Em última análise, constatar-se-á que a referida teoria kelseniana apela para o artifício que Norberto Bobbio denominou de "norma geral exclusiva", ou seja: "Todos os comportamentos não compreendidos na norma particular são regulados por uma *norma geral exclusiva*, quer dizer, pela regra que exclui (por isso exclusiva) todos os comportamentos (por isso é geral) que não fazem parte daquele previsto pela norma particular". (BOBBIO, Norberto. *Teoria do ordenamento jurídico*. São Paulo: EDIPRO, 2011, p. 131).

23   Nesse sentido, discorre Maria Helena Diniz: "[...] as lacunas são uma realidade inquestionável, devido às próprias e naturais limitações da condição humana que impedem, como já dissemos, ao legislador a possibilidade de prever todas as situações presentes e futuras que podem cair sob a égide da norma [...]". (DINIZ, Maria Helena. *Compêndio de introdução à ciência do direito*. São Paulo: Saraiva, 2012, p. 476-477).

contexto, surge a seguinte questão: como compatibilizar a negativa de completude do ordenamento positivo *versus* a necessidade de o direito posto de solucionar a totalidade dos casos socialmente relevantes e com impacto nas relações intersubjetivas?

Para superar tal questão, alguns doutrinadores assumiram uma posição intermediária. Conforme tais juristas, não se deve afirmar que o ordenamento jurídico-positivo tem como característica a (in)completude; mas, sim, a completabilidade. Nessa linha de pensamento[24], o direito posto não é um sistema fechado, que apresenta, de pronto, uma norma específica para qualquer acontecimento social com significativa repercussão nas relações intersubjetivas. Diferentemente, o ordenamento jurídico-positivo possui abertura cognitiva e oferece disciplina prévia para a maioria das possíveis ocorrências com relevância jurídica; em relação às demais sem disciplinamento antecipado, ele apresenta, como alternativa, os vários meios de preenchimento de lacunas (ou seja, os métodos de integração[25]), através das quais o aplicador elabora normas de modo casuístico. Em virtude desse dinamismo integrativo (que se encontra na base da característica da completabilidade), o *jus positum* consegue, apesar de não ser completo, oferecer uma resposta normativa adequada para todo acontecimento social com repercussão nas relações intersubjetivas.

Já caminhando para o desfecho deste item sobre o sistema do direito posto, não se pode deixar de explicar o relacionamento entre a completabilidade *versus* a intrincada ampliação da composição e da estrutura da ordenação jurídico-positiva. Ao revés da relação existente com a coerência geral (em que o traço da crescente complexidade aparece como um motivo da falta de uma plena harmonia sistêmica), tal característica não é uma causa da completabilidade; mas, sim, um efei-

---

24  Como exemplos de adeptos da completabilidade, citar-se-ão alguns doutrinadores: BOBBIO, Norberto. *Teoria do ordenamento jurídico*. São Paulo: EDIPRO, 2011, p. 142. NEVES, Marcelo. *Teoria da inconstitucionalidade das leis*. São Paulo: Saraiva, 1988, p. 31. FREITAS, Juarez. *A interpretação sistemática do direito*. São Paulo: Malheiros, 2004, p. 50.

25  No sistema pátrio, a possibilidade de integração do ordenamento encontra-se expressamente prevista no art. 4º da Lei de Introdução às Normas do Direito Brasileiro, *in verbis*: "Quando a lei for omissa, o juiz decidirá o caso de acordo com a analogia, os costumes e os princípios gerais de direito.".

to desta. Quanto maior o dinamismo da completabilidade do sistema conteúdo (direito posto), na busca do acompanhamento da mutação do sistema continente (sociedade), com a colmatação e a eliminação de lacunas, mais o ordenamento jurídico-positivo torna-se complexo, incorporando novos conteúdos sob a forma de normas para a disciplina de acontecimentos outrora imprevistos.

Terminado o exame da sistematicidade do direito posto (com a abrangência dos respectivos elementos, da estruturação, da finalidade e das características), no próximo item deste texto, iniciar-se-á o exame de outra totalidade sistêmica, qual seja, a da ciência jurídica.

## 3. A CIÊNCIA DO DIREITO COMO SISTEMA

### 3.1. Composição, Estrutura e Peculiaridades

Conforme visto nas "Considerações Iniciais" do presente trabalho, o direito posto e a ciência jurídica não se confundem, pois esta tem como finalidade a investigação daquele. Mais especificamente, a ciência jurídica é o conjunto de estudos, com organização metodológica, direcionado ao conhecimento, à explicação e à crítica do *jus positum*. Desse modo, o direito e a sua respectiva ciência constituem sistemas que, apesar de correlacionados, possuem elementos, estruturas e fins distintos. Além disso, como corolário da diferenciação, tais realidades sistêmicas apresentam características que não são exatamente as mesmas. Nos parágrafos seguintes, serão estudados os componentes, a estruturação e as características inerentes ao sistema da ciência jurídica. No próximo subitem, analisar-se-á a finalidade própria do referido ramo científico.

Enquanto o sistema do *jus positum* tem como elementos constitutivos as normas jurídicas, a ciência do direito é uma realidade sistêmica composta por proposições doutrinárias (ou científicas). Elas são o resultado da atividade dos cientistas do direito (ou juristas), que, a partir da análise das normas jurídicas, formulam juízos hipotéticos (KELSEN. 2012. p. 80) de natureza cognitiva, explicativa e/ou crítica, a respeito do direito posto.

Neste ponto, convém destacar, quanto à terminologia do elemento formador do sistema científico do direito, que foi acolhida a expressão "proposição doutrinária (ou científica)", ao invés de "proposição jurídica"[26], a fim de evitar imprecisão semântica. Sob o enfoque da lógica, existe uma coincidência, entre a norma produzida pelo legislador e o juízo formulado pelo jurista, qual seja: ambos são exteriorizados por proposições[27]. (VILANOVA, 2011. p. 47) Ademais, o termo "jurídico" é ambíguo (VILANOVA1997, p. 186-187), podendo se referir indistintamente ao direito posto ou, então, ao ramo científico que o investiga. Haja vista as referidas coincidência e ambiguidade, o emprego da expressão "proposição jurídica" acaba por gerar imprecisão semântica, pela possibilidade de tanto a norma posta, bem como o juízo hipotético do jurista serem designados pela locução em comento. Assim, em busca de uma terminologia precisa, adotou-se a expressão "proposição doutrinária (ou científica)" para nomenclar o elemento constitutivo do sistema da ciência do direito.

Por outro lado, concernente à natureza, a proposição produzida pelo cientista do direito possui natureza distinta da elaborada pelo legislador *lato sensu*. A proposição doutrinária não se caracteriza pela prescritividade, que é intrínseca à norma jurídica. O elemento formador do sistema da ciência do direito não tem o poder de disciplinar a conduta intersubjetiva por intermédio da criação de obrigação, de proibição ou de permissão. Diferentemente, a proposição científica apresenta natureza

---

26     Kelsen utilizou a terminologia "proposição jurídica", para referir-se à composição sistemática da ciência do direito. (KELSEN, Hans. *Teoria pura do direito*. São Paulo: Martins Fontes, 2012, p. 80). Diferentemente, Claus-Wilhelm Canaris e Heleno Taveira Torres empregaram a locução "proposição doutrinária". (CANARIS, Claus-Wilhelm. *Pensamento sistemático e conceito de sistema na ciência do direito*. Lisboa: Calouste Gulbenkian, 2002, p. 281. TORRES, Heleno Taveira. *Direito constitucional tributário e segurança jurídica*: metódica da segurança jurídica do sistema constitucional tributário. São Paulo: Revista dos Tribunais, 2011, p. 101). Por sua vez, Aurora Tomazini de Carvalho preferiu a expressão "proposição científica". (CARVALHO, Aurora Tomazini de. *Curso de teoria geral do direito*: o constructivismo lógico-semântico. São Paulo: Noeses, 2013, p. 98).

27     VILANOVA, Lourival. *As estruturas lógicas e o sistema do direito positivo*. São Paulo: Max Limonad, 1997, p. 40. No mesmo sentido: CARVALHO, Paulo de Barros. *Curso de direito tributário*. São Paulo: Saraiva, 2011, p. 47.

descritiva[28]. Ao invés de regular comportamentos, as proposições formuladas pelos juristas desvendam, explicam e/ou criticam os enunciados que estabelecem padrões de conduta social (isto é, as normas jurídicas).

Distinguidos ontologicamente os elementos do sistema da ciência jurídica em relação aos componentes da sistemática do *jus positum*, cabe ressaltar, na linha do exposto no tópico 2.1.1 deste texto, que os cientistas do direito não produzem normas jurídicas. A rigor, elas não resultam do trabalho hermenêutico dos doutrinadores, por mais exímios que sejam. Com efeito, considerando que a prescritividade só pode ter a sua raiz na Constituição ou na lei, apenas as proposições produzidas por quem detém competência constitucional ou legal para criar o direito (legisladores *lato sensu*) podem ser qualificadas como normas jurídicas[29]. Desse modo, como o *jus positum* não confere tal poder criativo aos juristas, o trabalho deles restringe-se à formulação de proposições doutrinárias, que podem influenciar (e não determinar) o processo de elaboração normativa.

Ademais, haja vista a natureza descritiva, as proposições científicas, ao contrário do que ocorre com as normas jurídicas, estão submetidas à lógica apofântica (VILANOVA, 1997, p. 192) Como não são enunciados deônticos, as formulações feitas pelos juristas, a partir dos textos normativos, podem ser objeto de avaliação quanto à (in)veracidade. Logo, uma proposição doutrinária é passível de ser considerada,

---

28    KELSEN, Hans. *Teoria pura do direito*. São Paulo: Martins Fontes, 2012, p. 81. Na mesma direção: CARVALHO, Paulo de Barros. *Curso de direito tributário*. São Paulo: Saraiva, 2011, p. 45; CARVALHO, Aurora Tomazini de. *Curso de teoria geral do direito*: o constructivismo lógico-semântico. São Paulo: Noeses, 2013, p. 104.

29    Em reforço ao sustentado, colacionar-se-á a lição de José Souto Maior Borges: "A norma jurídica não é a significação do preceito, resultante da exegese doutrinária; não é a significação extraída dos textos pela doutrina jurídica, senão o sentido prescribente de determinada conduta, obtido na decisão (ato jurídico) dos órgãos competentes para a aplicação do direito (p. ex., Congresso Nacional, Assembleias Legislativas Estaduais, Câmaras Municipais, acórdãos de tribunais e sentenças monocráticas de juízes singulares). Ela resulta de significação extraída da formulação do preceito pelos órgãos aplicativos do direito – não, porém das opiniões doutrinárias.". (BORGES, José Souto Maior. *Curso de direito comunitário*: instituições de direito comunitário comparado, União Europeia e Mercosul. São Paulo: Saraiva, 2009, p. 14).

pela comunidade jurídico-científica, falsa ou verdadeira, à luz do sistema objeto da descrição (qual seja, o direito positivo).

Prosseguindo o estudo do sistema da ciência jurídica, será tratada a forma de organização dos seus respectivos elementos (estrutura). Tal sistemática apresenta estruturação muito distinta da relativa ao direito positivo. Os componentes do *jus positum* encontram-se dispostos sob a forma de uma pirâmide[30], na qual existe uma hierarquia pré-estabelecida entre eles e a quantidade de elementos sistêmicos é inversamente proporcional ao nível hierárquico (quanto mais alto o escalão normativo, menor a quantidade de normas jurídicas).

Todavia, concernente ao sistema da ciência do direito, descabe, por duas razões, sustentar que as proposições doutrinárias se organizam numa estruturação piramidal. Primeira razão: nos países de tradição romano-germânica (*v.g.*: Brasil), apesar da existência de uma miríade de atos normativos infralegais (decretos, portarias, resoluções etc.), as formulações dos juristas versam mais sobre assuntos veiculados nas leis ou na Constituição. Em consequência, haja vista a quantidade reduzida de proposições científicas sobre as normas de nível inferior, o sistema da ciência do direito não pode apresentar uma estrutura de pirâmide, onde a base é mais larga do que o topo e os escalões intermediários.

Segunda e mais importante razão para a ciência do direito e o *jus positum* serem diferenciados quanto à organização dos elementos sistêmicos: não existe *a priori* uma hierarquia entre as proposições doutrinárias. Num contexto efetivamente científico, a formulação de um jurista não predomina sobre a de outro pelo simples fato de seu autor possuir maior prestígio e, tampouco, por estar fundamentada em normas jurídicas de maior escalão. Ao revés, para que uma proposição doutrinária prevaleça sobre outra, é indispensável que elas sejam confrontadas num processo dialético (tese x antítese), podendo surgir como resultado (síntese) a rejeição de ambas ou, então, a consideração de uma delas (total ou parcialmente) como mais adequada, pela comunidade jurídico-científica, para integrar o sistema.

Desse modo, pelas razões apresentadas nos parágrafos anteriores, não é possível sustentar que a sistemática do direito positivo e a de

---

30    Objeto de abordagem específica no tópico 2.1.2.

sua respectiva ciência apresentam seus elementos organizados de uma mesma forma (estruturação piramidal escalonada). Essa organização apriorística, em diferentes níveis, revela-se adequada apenas para o sistema do *jus positum*. Concernente à ciência do direito, há de se reconhecer que a respectiva sistemática possui a estrutura que é própria de todos os ramos científicos, qual seja, a forma de uma espiral dialética hegeliana (HEGEL2012, p. 80, p. 542-544) (que se desenvolve mediante o cotejo analítico entre as diversas proposições dos estudiosos).

A fim de finalizar o presente subitem, é imprescindível abordar duas características da sistemática da ciência jurídica: a completabilidade e a coerência plena. Quanto à primeira, inexiste consenso na doutrina. Há entendimentos, como, por exemplo, o de Lourival Vilanova (VILANOVA, 1997, p. 185) no sentido de que a completude (ao invés da completabilidade) é um dos traços inerentes ao sistema da ciência do direito. Entretanto, outros juristas (*v.g.*: Marcelo Neves[31]) defendem que, tal qual o direito positivo, a ciência jurídica não pode ser tida como uma realidade sistêmica acabada, caracterizando-se pela necessidade de permanente renovação. Diante dessa divergência doutrinária, cabe referir que, por força da adoção da espiral dialética de Hegel (que se encontra em contínuo desenvolvimento) como forma para o conjunto das proposições dos juristas, considera-se, neste texto, que assiste razão à segunda corrente doutrinária: a completabilidade como característica da sistemática jurídico-científica.

No que concerne ao segundo traço marcante da ciência jurídica (a coerência plena), há que se ter em mente que, apenas, as formulações doutrinárias não contraditórias entre si podem integrar a estrutura do sistema jurídico-científico. A propósito, reside, aqui, mais uma diferença entre a sistemática do *jus positum* e a da sua respectiva ciência. Conforme estudado no tópico 2.2.1, o sistema do direito positivo pode abrigar normas contraditórias elaboradas pelo legislador (antinomias jurídicas), bastando para a sua existência que haja uma coerência geral entre os seus

---

31    Após classificar a ciência jurídica como espécie de sistema nomoempírico teorético, o citado autor afirmou que esse gênero sistêmico é "[...] sempre aberto e condicionado pela experiência [...]". (NEVES, Marcelo. *Teoria da inconstitucionalidade das leis*. São Paulo: Saraiva, 1988, p. 7).

elementos constitutivos. De modo diverso, quanto à ciência jurídica, por força da aplicabilidade da lógica apofântica, proposições contraditórias não podem simultaneamente integrar o sistema, pois uma delas, a rigor, deverá ser excluída da estrutura em virtude da sua inveracidade[32]. Portanto, tem-se como característica intrínseca, para a sistemática da ciência do direito, não a coerência geral; mas, sim, a plena entre as proposições doutrinárias, como decorrência de um imperativo lógico.

Examinados os componentes, a estruturação e os traços inerentes ao sistema da ciência jurídica, no próximo subitem, estudar-se-á a sua finalidade.

## 3.2.    A Descritividade Crítico-Explicativa

No entendimento kelseniano, a ciência jurídica deve ter como finalidade exclusiva a descrição em sentido estrito (conhecimento e explicação) do *jus positum*. Para viabilizar o alcance desse fim, Kelsen defendeu a limitação da atividade dos cientistas do direito ao exame do teor das normas jurídicas vigentes (KELSEN, 2012. p. 79-80). Mais do que isso, ele propôs que os juristas, frente aos enunciados normativos, adotassem um comportamento análogo ao que os estudiosos das ciências físico-naturais assumem perante as leis da natureza, qual seja: a descrição daquelas de forma acrítica, sem qualquer juízo valorativo. Desse modo, conforme a construção de Kelsen (denominada, por ele, de teoria pura do direito e posteriormente, pela doutrina, de normativismo jurídico), o cientista do direito, ante uma norma jurídica, deve limitar-se à descrição, em sentido estrito, do objeto de estudo (esclarecimento dos termos empregados pelo legislador, classificação na estrutura do *jus positum*, análise de aspectos relacionados à vigência, apuração do âmbito de eficácia, pesquisa da aplicabilidade a casos prá-

---

32    Para corroborar o entendimento defendido, transcrever-se-á a lição de Marcelo Neves: "[...] as proposições nomoempíricas teoréticas têm pretensão de verdade. Conseqüentemente, a coerência sistemática é uma condição necessária à funcionalidade e valência do sistema, visto que duas proposições antinômicas não podem ser ambas verdadeiras.". (NEVES, Marcelo. *Teoria da inconstitucionalidade das leis*. São Paulo: Saraiva, 1988, p. 6).

ticos ou hipotéticos, etc.), com rígida contenção das atividades investigativas ao campo cognitivo-explicativo.

Nesse contexto, Kelsen sustentou que, se houvesse algo além do conhecimento e da explicação do teor da norma positiva (*v.g.*: uma crítica sobre a existência de dissonância entre o preceito jurídico em exame e o valor justiça), o estudo do jurista deixaria de ter objetividade e não poderia ser qualificado como científico. No entendimento kelseniano, o jurista, ao criticar o enunciado normativo, assumiria uma postura ideológica[33] que consequentemente levaria o seu trabalho para a esfera da política do direito (ao invés da ciência jurídica). Além disso, caso o jurista investigasse qualquer elemento diverso da norma posta, ocorreria a expulsão da sua pesquisa para fora dos limites da ciência do direito (por exemplo, o estudo dos fatos determinantes, na elaboração do enunciado normativo, acarretaria a transposição do trabalho doutrinário para o âmbito da sociologia).

Entretanto, apesar da sua grande importância, a visão kelseniana relativa à finalidade descritiva restrita do sistema da ciência do direito encontra-se, há muito tempo, superada. Não prevalece, na doutrina moderna, o entendimento que confunde a ciência jurídica com o estudo da norma positiva como um dogma, ou seja, como algo que apenas pode ser conhecido e explicado (mas nunca objeto de crítica). Tampouco, predomina, entre os doutrinadores, o posicionamento no sentido de que os estudos dela devem ser limitados aos enunciados normativos vigentes, sem a consideração de outros elementos (*v.g.*, fatos e valores).

Diferentemente, nos dias atuais, a ciência do direito não é tida como uma realidade monolítica; mas, sim, como um conjunto (GRAU, 2014. P. 38) de ramos científicos (teoria geral do direito, história do direito, sociologia do direito etc.), em que apenas um deles (dogmática jurídica) ajusta-se à finalidade restritiva kelseniana. Com efeito, tão so-

---

33    Com intuito ilustrativo, colacionar-se-á lição do autor em tela: "Neste sentido, a Teoria Pura do Direito tem uma pronunciada tendência anti-ideológica [...] Recusa-se a valorar o Direito positivo. Como ciência, ela não se considera obrigada senão a conceber o Direito positivo de acordo com a sua própria essência e a compreendê-lo através de uma análise da sua estrutura. Recusa-se, particularmente, a servir a quaisquer interesses políticos, fornecendo-lhes as 'ideologias', por intermédio das quais a ordem social vigente é legitimada ou desqualificada." (KELSEN, Hans. *Teoria pura do direito*. São Paulo: Martins Fontes, 2012, p. 118).

mente o referido ramo dogmático apresenta as seguintes características metodológicas: 1ª) limitação ao estudo do conteúdo das normas jurídicas (sem a consideração de qualquer elemento extranormativo)[34]; 2ª) análise descritiva em sentido estrito dos enunciados prescritivos (apenas mediante o conhecimento ou a explicação deles, sem qualquer atividade valorativa ou crítica)[35].

Por sua vez, quanto à totalidade sistêmica, a ciência do direito, conforme a doutrina atual, apresenta um fim muito mais amplo, que impede qualquer confusão dela com o mero ramo da dogmática jurídica. O sistema da jurisciência possui uma finalidade própria que abrange, além da estrita descrição dos enunciados normativos, a respectiva crítica. Outrossim, os cientistas, para conhecer, explicar e criticar as normas jurídicas, podem, desde que respeitada a autonomia do *jus positum*, recorrer à investigação de elementos metajurídicos (fatos históricos, valores sociais etc.). Desse modo, hodiernamente, sustenta-se a existência de um propósito maior para os juristas, qual seja: a descrição crítico-explicativa[36] do direito posto, com constante intercâmbio com outras áreas do saber (como, por exemplo, a História, a Sociologia e a Filosofia).

---

34  Sobre a limitação em tela da dogmática jurídica, afirmou Miguel Reale: "A Ciência do Direito é, portanto, uma ciência complexa, que estuda o fato jurídico desde as suas manifestações iniciais até aquelas em que a forma se aperfeiçoa. Há, porém, a possibilidade de se circunscrever o âmbito da Ciência do Direito no sentido de serem estudadas as regras ou normas já postas ou vigentes. A Ciência do Direito, enquanto se destina ao estudo sistemático das normas [...] toma o nome de Dogmática Jurídica.". (REALE, Miguel. *Lições preliminares de direito*. São Paulo: Saraiva, 1995, p. 317).

35  As citadas características da dogmática jurídica, também, foram objeto de referência por Riccardo Guastini. Conforme o jurista italiano: "o método dogmático se caracteriza pelo fato de limitar-se à descrição do direito vigente, excluindo meticulosamente dessa descrição todo elemento 'metajurídico' (valorações éticas, considerações históricas, etc.).". (GUASTINI, Riccardo. *Das fontes às normas*. São Paulo: Quartier Latin, 2005, p. 170).

36  CARVALHO, Paulo de Barros. *Breves considerações sobre a função descritiva da ciência do direito tributário*. Disponível em: <http://www.barroscarvalho.com.br/mestri/bancoarquivos/outros/PBC-%20Breves%20consideracoes%20sobre%20a%20funcao%20descritiva%20da%20Ciencia%20do%20Direito%20Tributario>. Acesso em: 29. dez. 2021.

Nessa concepção moderna, é rejeitada a visão kelseniana de que o jurista, ante um preceito normativo, deve adotar uma postura análoga à de um pesquisador das leis físico-naturais. Parte-se da premissa de que o trabalho do cientista físico-natural é bastante distinto do mister do jurista, pois aquele lida com fenômenos que não são passíveis de influenciação pelo entendimento a ser exposto pelo pesquisador (*v.g.*: independentemente de o estudo científico considerar justa - ou não - a lei da seleção natural, ela permanecerá inalterada). D'outra banda, no que concerne à ciência do direito, como ela abrange, em especial, o estudo da produção normativa (fenômeno sujeito às mais diversas influências, inclusive às oriundas dos trabalhos científicos[37]), sustenta-se, na atualidade, que o papel do jurista não pode ser limitado à rígida descrição das normas jurídicas, devendo ser mais atuante.

A propósito, cabe ressaltar que tal postura ativa não se revela incompatível com a seriedade científica. Ao revés, ela harmoniza-se com o moderno comportamento da maioria dos estudiosos das ciências sociais aplicadas. Além do conhecimento e da explicação de fenômenos, esses cientistas frequentemente criticam (com o apontamento de falhas e, em alguns casos, também com a apresentação de propostas solucionadoras) as ocorrências objeto de estudo, visando ao aperfeiçoamento da funcionalidade social. Por exemplo, citar-se-á a postura do economista Thomas Piketty (autor de *O Capital no Século XXI*, considerada obra de referência em vários países). Ele não se limita a conhecer e a explicar o fenômeno do crescimento histórico da concentração de riqueza no mundo; mas, sim, descreve tal ocorrência, bem

---

37   Sobre o tema da ação influente da jurisciência sobre o direito positivo, colacionar-se-á a lição de Karl Larenz: "Portanto, a ciência jurídica, relativamente ao seu objecto é, com efeito – como foi pela primeira vez expresso por Radbruch -, tanto reprodutiva como produtiva, tanto re-forma como con-forma [...]. Acresce que a ciência jurídica é 'produtiva' não só num sentido gnoseológico, mas, além disso, num sentido prático: actua imediatamente sobre a prática jurídica [...] A ciência jurídica está em condições de o fazer, porque e na medida em que os seus conhecimentos ultrapassam o que em cada caso se soube ser conforme ao direito e, suposto que correspondem às necessidades da época e à 'consciência jurídica geral', são recebidos pela jurisprudência e também muitas vezes pela legislação.". (LARENZ, Karl. *Metodologia da ciência do direito*. Lisboa: Calouste Gulbenkian, 1989, p. 421).

como sustenta prejuízos sociais dela decorrentes (crítica negativa) e propõe medidas para a solução (crítica propositiva)[38].

Antes de concluir o presente subitem e voltando a tratar especificamente da ciência jurídica, é importante referir que, apesar do reconhecimento de uma maior amplitude finalística (com a admissão da crítica às normas positivas), a sua preponderante finalidade descritiva permanece bastante preservada, sem se mesclar com o propósito regulatório do *jus positum*. Neste trecho, com a devida vênia, discorda-se do entendimento de André Folloni que, ao comparar os elementos do direito positivo com os da sua respectiva ciência, sustenta a impertinência da manutenção da clássica distinção das proposições jurídicas em normativo-prescritivas *versus* científico-descritivas[39]. Com efeito, as críticas negativas ou propositivas dos juristas, por mais incisivas e acertadas que sejam, não chegam a alcançar teor prescritivo. Diferentemente, elas, a par da preservação da descritividade preponderante, adquirem apenas traços secundários de linguagem persuasiva[40].

Concluído o estudo dos elementos formadores, da estruturação, das características e da finalidade da sistemática da ciência jurídica, as linhas a seguir serão dedicadas aos últimos registros deste trabalho.

---

38    Para ilustrar a postura científica ativa do citado economista, transcreve-se trecho da sua obra: "[...] para que a democracia possa retomar o controle do capitalismo financeiro globalizado neste novo século, também é necessário inventar novos instrumentos adaptados aos desafios de hoje. O instrumento ideal seria um imposto mundial e progressivo sobre o capital, acompanhado de uma grande transparência financeira internacional. Essa instituição permitiria evitar uma espiral desigualadora sem fim e regular de forma eficaz a inquietante dinâmica da concentração mundial da riqueza.". (PIKETTY, Thomas. *O capital no século XXI*. São Paulo: Intrínseca, 2014, p. 501).

39    De acordo com o autor em tela, a descritividade e a prescritividade, ao invés de traços diferenciadores das proposições jurídicas, seriam "características antagônicas complementares". (FOLLONI, André. *Ciência do direito tributário no Brasil*: crítica e perspectivas a partir de José Souto Maior Borges. São Paulo: Saraiva, 2013, p. 184).

40    Nesse sentido, discorre Aurora Tomazini de Carvalho: "[...] não é demasiado sublinhar que todos os discursos descritivos apresentam recursos persuasivos, essenciais para o convencimento do que se relata, mas a função predominante da linguagem científica continua sendo a descritiva.". (CARVALHO, Aurora Tomazini de. *Curso de teoria geral do direito*: o constructivismo lógico-semântico. São Paulo: Noeses, 2013, p. 104).

## CONSIDERAÇÕES FINAIS

Ao invés de se confundirem, o direito posto e o seu respectivo estudo científico constituem realidades sistêmicas distintas e inter-relacionadas que, conjuntamente, formam o universo jurídico. O *jus positum* (ao lado da moral, da política, da economia, dentre outras áreas) integra o megassistema relativo à sociedade. Por sua vez, a ciência jurídica (junto com a ética, a ciência política, a ciência econômica etc.) é parte da sistemática maior referente às ciências sociais aplicadas. Além disso, os sistemas do direito posto e da jurisciência apresentam composição, estruturação e finalidades muito diferentes, assim como características que não são igualáveis por completo.

Quanto aos componentes, o único ponto comum entre as sistemáticas em comento é a presença de enunciados proposicionais. Entretanto, a sistemática do *jus positum* é formada por um tipo de proposição (a norma jurídica), que é possuidora de caráter prescritivo e passível de aferição pela lógica deôntica. Diversamente, o sistema da ciência do direito compõe-se de proposições científicas (ou doutrinárias), com predominante natureza descritiva e que são avaliáveis pela lógica apofântica.

Avançando no estudo sistêmico, cabe ressaltar, na linha da doutrina majoritária, que o *jus positum* apresenta a estrutura de uma pirâmide escalonada, em virtude da existência de hierarquia apriorística entre os seus elementos constitutivos e de variação quantitativa conforme o poder regulatório. No menor nível da estruturação, integrado por proposições de menor força normativa (*v.g.*, portarias, sentenças e negócios jurídicos), situa-se o maior número de componentes do sistema. No topo da pirâmide (onde se localiza a Constituição, sustentada transcendentalmente pela norma fundamental), são encontradas menos normas jurídicas, mas as que possuem maior grau de autoridade. De modo contrastante, quanto à sistemática da ciência do direito, é impróprio afirmar que ela também tem estruturação piramidal escalonada. Em relevo pelo fato de a prevalência de uma proposição doutrinária sobre outra não ocorrer *a priori* e, sim, após um processo dialético, o sistema da jurisciência, tal como os das demais áreas científicas, há de ser, didaticamente, visto sob a forma de uma espiral hegeliana.

No que concerne às características sistemáticas, o direito positivo e a ciência jurídica equiparam-se quanto à completabilidade. Ambos não constituem realidades perfeitas ou acabadas, demandando sempre intervenções aprimoradoras respectivamente dos legisladores (*lato sensu*) e dos juristas. D'outra banda, o direito posto e a jurisciência diferenciam-se em relação à característica da coerência sistêmica. Para que o primeiro sistema desempenhe a sua finalidade, é suficiente a existência de uma harmonia geral entre os seus componentes (*in casu*, as normas jurídicas), com a possibilidade de haver contradições internas. Todavia, na jurisciência, em virtude da aplicação da lógica apofântica às proposições doutrinárias, deve, de maneira imprescindível, existir uma coerência plena (e não geral) envolvendo tais elementos sistêmicos.

Por último, no que diz respeito à finalidade, o sistema do *jus positum* e o da ciência jurídica igualmente distinguem-se entre si. Aquele tem por propósito geral a regulação das condutas intersubjetivas na sociedade, desdobrando-se em três funções básicas (preventiva, resolutiva e modificativa). A seu turno, a jurisciência, como realidade sistêmica constituída por vários ramos científicos, possui a finalidade peculiar de descrição crítico-explicativa do direito positivo. Para o cumprimento desse propósito, a ciência do direito não se limita ao estudo dogmático das normas jurídicas. Ao revés, ela, para o conhecimento, a explicação e a crítica dos enunciados normativos, busca, sem desprezar a autonomia do *jus positum*, subsídios em outras ciências e na filosofia. Ainda, visando a ser mais útil à comunidade jurídica (em destaque, aos legisladores em sentido amplo), a ciência do direito evidencia lapsos nas normas jurídicas (criticismo negativo), bem como sugere alternativas para o aperfeiçoamento delas (criticismo propositivo).

## REFERÊNCIAS

ALEXY, Robert. **Teoria dos direitos fundamentais**. São Paulo: Malheiros, 2011.

BECKER, Alfredo Augusto. **Teoria geral do direito tributário**. São Paulo: Noeses, 2013.

BOBBIO, Norberto. **Teoria do ordenamento jurídico**. São Paulo: EDIPRO, 2011.

BORGES, José Souto Maior. **Curso de direito comunitário**: instituições de direito comunitário comparado, União Europeia e Mercosul. São Paulo: Saraiva, 2009.

CANARIS, Claus-Wilhelm. **Pensamento sistemático e conceito de sistema na ciência do direito**. Lisboa: Calouste Gulbenkian, 2002.

CARVALHO, Aurora Tomazini de. **Curso de teoria geral do direito**: o constructivismo lógico-semântico. São Paulo: Noeses, 2013.

CARVALHO, Paulo de Barros. **Breves considerações sobre a função descritiva da ciência do direito tributário**. Disponível em: <http://www.barroscarvalho.com.br/mestri/bancoarquivos/outros/PBC-%20Breves%20consideracoes%20sobre%20a%20funcao%20descritiva%20da%20Ciencia%20do%20Direito%20Tributario>. Acesso em: 29. dez. 2021.

_____. **Curso de direito tributário**. São Paulo: Saraiva, 2011.

_____. **Direito tributário**: fundamentos jurídicos da incidência. São Paulo: Saraiva, 2010.

_____. **Direito tributário**: linguagem e método. São Paulo: Noeses, 2011.

DINIZ, Maria Helena. **Compêndio de introdução à ciência do direito**. São Paulo: Saraiva, 2012.

DWORKIN, Ronald. **Levando os direitos a sério**. São Paulo: Martins Fontes, 2010.

FERRAZ JUNIOR, Tercio Sampaio. **Introdução ao estudo do direito**. São Paulo: Atlas, 2013.

_____. **Teoria da norma jurídica**: ensaio de pragmática da comunicação normativa. Rio de Janeiro: Forense, 2006.

FOLLONI, André. **Ciência do direito tributário no Brasil**: crítica e perspectivas a partir de José Souto Maior Borges. São Paulo: Saraiva, 2013.

FREITAS, Juarez. **A interpretação sistemática do direito**. São Paulo: Malheiros, 2004.

GRAU, Eros Roberto. **O direito posto e o direito pressuposto**. São Paulo: Malheiros, 2014.

GUASTINI, Riccardo. **Das fontes às normas**. São Paulo: Quartier Latin, 2005.

HEGEL, Georg Wilhelm Friedrich. **Fenomenologia do espírito**. Petrópolis: Vozes, 2012.

KANT, Immanuel. **Crítica da razão pura**. São Paulo: Ícone, 2007.

KELSEN, Hans. **Teoria pura do direito**. São Paulo: Martins Fontes, 2012.

LARENZ, Karl. **Metodologia da ciência do direito**. Lisboa: Calouste Gulbenkian, 1989.

NEVES, Marcelo. **Teoria da inconstitucionalidade das leis**. São Paulo: Saraiva, 1988.

PIKETTY, Thomas. **O capital no século XXI**. São Paulo: Intrínseca, 2014.

REALE, Miguel. **Lições preliminares de direito**. São Paulo: Saraiva, 1995.

TÔRRES, Heleno Taveira. **Direito constitucional tributário e segurança jurídica**: metódica da segurança jurídica do sistema constitucional tributário. São Paulo: Revista dos Tribunais, 2011.

VILANOVA, Lourival. **As estruturas lógicas e o sistema do direito positivo**. São Paulo: Max Limonad, 1997.

# O NEOCONSTITUCIONALISMO, O PROCEDIMENTALISMO DE ROBERT ALEXY E O PROTAGONISMO JUDICIAL BRASILEIRO

**Andeirson da Matta Barbosa**
Lattes:https://wwws.cnpq.br/cvlattesweb/PKG_MENU.
menu?f_cod=CBE0494BCE213023B3730CA50024163C#

**RESUMO:** O termo neoconstitucionalismo surgiu em razão na necessidade de se romper com um cenário político marcado pela eclosão de regimes totalitários, e, além dar azo um constitucionalismo compromissório, proporcional uma abertura principiológica, o que pode ser identificado na teoria da argumentação jurídica de Robert Alexy, sendo que, para este, os casos difíceis passam a ser resolvidos pela ponderação de princípios. O problema e relevância do tema é descobrir como é feita essa escolha e a eleição dos princípios colidentes, e, como no Brasil a teoria alexyana recebeu grande recepção pelos Tribunais Superiores, implica averiguar se existem malefícios na sua utilização, notadamente em um Estado Democrático de Direito. A metodologia utilizada será a analítica, pelo método da revisão literária, buscando achar a solução para as situações conflituosas apontadas ao longo do desenvolvimento do artigo, através de análises e relações de conceitos e teorias.

**PALAVRAS-CHAVE:** Neoconstitucionalismo; Procedimentalismo; Teoria da Argumentação Jurídica; Robert Alexy; Protagonismo Judicial.

## INTRODUÇÃO

O termo neoconstitucionalismo foi fruto de uma transição ocorrida e ocasionada na Europa, quando lá se vislumbrava necessário romper com um cenário político marcado pela eclosão de regimes totalitários (STRECK, 2020, p. 249), e, consequentemente, sua horrível indignação contra os direitos dos cidadãos, especialmente durante a guerra (TATE e VALINDER, 1995, p.19).

Depois da guerra, democratas em todos os lugares tinha que se perguntar algumas questões cruciais: como tudo isso pode ocorrer? Como nós podemos prevenir que isso ocorra novamente? Como nós podemos proteger o direito dos cidadãos no futuro? (TATE e VALINDER, 1995, p. 19).

Segundo STRECK, falar em neoconstitucionalismo implica reconhecer que além da existência de um constitucionalismo compromissório, de feições dirigentes - o que seria o aspecto positivo -, percorrer, também, um caminho que nos leva a uma recepção acrítica da jurisprudência dos valores, das teorias da argumentação jurídica e do ativismo judicial norte-americano (2020, p. 250).

Então, as teorias da argumentação jurídica possuem estreita relação com o neoconstitucionalismo, sendo este paradigma constitucional que deu nascedouro às atuais teses procedimentalistas, e, dentre elas, a teoria da argumentação jurídica de Robert Alexy.

Como abaixo se explicitará, o neoconstitucionalismo também é visto como pós-positivismo, e, nas teorias da argumentação jurídica, os casos difíceis passam a ser resolvidos pela ponderação de princípios, sendo que o problema e relevância do tema é descobrir como é feita essa escolha ou eleição dos princípios colidentes (STRECK, 2020, p. 257).

Ademais, como no Brasil a teoria alexyana recebeu grande recepção pelos Tribunais Superiores, implicar averiguar se existem malefícios na sua utilização, notadamente em um Estado Democrático de Direito.

A metodologia utilizada será a analítica, pelo método da revisão literária, buscando achar a solução para as situações conflituosas apontadas ao longo do desenvolvimento do artigo, através de análises e relações de conceitos e teorias.

O artigo é estruturado em quatro itens, cuidando-se o primeiro da introdução do tema de pesquisa; o segundo item apresenta a conceituação de "neoconstitucionalismo"; o terceiro implica em apresentar o procedimentalismo de Robert Alexy e sua correlação com o neoconstitucionalismo; no quarto item, a análise crítica do procedimentalismo de Robert Alexy como protagonismo judicial; e, por fim, no quinto item, a conclusão da pesquisa levada a efeito.

## 2.    O NEOCONSTITUCIONALISMO

Uma digressão história é essencial para se compreender o neoconstitucionalismo para, ao fim e ao caso, concluir pela sua ingerência nas teorias da decisão jurídicas contemporâneas.

Segundo SARMENTO a trajetória do Neoconstitucionalismo corresponde a fenômenos que ocorreram a partir do segundo pós-guerra, refletindo ao redor do mundo, já que no período anterior prevalecia uma cultura jurídica essencialmente legalista, sendo a lei a fonte principal do direito e, nesta época, as constituições não possuem força normativa, e, os direitos fundamentais valiam apenas quando protegidos pela lei (2009, p. 3-4).

Ainda neste contexto histórico, após o segundo pós-guerra, com o fim de ditaduras ocorridas na Alemanha e na Itália, verificou-se uma mudança neste quadro, com promulgação de constituições que criaram e fortaleceram a jurisdição constitucional, instituindo mecanismos para a proteção dos direitos fundamentais (SARMENTO, 2009, p. 4).

Esta foi, segundo TATE e VALLINDER (1995, p. 7), uma tendência após o segundo pós-guerra, quando apontam as condições comportamentais que promovem a judicialização da política ao redor do mundo, em um grau maior ou menor, da tradição legal romano-germânica e em algumas das mais voláteis políticas do mundo.

E considerando que parcela das normas constitucionais caracteriza-se pela abertura e indeterminação semântica, a sua aplicação pelo Poder Judiciário necessitou de criação de novas técnicas de interpretação (SARMENTO, 2009, p. 6), capazes de conferir legitimidade às decisões, pondo termo ao critério da mera subsunção, no afã de superar a velha cultura jurídica essencialmente legalista.

Após esta breve digressão a respeito da raiz do Neoconstitucionalismo, urge, aqui, trazer o que se entende a respeito do seu conceito, e, para tanto, o conceito de Neoconstitucionalismo foi formulado, sobretudo, na Espanha e na Itália, mas que repercutiu na doutrina brasileira após a divulgação de uma coletânea organizada pelo jurista mexicano Miguel Carbonell, publicada na Espanha em 2003 (SARMENTO, 2009, p. 3).

Já, segundo NOVELINO (2013, p. 191) o termo neoconstitucionalismo, foi cunhado por Susanna Pozzollo, e, costuma ser empregado em quatro acepções diversas, quais sejam, como modelo constitucional, um modelo específico de organização política; como neoconstitucionalismo teórico , ou seja, como uma teoria que serve para descrever este novo modelo; ainda como neoconstitucionalismo ideológico, em outras palavras, uma ideologia que valora as transformações ocorridas nos sistemas constitucionais, e, por fim; como neoconstitucionalismo metodológico, sendo uma nova concepção sobre o papel a ser desempenhado pela teoria jurídica, passando a exercer uma tarefa prescritiva ao lado da tradicional função descritiva.

Verifica-se, portanto, ser característica do neoconstitucionalismo neste seu viés teórico, não somente valorizar positivamente as transformações ocorridas no modelo constitucional, ou, de reconhecer a obrigação moral de obedecer à Constituição em um Estado Constitucional Democrático, mas em conferir e reconhecer um protagonismo ao Poder Judiciário (NOVELINO, 2013, p. 195-196), ante a resistência do Poder Legislativo em dar continuidade ao projeto estipulado nas Constituições Dirigentes.

Nesta função teórica o neoconstitucionalismo se confundiria com a noção de pós-positivismo, afirmando NOVELINO (2013, p. 194) que, para alguns autores seriam termos equivalentes, sendo que STRECK (2017, p. 89) afirma que a conjugação dos termos e confusão terminológica é evidente, aduzindo que "a adoção do *nomen juris* "neoconstitucionalismo" certamente é motivo de ambiguidades teóricas e até e mal-entendidos".

Susanna Pozzollo confirma a ambiguidade do termo e afirma que a leitura a ser feita é que possui intenção de combater o positivismo, sendo que a argumentação antipositivista do neoconstitucionalismo se apoia nos caminhos estruturais que tem levado o Estado Constitucional a modificar o Estado legalista (2003, p. 188).

Ainda, segundo POZZOLLO (2003, p. 210) o neoconstitucionalismo não decidiu se quer ser uma teoria ou uma ideologia, e, provavelmente, deseja ser ambas as coisas, razão pela qual ser este o motivo da sua afirmação que o neoconstitucionalismo é um constitucionalismo ambíguo.

Então, característica marcante do neoconstitucionalismo, ao menos no que se refere às teorias da decisão jurídica, seria afastar as limitações do positivismo jurídico, que se mostrou incapaz de lidar com complexa colisão de enunciados normativos de mesma hierarquia.

STRECK concorda que o neoconstitucionalismo representa "a superação, no plano teórico-interpretativo – do paleojuspositivismo (Ferrajoli)" na medida em que afirmar as críticas antiformalistas daquilo que já faziam os partidários da escola do Direito Livre, das jurisprudências dos interesses e das jurisprudências dos Valores (2017, p. 91).

Por isso, o Neoconstitucionalismo estará presente nas teorias da decisão jurídica que se amparam em um Direito constitucional da efetividade, mas também naquelas em que se defende que a jurisdição é responsável pela incorporação dos verdadeiros valores que definem o direito justo, confiada não mais à subsunção, mas a ponderação (STRECK, 2017, p. 90).

O Neoconstitucionalismo se dedica, segundo SARMENTO (2009, p. 8), à discussão de métodos ou de teorias da argumentação que racionalizem uma decisão jurídica em que a mera subsunção não seja apta a resolver um caso complexo, reconhecendo a força normativa de princípios que possuam uma elevada carga axiológica, caso em que há uma penetração da moral no tecido jurídico, sobretudo pela via dos princípios constitucionais.

Neste contexto, o Poder Judiciário é chamado, em muitas vezes, para solucionar questões polêmicas e relevantes para a sociedade, mesmo em casos em que um grupo político ou social é perdedor na arena legislativa (SARMENTO, 2009, 7), sendo esta uma das causas atribuídas à expansão do poder judicial, como é o caso do uso dos tribunais por grupos de interesse (TATE e VALLINDER, 1995, p. 30).

Esta expansão do Poder Judiciário somente pode ocorrer neste cenário democrático, e, às vezes, de forma deliberada pelo legislativo, em que as instituições majoritárias decidem que existem assuntos que eles não desejam ser sobrecarregados com a decisão, ocorrendo uma delegação voluntária (TATE e VALLINDER, 1995, p. 32).

E no Neoconstitucionalismo a leitura clássica do princípio da separação de poderes cede espaço para visões mais favoráveis à expansão do poder judicial, em defesa dos valores constitucionais que, ao fim e ao cabo, vão importar em restrições aos poderes de conformação do legislador, ampliando em demasia sua fiscalização por juízes não eleitos (SARMENTO, 2009, p. 9).

No neoconstitucionalismo parece não haver posição clara acerca de como devem ser compreendidos e aplicados os valores morais insertos na Constitucional, mas constitui traço característico de que o foco é no Poder Judiciário, sendo ele seu grande protagonista (SARMENTO, 2009, p. 11).

Mesmo no Brasil, após a promulgação da Constituição de 1988 que redemocratizou o país, comprometida com a busca da garantia de direitos fundamentais, hospedando, em seu texto, inúmeros princípios vagos, mas coroados de carga axiológica, e, por reforçar o papel do Judiciário, favoreceu, em larga medida, o processo de judicialização da política (SARMENTO, 2009, p. 13-15).

Este influxo do Neoconstitucionalismo fica evidente nas decisões do Supremo Tribunal Federal que, nos últimos tempos, tem invocado princípios abertos nos seus julgamentos, que não tem ficado imune à críticas que, segundo SARMENTO, tem ligação direta com o paradigma neoconstitucionalista por três motivos:

> (a) a de que seu pendor judicialista é anti-democrático; (b) a de que sua preferência por princípios e ponderação, em detrimento de regras e subsunção, é perigosa, sobretudo no Brasil, em razão de singularidades da nossa cultura; e (c) a de que ele pode gerar uma panconstitucionalização do Direito, em detrimento da autonomia pública do cidadão e da autonomia privada do indivíduo (2009, p. 24).

Por conta disso, o neoconstitucionalismo ou "constitucionalismo contemporâneo" (STRECK) acelerou o surgimento das mais diversas teorias da decisão. Das teorias do discurso à fenomenologia hermenêutica, além das teorias jurídicas realistas, no fito se superar o modelo de regras, promovendo a aproximação entre Direito e Moral; solucionar os casos difíceis, e, resolver o problema da inefetividade das normas constitucionais, notadamente aquelas de cunho compromissório (STRECK, 2017, p. 98).

Neste contexto, surgem as teorias procedimentalistas e, dentre elas, a teoria da argumentação jurídica de Robert Alexy, que influenciou, em grande medida, o direito brasileiro e, notadamente, os Tribunais Superiores.

## 3.    PROCEDIMENTALISMO DE ROBERT ALEXY

Segundo SIMIONI (2014, p. 233) as primeiras grandes contribuições de Robert Alexy para o direito foi a construção da sua teoria da argumentação jurídica, por ocasião da publicação de sua tese PhD, e, a teoria dos direitos fundamentais, cujos objetivos sempre foram aproximar os critérios de validade formal das decisões jurídicas e os critérios de correção moral da justiça, e, para tanto, Alexy optou pelo caminho procedimentalista, vislumbrando o direito como prática argumentativa.

Conforme asseverado por BARROSO (2017, p. 10) as teses de Alexy, como as demais doutrinas que se autointitulam pós-positivistas, buscam ir além da legalidade estrita, procurando fazer uma leitura moral da Constituição e das leis, reconhecendo a normatividade dos princípios e sua diferenciação em relação às regras.

Robert Alexy desenvolve sua teoria da argumentação jurídica baseada em regras procedimentais para conferir racionalidade à decisão que se valha se argumentos de cunho moral, por isso, sua teoria é chamada de procedimentalista (1993, p. 530).

Digno de nota que, segundo BARROSO, no Brasil o procedimentalismo de Alexy influenciou e refletiu muitas transformações, sobretudo no que se refere a uma novel espécie de interpretação constitucional que, ao par das modalidades clássicas (gramatical, histórica, sistemática e teleológica), pudesse lidar com "casos difíceis", em que a solução fosse construída argumentativamente, e, para isso a interpretação constitucional de Robert Alexy trabalha com categorias jurídicas novas, sobretudo:

> Reconhecendo a normatividade aos princípios e sua distinção em relação à regras; o equacionamento do fenômeno das colisões de normas constitucionais; a ponderação como técnica de solução destes conflitos; e a reabilitação da argumentação jurídica, da razão prática, como legitimador das decisões judiciais (2017, p. 12-13).

Portanto, a teoria da argumentação jurídica de Robert Alexy consiste, basicamente, em conferir racionalidade àquelas decisões proferidas em casos difíceis, e, para estes, seria necessário proferir julgamentos de valor (ALEXY, 2001, p. 21), ou seja, se valer de argumentos baseados em princípios ou valores, buscando na moral ou na ética os fundamentos necessários para proferir uma decisão ou sentença racional.

Robert Alexy vai, portanto, demonstrar a possibilidade de conjugar argumentos jurídicos com argumentos de cunho moral, justificando a prolação de uma sentença ou decisão que tenha que se valer mais do que o critério de mera subsunção do fato à legislação, já que em muitos casos referido método é insuficiente para atender aos casos complexos que aportam no judiciário, e, desta forma, os argumentos serão baseados em princípios morais (2001, p. 22).

ALEXY também defende, na atividade interpretativa, a utilização dos métodos tradicionais de interpretação, inobstante proponha uma certa reconstrução, como, também o emprego dos precedentes judiciais para estabilizar as soluções dos casos e para reduzir o encargo da justificação (2001, p. 228: 2001, p. 260).

Digno de nota que ALEXY é cético no que se refere à existência de uma única resposta correta, já que, segundo ele, encontrar a decisão correta depende do uso do procedimento (2001, p. 311), e, portanto, a concepção procedimentalista é a que melhor corresponde às exigências do Estado Democrático de Direito.

Ponto que difere o procedimentalismo de ALEXY em relação às teses substancialistas é a possibilidade de ponderação dos princípios, entendido estes como direitos fundamentais que irradiam seus valores para todo o direito, e, ainda, segundo ele, todas as normas jurídicas seriam positivas, sendo que dentre elas haveria aquelas que seriam regras e outras que seriam princípios (2008, p. 105-116: 2010, p. 164).

Nos moldes do procedimentalismo de ALEXY os princípios são considerados mandados de otimização, e, por isso, se extrai o máximo benefício de um deles em detrimento do outro, criando a regra da proporcionalidade, subdividida em suas máximas: adequação, necessidade e proporcionalidade em sentido estrito, aplicadas estas de forma sequencial, e, com base nesta teoria, fazer a ponderação dos princípios (1993, p. 110).

Por isso, ainda que se pretenda fazer uso da teoria procedimentalista de Robert Alexy, sua aplicação não dispensa a correta utilização e verificação escalonada da máxima da adequação (inexistência de outro meio para se atingir a finalidade exigida, e, por isso, o meio seria necessário), da necessidade (efetivo desequilíbrio entre os princípios em colisão), para ao cabo se passar à terceira etapa, em que outra via não haveria senão efetuar a referida ponderação, aplicando-se a proporcionalidade em sentido estrito, justificando, desta forma, os motivos a afastar o direito posto, como se verifica na jurisprudência brasileira. STRECK explicando a tese de Robert Alexy aduz que:

> É preciso fazer justiça a Alexy: sua tese não envolve essa "escolha direta". A ponderação será o modo de resolver os conflitos jurídicos em que há colisão de princípios, num procedimento composto por três etapas: a adequação, necessidade e proporcionalidade em sentido estrito. As duas primeiras se encarregam de esclarecer as possibilidades fáticas; a última será responsável pela solução das possibilidades jurídicas do conflito [...] quanto maior for o grau de não-satisfação ou de afetação de um princípio, tanto maior terá que ser a importância da satisfação do outro. [...] a resposta obtida pela ponderação resultará numa norma de Direito Fundamental atribuída (*zugeordnete Grundrechtnorm*), uma regra que deverá ser aplicada subsuntivamente ao caso concreto (e que servirá para resolver também outros casos) (2020, p. 257).

No Brasil a máxima da proporcionalidade desenvolvida por Robert Alexy recebeu grande recepção, podendo-se vislumbrar, em várias decisões proferidas pelos Tribunais Superiores, a sua utilização, inclusive, em muitos casos, sem qualquer critério.

Por exemplo, a 1ª Turma do STF, no julgamento do HC 124306, mencionou a possibilidade de se admitir que a interrupção da gravidez no primeiro trimestre da gestação provocado pela própria gestante, ou, com o seu consentimento, não seria crime, porquanto, segundo o Ministro Luis Roberto Barroso, a criminalização do aborto antes de concluído o primeiro trimestre de gestação viola diversos direitos fundamentais da mulher, além de não observar suficientemente o princípio da proporcionalidade, adotando, claramente, a tese Alexyana. (SUPREMO TRIBUNAL FEDERAL).

Ainda, o STF no julgamento da Ação Declaratória de Constitucionalidade nº41/DF, declarou a constitucionalidade da Lei nº 12.990/2014, que determina que 20% das vagas oferecidas nos concursos públicos realizados pela administração pública federal devem ser destinadas a candidatos negros, sendo que na razão de decidir o Tribunal entendeu que a proporção de 20% escolhida pelo legislador é extremamente razoável, e, se essa escolha fosse submetida a um teste de proporcionalidade em sentido estrito, também não haveria problema, porque 20%, em rigor, representariam menos da metade do percentual de negros na sociedade brasileira (SUPREMO TRIBUNAL FEDERAL).

Por outro lado, existem casos em que a máxima da proporcionalidade é utilizada acrítica, como álibi teórico, como enunciado performativo, tão somente para justificar um pronunciamento judicial voluntarista, ao ponto, inclusive, de gerar contradições dentro do próprio Tribunal, como se verifica no emblemático caso Elwanger, no julgamento do HC 82424-RS 2003, em que se valendo da máxima da proporcionalidade chegaram a conclusões distintas para o mesmo caso, razão pela qual se verifica que não inexistem, sequer, evidencias empíricas de que o método alexyano possa garantir a tão esperada racionalidade da decisão (SUPREMO TRIBUNAL FEDERAL, 2020).

Caso é que no afã de vislumbrar a abertura semântica dos princípios, como pretende a teoria da argumentação jurídica de Robert Alexy e, de se entender que pode existir mais de uma resposta correta para o mesmo caso, os princípios acabam sendo utilizados de forma retórica ou como álibis teóricos e, consequentemente, o nascimento de decisões voluntaristas, representando, no final, verdadeiros cheques em branco ao julgador, para decidir conforme sua consciência, decidir e depois fundamentar.

## 4.   O PROCEDIMENTALISMO ALEXYANO COMO PROTAGONISMO JUDICIAL

Segundo STRECK o Neoconstitucionalismo, embora tenha representado um importante passo para se afirmar e consolidar a força normativa da Constituição, no Brasil, acabou por incentivar uma recepção acrítica da jurisprudência dos valores e da teoria da argumentação jurídica de Robert Alexy, e, sob a bandeira do "neoconstitucionalismo" se defende, ao mesmo tempo, um Direito Constitucional da efetividade; um Direito assombrado pela ponderação de valores e uma constitucionalização de jargões vazios de conteúdo que reproduzem o prefixo *neo* em diversas ocasiões (2017, p. 67).

A teoria da argumentação jurídica de Robert Alexy e, notadamente, a máxima da proporcionalidade se insinua como sendo o único caminho para solucionar a colisão de princípios, o que acaba por dar azo a uma verdadeira indústria da teoria dos princípios (ALEM, 2019, p. 313).

Ademais, segundo ALEM (2019, p. 314) a razão prática empreendida pela proporcionalidade permite que o juiz faça o sopesamento de normas e crie a sua própria para aquele caso particular, introduzindo elementos externos ao direito, inclusive sua moral pessoal, dando nascimento, como alhures afirmado, a um decisionismo judicial.

Isto porque nos Tribunais brasileiros se faz a utilização descriteriosa da teoria alexyana, transformando a regra da ponderação em princípio, utilizando a teoria como um enunciado performativo[1], capaz de

---

1   Com explicado por Streck: "uma expressão performativa não se refere a algo existente nem a uma ideia qualquer; a simples enunciação já faz "emergir" a sua significação. Já "não pode ser contestado"; não pode sofrer críticas; consta como "algo dado desde sempre"; sua mera evocação já é um "em si mesmo". O uso performativo de um enunciado objetiva "colar" texto e sentido do texto, não havendo espaço para pensar a diferença (entre ser e ente, para usar a linguagem hermenêutica). Desse modo,

fundamentar os mais diferentes posicionamentos, ou seja, casos idênticos acabam recebendo decisões diferentes (STRECK, 2017, p. 81).

Além disso, outro fenômeno verificado por STRECK, e, com origem no uso da ponderação, é o nascimento do que ele designa por "pamprincipiologismo", sendo, inclusive, um subproduto do neoconstitucionalismo, que com o pretexto de aplicar princípios constitucionais, haja uma proliferação descontrolada de enunciados para resolver os aludidos "casos difíceis" (2017, p. 82).

Verdade é que não há garantias de que as decisões proferidas pelo judiciário, com esta ampla liberdade interpretativa, seriam melhores do que as normas criadas pelo legislador, dentro de um regime democraticamente pré-estabelecido, mesmo porque não possuiriam os operadores do direito, legitimidade, tomando função que não lhes incumbe, mesmo que seus propósitos sejam nobres, já que, ainda que indiretamente, os autores da norma posta são o próprio povo.

Nesta mesma linha de raciocínio, SIMIONI (2014, p. 313) afirma que esta convicção procedimentalista da argumentação jurídica falha na "questão hermenêutica das convicções prévias a respeito da própria racionalidade de uma argumentação jurídica", o que corresponde a um déficit grave de legitimidade democrática.

Lenio Luiz Streck ao criticar o voluntarismo judicial afirma que, em muitos casos, ele é realizado através da utilização de princípios como álibis persuasivos, asseverando que a "discricionariedade pregada e defendida pela maior parte da teoria do direito – em especial as teorias procedurais-argumentativas – é exatamente a que se confunde com a arbitrariedade" (2013, p. 43).

A própria concepção de princípio nos moldes desenvolvidos por Robert Alexy, como mandado de otimização, possui seus riscos, podendo ser alto demais, "porque ao mesmo tempo em que ela permite esvaziar a normatividade dos princípios fundamentais pela ponderação, ela permite também um ativismo sem limites" (SIMIONI, 2014, p. 319).

---

expressões como "ponderação de valores", "mandados de otimização", "proporcionalidade", "razoabilidade", "decido conforme minha consciência", no momento em que são utilizadas ou pronunciadas, tem um forte poder de violência simbólica (Bordieu) que produz o "sentido próprio" e o "próprio sentido" (2017, p. 82).

Será que atualmente é necessário se valer de tamanha discricionariedade quando já possuímos uma Constituição normativa dentro de um Estado Democrático? Afinal, segundo Streck:

> Eis o "ovo da serpente". Obedecer "à risca o texto da lei democraticamente construída" (já superada – a toda evidencia – a questão da distinção entre direito e moral) não tem nada a ver com a "exegese" à moda antiga (positivismo primitivo). No primeiro caso, a moral ficava de fora; agora, no Estado Democrático de Direito, ela é co-originária (2013, p. 80).

É obvio que existiram casos que refogem à simples subsunção entre os fatos colocados à apreciação do magistrado e a norma legal, seja por ambiguidade, vagueza ou falta de previsão expressa, e, por isso, inevitavelmente, caberá ao juiz interpretar e encontrar a resposta adequada ao direito.

Entretanto, a concepção de princípio como propagado pelo neoconstitucionalismo (na sua função teórica), e, nos moldes de Robert Alexy, permite que "qualquer coisa se torne princípio e qualquer coisa se torne um meio para atingi-lo, e, se qualquer coisa pode se tornar princípio, tudo passa a ser objetivo, tudo deixa de ser uma questão de princípio para ser uma questão de objetivo" (SIMIONI, 2014, p. 320).

O que ocorre é que o neoconstitucionalismo, ao menos na sua função teórica, que se confundiria com a noção de pós-positivismo (NOVELINO, 2013, p. 194) com esta postura e pretensão de encontrar a melhor solução ao caso concreto não conseguiria "domesticar o decisionismo e arbitrariedade", causando, então, um déficit democrático, porquanto haveria criação de norma por quem não possui legitimidade, e, ademais, a própria caracterização de casos difíceis (*hard cases*) ficaria à escolha do magistrado, ou seja, mediante um juízo discricionário/arbitrário (FERREIRA, 2019, p. 136).

## CONCLUSÃO

Como se restou explicitado o neoconstitucionalismo, além de constitui um paradigma constitucional de cunho compromissório, de feições dirigentes - o que seria o aspecto positivo - acelerou o surgimento das mais diversas teorias da decisão, e, dentre elas, as teorias procedimentalistas, e, em foco neste artigo, a teoria da argumentação jurídica de Robert Alexy, que influenciou, em grande medida, o direito brasileiro e, notadamente, os Tribunais Superiores.

Ocorre que, como demonstrado, a utilização descriteriosa da teoria alexyana, a transforma em um enunciado performativo, fundamentando os mais diferentes posicionamentos, em que casos idênticos acabam recebendo decisões diferentes, sendo que a própria concepção de princípio nos moldes desenvolvidos por Robert Alexy possui seus riscos, já que dá azo a um ativismo sem limites.

A verdade seja dita que, conforme afirmado por Lenio Luiz Streck que o procedimentalismo de Robert Alexy se transformou em um procedimento generalizado de aplicação do Direito, e, por conta disso, se transformou em verdadeiro senso comum teórico dos juristas, constituindo em muitas ocasiões verdadeiros álibis teóricos, salvo-condutos para a atribuição arbitrária de sentidos, afastando o direito posto, em evidente prejuízo ao regime democrático de construção das normas jurídicas.

Não é sem motivos que Ronald Dworkin ataca o procedimento metodológico na resolução dos casos difíceis, segundo proposto por Robert Alexy, exigindo, por outro lado, que haja integridade e coerência no pronunciamento judicial, sendo que mesmo nos *Hard Cases* não devem existir duas ou mais respostas admissíveis, havendo uma única resposta correta do direito, já que o julgador possui uma responsabilidade política, de descobrir o direito das partes, respeitando a integridade, coerência, e, a história institucional do direito.

Nesta linha de raciocínio que nos posicionamos, não aceitando que, conforme propagado pela teoria da argumentação jurídica – aplicada de forma como propugnada pelo seu criador ou não -, decidir não pode ser sinônimo de escolher, deixando ao magistrado a faculdade de optar, ao final de qualquer procedimento metodológico, a solução que ele entenda adequada para um dado caso concreto.

Inexistem garantias de que as decisões proferidas pelo judiciário, ainda que dentro do procedimentalismo alexyano, seriam melhores do que as normas criadas pelo legislador, dentro de um regime democraticamente pré-estabelecido, não possuindo, ademais, os operadores do direito, legitimidade, tomando função que não lhes incumbe, mesmo que seus propósitos sejam nobres, já que, ainda que indiretamente, os autores da norma posta são o próprio povo.

## REFERÊNCIAS

ALEXY, Robert. **Teoria da argumentação jurídica**. Tradução de Zilda Hutchinson Schild Silva. São Paulo: Landy, 2001.

ALEXY, Robert. **Teoría de lós derechos fundamentales**. Tradução de Ernesto Garzón Valdés. Madrid: Centro de Estudios Constitucionales, 1993.

ALEXY, Robert. Direitos Fundamentais, ponderação e racionalidade. *In:_*. **Constitucionalismo discursivo**. Tradução de Luís Afonso Heck. Porto Alegre: Livraria do Advogado, 2008.

BARROSO, Luis Roberto. **Grandes transformações do Direito contemporâneo e o pensamento de Robert Alexy**. Fórum Administrativo – FA, Belo Horizonte, ano 17, n. 200, p. 9-17, out. 2017.

FERREIRA, Rafel Alem Mello. **O Projeto Inacabado de uma Teoria da Decisão Judicial**. Ed. Dialética. Ano 2019.

NOVELINO, Marcelo. **Manual de Direito Constitucional**. Editora Metodo, 8ª edição, p. 185.

POZZOLO, Susana. **Un constitucionalismo ambiguo**. In: CARBONELL, Miguel (Org.). Neoconstitucionalismos. Madrid: Trotta, 2003

SIMIONI. Rafael Lazzarotto. **Curso de Hermenêutica Jurídica Contemporânea**. Juruá. Ano 2014.

STRECK, Lenio Luiz. **Objeto, sujeito e o giro ontológi o-linguístico. O que é isto – decido conforme minha consciência?** 4ª Ed. Ver. Porto Alegre: Livraria do Advogado, 2013.

STRECK. Lenio Luiz. **Verdade e Consenso: Constituição, Hermeneutica e Teorias Discursivas**. Ed. Saraiva. Ano 2017.

SUPREMO TRIBUNAL FEDERAL. Disponível em: https://jurisprudencia. stf.jus.br/pages/search?base=acordaos&pesquisa_inteiro_teor=false&sinonimo=true&plural=true&radicais=false&buscaExata=true&page=1&pageSize=10&queryString=HC%20124306&sort=_score&sortBy=desc. Acesso em 20 novembro. 2020.

SUPREMO TRIBUNAL FEDERAL. Disponível em: http://www.stf.jus.br/arquivo/informativo/documento/informativo868.htm. Acesso em 20 novembro. 2020.

SUPREMO TRIBUNAL FEDERAL. Disponível em: https://jurisprudencia. stf.jus.br/pages/search?base=acordaos&pesquisa_inteiro_teor=false&sinonimo=true&plural=true&radicais=false&buscaExata=true&page=1&pageSize=10&queryString=HC%2082424&sort=_score&sortBy=desc. Acesso em 21 novembro. 2020.

TATE, C. Neal; VALLINDER, Torbjörn. **The Global Expansion of Judicial Power**. New York University Press. Ano 1995.

# O PROBLEMA DO TEXTO JUDICIAL PARA A TEORIA DO DIREITO: POR QUE TENHO MEDO DE SÚMULAS?

**Fernando Pessoa de Aquino Filho**

Mestrando em Direito (IDP-DF). Especialista em Processo Civil (Mackenzie-SP). Graduado com láurea acadêmica pela Universidade Federal da Paraíba (UFPB). Vice-Diretor na Escola Superior de Advocacia da OAB Paraíba. Professor. Advogado.

**RESUMO:** As próximas linhas não buscam ferir de morte, abruptamente, a importância dos enunciados de súmula, afinal não há dúvida de que eles servem (ou pretendem servir) à segurança jurídica. O problema deles não está na intenção, mas na forma através da qual são criados e, principalmente, no modo de aplicação. Este trabalho demonstrará que, diante da diferença entre texto e norma, tão consagrada na Teoria do Direito e advogada por autores como Friedrich Müller, Gadamer, Humberto Ávila, Marcelo Neves e Eros Grau, a existência da súmula como um "texto judicial" que esgota o significado da norma jurídica, servindo de paradigma para tantos casos, além de não homenagear a dialeticidade e a participação típicas da construção de *rationes decidendi*, acaba indo de encontro à criatividade jurisdicional. Se cabe ao Estado-juiz, através da interpretação, adscrever sentido a textos (transformando-os em normas) e há, hoje, uma evolução do sistema de precedentes no direito brasileiro com a finalidade de alcançar uma segurança jurídica pautada em normas de decisão (e não em textos), criadas após ampla participação e dialeticidade com os sujeitos do processo, talvez seja o momento de refletir sobre a real compatibilidade dos enunciados de súmula com esse modelo mais refinado de jurisdição.

**PALAVRAS-CHAVE**: Texto; Enunciado de Súmula; Norma; Ratio decidendi; Jurisdição adscritiva; Participação.

## INTRODUÇÃO

Julgar é uma atividade eminentemente criativa. Se isso não fosse verdade – e o magistrado fosse apenas o proclamador da "vontade do legislador" ou um aplicador mecânico do texto legal –, bastaria ao julgador o fato de ser alfabetizado. Aliás, um robô-juiz seria bem mais producente, econômico e eficiente para a Administração Pública.

Trata-se de incumbência do Poder Judiciário a árdua missão de transformar um texto (elemento significante) em norma (verdadeiro significado) (ZAGREBELSKY, 1990. p. 68). Essa atividade depende da reconstrução de conteúdos de sentido pelo próprio intérprete e, nesse sentido, a *matéria bruta* utilizada por ele (o texto legal) constitui uma mera possibilidade de Direito (ÁVILA, 2021. p. 45).

Através da atividade jurisdicional, parte-se da incerteza do ponto de partida e se chega à certeza obtida com a *norma da decisão* (NEVES, 2019. p. 21). Em suma, pelo fato de o *texto* não conter imediatamente a *norma*, está é construída pelo intérprete no decorrer do um processo ao qual se dá o nome de *concretização* do direito. (MÜLLER, 1993. p. 169)

Nesse sentido, Müller afirma que um texto pode parecer claro ou mesmo inequívoco no papel, mas o próximo caso prático ao qual ele deve ser aplicado pode fazer com que ele se afigure extremamente destituído de clareza. Esse fenômeno se evidencia somente na tentativa efetiva da *concretização*, porque nela não se aplica algo *pronto e acabado* a um conjunto de fatos igualmente compreensível como concluído. (MÜLLER, 2000. p. 61-62).

Construindo uma ponte entre o fenômeno jurídico e a linguagem, também se afirma, sem titubeios, que o *texto* é o sinal linguístico, enquanto a *norma* é o que se revela (CANOTILHO, 1991. p. 225). Portanto, se as normas resultam da interpretação, pode-se afirmar que os textos, enquanto meras disposições, nada dizem: eles dizem o que os intérpretes dizem que eles dizem. (RUIZ, 1991. p. 320)

Através de pensamento bastante refinado, Gadamer justifica que, a bem da verdade, a *norma* se encontra parcialmente – em *estado de potência* – involucrada no texto (também chamado de *enunciado* ou *disposição*) e, assim, cabe ao intérprete desnudá-la, ou seja, incumbe ao julgador fazê-la brotar do *texto* (GADAMER, 1991, p. 381).

Em rico diálogo transdisciplinar entre o Direito e a Arte, Eros Grau afirma que, bem como a música e o teatro, o direito é uma arte *alográfica*, na qual a obra *objeto da interpretação* (partitura de música ou roteiro de uma peça de teatro) reclama um *intérprete* para que possa, ao fim e ao cabo, ser compreendida. Se isso é verdade, o texto legal é *alográfico* justamente porque não se completa no sentido nele impresso pelo legislador, mas encontra completude somente quando o *sentido* adscrito a ele é construído pelo intérprete, momento em que nasce a *norma* (GRAU, 2021. p.37-38).

Nessa atmosfera de *alografia*, tornando ainda mais clara a distinção entre *texto legal* e *norma jurídica*, Grau traz à tona a metáfora da Vênus de Milo (GRAU, 2021. p. 47-48):

> Suponha-se a entrega, a três escultores, de três blocos de mármore iguais entre si, encomendando-se a eles três Vênus de Milo. Ao final do trabalho desses três escultores teremos três Vênus de Milo perfeitamente identificáveis como tais, embora distintas entre si: em uma a curva do ombro aparece mais acentuada; noutra as maçãs do rosto despontam; na terceira os seios estão túrgidos e os mamilos enrijecidos. Não obstante, são, definitivamente, três Vênus de Milo – nenhuma Vitória de Samotrácia.
>
> (...)
>
> O que pretendo também, além de sustentar o caráter alográfico da interpretação do direito, é afirmar que diferentes intérpretes – tal qual diferentes escultores produzem distintas Vênus de Milo – produzem, a partir do mesmo texto, enunciado ou preceito, distintas normas jurídicas. Parafraseando Kelsen [1979:467], afirmo que dizer que uma dessas Vênus de Milo é fundada na obra grega não significa, na verdade, senão que ela se contém dentro da mol-

dura ou quadro que a obra grega representa. Não significa que ela seja a Vênus de Milo, mas apenas que é uma das Vênus de Milo que podem ser produzidas dentro da moldura da obra grega.

Pois bem.

Embora, em um primeiro olhar, imagine-se o *texto* apenas como o *texto da lei*, os enunciados de súmula – que seriam uma espécie de *texto judicial* (expressão utilizada no título deste artigo) – também são, inequivocamente, apenas *textos*. Afinal, não raro, são escritos em uma ou duas linhas e em muito se assemelham ao texto da lei, eis que contêm previsão abstrata de um dispositivo textual e até mesmo um procedimento específico de criação e revogação.

Essa aplicação do *direito sumular*, normalmente feita a partir da pura e simples invocação dos *textos judiciais* (enunciados), é a preocupação central deste artigo.

## 1. PROXIMIDADE ENTRE NORMA E PRECEDENTE (*RATIO DECIDENDI*). AFINAL: QUE SÃO NORMAS DE DECISÃO?

A diferença entre texto e norma, típica da Teoria do Direito, dialoga com a teoria dos precedentes. Aliás, a categoria *precedente* pertence justamente à Teoria Geral do Direito (DIDIER JR, 2012. p.162-164).

É que, diferente do que o senso comum grita aos quatro cantos, precedente não significa uma mera "decisão anterior que trata de razões fáticas e jurídicas idênticas"[1]. A bem da verdade, em sentido próprio, *precedente* é a *norma* aplicada pela corte, compreendida especialmente a partir da fundamentação, que se afigura indispensável para resolver o caso concreto (CROSS; HARRIS, 2004. p. 39-41). Dessa forma, a solução do caso concreto estabelecida pelo juiz no dispositivo de sua decisão não

---

1     Essa ideia, de cunho relacional, de precedente como "caso anterior" pode ser usada apenas impropriamente. Nesse sentido: BANKOWSKI, Zenon; MACCORMICK, Neil; MARSHALL, Geoffrey. "Precedent in the United Kingdom". MACCORMICK, Neil; SUMMERS, Robert S. (ed.). *Interpreting precedents*. Aldershot: Ashgate/Dartmouth, 1997, p.323.

integra o precedente, apesar de poder servir de norte para seu esclarecimento. (MARINONI, 2011. p.221).

Logo, comprovando a íntima relação entre *precedente* e *norma de decisão* (o resultado da interpretação do texto), pode-se afirmar, justamente, que aquele nada mais é que a *norma* compreendida a partir de toda a decisão, por um processo construtivo próprio, e a ela não se limita. Este é um conceito próprio de precedente, que se confunde com *ratio decidendi* ou *norma decisória* (MACÊDO, 2019. p. 80). Pode-se falar, ainda, em *norma do precedente*.

Para que uma *ratio decidendi* (resultado da interpretação do *texto*) seja aplicada basta que haja *relevantes semelhanças* ou *identidade essencial* entre os casos - já que nenhum caso é absolutamente idêntico a outro.

À guisa de exemplo histórico, em *MacPherson v. Buick Motor Company* (caso julgado pela *New York Court of Appeals* em 1916) se decidiu que a fábrica de automóveis seria responsável diante do consumidor pelos danos causados por força de um pneu defeituoso incorporado pela *Buick* ao automóvel, mas fabricado por outra empresa, nada obstante a falta de vínculo contratual entre a fabricante do pneu defeituoso e o consumidor final. Em *Donoghue v. Stevenson* (caso julgado pela *House of Lourds* em 1932) decidiu-se que a *Stevenson*, uma fabricante e engarrafadora de cerveja de gengibre, era responsável diante do dano causado à consumidora pelo fato de encontrar um caracol morto em decomposição dentro da garrafa de cerveja.

Embora inexista *semelhança natural* entre os fatos (SCHAUER, 2009. p. 50) (afinal automóveis com pneus defeituosos não se confundem com caracóis mortos em decomposição encontrados em garrafas de cervejas), há uma cristalina *semelhança jurídica* entre *consumidores e produtos defeituosos*. É a partir desses *fatos jurídicos essenciais* e das *razões* que serviram para a solução desses casos que se forma um precedente. (MITIDIERO, 2018. p. 113-114).

Percebe-se, pois, que a aplicação de *normas de decisão* não se resume jamais a "copiar e colar" a fundamentação do julgado anterior. Trata-se, em verdade, da necessidade de encontrar a norma que possui pertinência ao sistema jurídico a partir de uma decisão do passado – e esse processo é, acima de tudo, argumentativo e dialético (MACÊDO, 2019. p. 294).

Em um direito no qual texto é diferente de norma, a ressonância do precedente é vinculante porque encarna a própria interpretação da Constituição (STF) ou da legislação federal (STJ). Nesse sentido, aduz Daniel Mitidiero:

> Se a Constituição é a interpretação da Constituição e a lei federal é a interpretação da lei federal, então é evidente que *qualquer dissociação entre norma e interpretação* - dentro da administração da Justiça Civil - *só pode ser vista como um subterfúgio para escapar da eficácia vinculante da própria Constituição ou da lei federal* (MITIDIERO, 2018, p. 101).

O reconhecimento da *norma de decisão* como importantíssima *fonte do direito*, todavia, não vem desacompanhado de um aumento considerável na responsabilidade do órgão julgador com o efetivo contraditório, com a dialeticidade e com um direito processual cada vez mais democrático, aberto e cooperativo. A atmosfera processual para a transformação de texto em norma deve se confundir com uma *comunidade argumentativa de trabalho* (MITIDIERO, 2019. p. 119).

Aliás, não é por outro motivo que, hoje, defende-se a ampla participação de *terceiros interessados* em demandas suscetíveis à formação de uma *ratio decidendi*. Sérgio Cruz Arenhart, por exemplo, esclarece que o que acarreta influência nos interesses dos *amici curiae* não é a decisão em si, mas a universalização da fundamentação do ato decisório: o precedente judicial (ARENHART, 2007, v.11. p. 436)

Ainda nesse sentido, tendo a percepção de que os terceiros podem participar da construção da tese (ou norma) jurídica que regerá seus casos futuros, Sofia Temer, brilhantemente, aduziu que é necessário desenvolver uma nova forma de intervenção para esse tipo de problemática. (TEMER, 2020 p. 141-150).

Em resumo, Temer advoga que é possível a intervenção daqueles que tiveram seus processos sobrestados para aguardar o julgamento do incidente de resolução de demandas repetitivas, desde que haja alguma contribuição argumentativa, sendo esta a medida da admissibilidade da intervenção e o seu limite (TEMER, 2020. p. 166-182). Trocando em miúdos, a participação do terceiro, desde que não se limite a repetir argumentos já tecidos (o que seria cristalinamente *irracional*), é bem-vinda.

Dar a chance ao terceiro de participar na formação do precedente é permitir que o "ato de poder" do magistrado, ao criar uma norma (precedente) quando decidir, seja ainda mais democrático. Isso legitima ainda mais o precedente, de maneira a gerar maior "conformação" nos litigantes e evitar futuras *aventuras* processuais.

Afinal, como o Poder Judiciário não é constituído democraticamente (pelo voto popular), pode-se afirmar, sem exageros, que boa parte de sua legitimidade está na construção dialética da decisão judicial. Esta deve ser fundamentada analiticamente, configurando verdadeiro *fruto* de um processo colaborativo, dialógico, participativo e democrático (CRUZ E TUCCI, 2015. p. 267-282).

Pois bem.

Embora tenha sido notória a preocupação do Código de Processo Civil de 2015 em esquematizar um sistema de precedentes no direito brasileiro[2], pode-se concluir que a questão-chave deste trabalho – a necessidade de um sistema jurídico que trabalhe com *rationes decidendi* – é matéria bem mais próxima da Teoria do Direito que do mero direito processual civil. Justamente porque *texto* é diferente de *norma* que se deve buscar uma segurança jurídica construída através de *normas de decisão*. Aceitar isso nada mais é que compreender o avanço da Teoria do Direito: a jurisdição, definitivamente, despiu-se de uma visão cognitivista da interpretação, na qual se imaginava o juiz como *oracle of the law* ou como *étres inânime*.

---

2      Isso é comprovado ao se extrair do Código de Processo Civil que o precedente, por exemplo, tem previsão legal de obrigatoriedade (art. 927); torna-se estável, gerando o dever de coerência, estabilidade e integridade para os tribunais (art. 926); embasa antecipações de tutela com base na evidência do direito, bastando para isso a *probabilidade do direito* somada a um *precedente vinculante* que agasalhe o pleito (art. 311, II); resulta na improcedência liminar de pedidos que vão de encontro à sua *ratio decidendi* (art. 332); impõe ao magistrado o dever de enfrentá-lo através de uma decisão fundamentada analítica e extrinsecamente (art. 489, §1º, V e VI); amplia os poderes do Relator para barrar recursos que o vilipendie (art. 932, IV e V); e traz uma série de efeitos na admissibilidade de recursos excepcionais, evitando a guinada inócua destes para as cortes superiores, quando manifestamente contrários a *normas* de precedentes dessas cortes (art. 1.030, I, *a*).

## 2. INCOMPATIBILIDADE DOS ENUNCIADOS DE SÚMULA COM UM MODELO JURISDICIONAL DE NORMAS DE DECISÃO

Não foi trazida à tona a relação umbilical entre *norma* e *ratio decidendi* por acaso.

O ponto nevrálgico deste trabalho é evidenciar que o *enunciado de súmula*, como "texto judiciais" que é, não pode jamais se confundir com *precedente* (SILVA, 2008, vol. 165. p. 218-220). Para a criação de um enunciado sumular é estabelecido um procedimento específico e distinto do processo judicial – que é o meio através do qual se criam *rationes decidendi*.

Enquanto o *texto judicado* possui um rito mais formal e engessado para a sua criação, inclusive com previsão se quórum específico para tal (art. 103-A, da Constituição da República), laborar com precedentes é algo que exige dos magistrados uma perene postura *relacional* e *interpretativa* para identificar a *ratio decidendi* do julgado e saber se ela é aplicável (MITIDIERO, 2018, p. 110).

Trocando em miúdos, trabalhar de forma refinada com *normas de decisão* impõe ao Estado-juiz a identificação de uma *relevant similarity*[3] ou a necessidade de uma *distinguishing* entre os casos (DUXBURY, 2008. p. 113).

Pois bem. Diferente da *norma da decisão*, parece que os enunciados de súmula passam a deter uma espécie de vinculatividade própria (MACÊDO, 2019. p. 358), independentemente de trabalho *relacional* e *argumentativo* do julgador. Trata-se um *texto* que, em si, pretende iniciar e acabar um *significado*.

É dizer que não são as súmulas que obrigam, mas os precedentes subjacentes (CRAMER, 2018. p. 221). Caso o texto do enunciado de súmula não se ativesse às circunstâncias fático-jurídicas dos *precedentes* que deram azo à criação de do enunciado, este não teria nem sentido nem eficácia alguma. O precedente, ele sim, é o elemento da *hipótese fática da norma* que permite a edição do enunciado de súmula (MACÊ-

---

3    SCHAUER, Frederick Schauer. *Thinking like a Lawyer*. Cambridge (Mass.): Harvard University Press, 2009, p. 45. BENDITT, Theodore. The Rule of Precedent, *Precedent in Law*. Oxford: Oxford University Press, 1987, p. 90.

DO, 2019. p. 357). Em uma palavra, o enunciado de súmula é um *extrato* (ZANETI JÚNIOR, 2015. p. 1.322).

Comprovando, com "infeliz acuidade", o que aqui se afirma, Leonardo Greco evidenciou que os enunciados nº 622, 625 e 626 da súmula da jurisprudência dominante do Supremo Tribunal Federal não guardam qualquer correspondência com normas que se extraem dos acórdãos paradigmas (GRECO, 2004, n. 10. p. 44-54).

Descortinando esse mesmo problema, Patrícia Perrone Mello analisou os enunciados de súmula vinculante de nº 1, 2 e 3 e, malgrado os dois primeiros sejam compatíveis com as *normas de decisão* que lhes deram origem, no que se refere ao último enunciado, três dos quatro precedentes invocados para a autorização da edição do *texto judicial* tratavam única e exclusivamente como *obter dictum* da matéria do enunciado (MELLO, 2008. p. 166-173).

Reafirma-se: enquanto a *norma de decisão* requer a leitura atenta da fundamentação, com argumentação analítica acerca da moldura fática relevante, bem como no sentido de *distinguir* ou *superar* aquela tese jurídica adotada, o enunciado de súmula, em regra, é aplicado a partir da pura e simples invocação de seu texto (MACÊDO, 2019. p. 358).

Ao cabo, o instituto do *texto judicial*, que vai de encontro à evolução da Teoria do Direito - a partir da qual se conclui que o Judiciário (re)constrói a *norma jurídica* -, parece impedir a atividade interpretativa e criativa do Estado-juiz, transformando magistrados em meros *porta-vozes* do Supremo Tribunal Federal ou do Superior Tribunal de Justiça[4].

Nas precisas palavras de Alexandre Gustavo Melo Franco Bahia: (BAHIA, 2012, ano 37, vol. 206. p. 364)

> O que há aí é um renascimento (se é que entre nós houve uma morte) dos postulados da escola da exegese, da crença na oitocentista na clareza do texto e mais, no poder racionalizador do mesmo: crê-se que as Súmulas Vinculantes, por serem *Súmulas*, tor-

---

4   ABBOUD, Georges. "Súmula vinculante *versus* precedentes: notas para evitar alguns enganos". *Revista de Processo*. São Paulo: RT, 2008, ano 33, vol. 165, p. 224-226. SILVA, Ovídio A. Baptista da. "A função dos Tribunais Superiores". *Sentença e coisa julgada*. 4. ed. Rio de Janeiro: Forense, 2006, p. 299.

nam "claro" o sentido (verdadeiro) da norma e, acredita-se que, por serem *Vinculantes*, impediriam qualquer outra interpretação

Caso o direito brasileiro operasse eficientemente como um *Stare Decisis*, a importância de instituir enunciados de súmula ou de súmula vinculante seria reduzida a nada, pois as *normas de decisão* - formadas através de um processo judicial aberto e dialético – já teriam eficácia obrigatória, sendo desimportante, pois, a elaboração de um *texto* curto e abstrato que pretende capitanear a segurança jurídica nos tribunais.

Esgotar toda a riqueza do precedente – *norma jurídica* extraída da decisão judicial –, diferente do texto da lei justamente por sua conexão mais forte com os fatos da causa, em um enunciado abstrato é impossível (ROSSI, 2012, vol. 208. p. 205-2060).

Não é demais repetir: esse problema não é de direito processual civil. Trata-se de um vilipêndio à função *adscritiva de sentido* da jurisdição. Uma afronta à *hermenêutica*. Se ao Judiciário cabe a árdua atividade, dotada de profundo ônus argumentativo, de transformar *texto* em *norma*, jamais dele, ele mesmo, produzir *textos judiciais* postos em súmulas como uma verdadeira panaceia.

## CONSIDERAÇÕES FINAIS

O paraibano José Flóscolo da Nóbrega dizia ser possível a existência de um sistema jurídico *seguro* e *injusto*, mas não haver possibilidade de um sistema jurídico *inseguro* e *justo*. A afirmação faz todo sentido.

A partir do momento em que a jurisdição decide com justeza apenas alguns casos, mas julga outros, embora idênticos, de maneira diversa, rasga-se qualquer sonho de justiça isonômica. Por isso, um sistema de justiça *inseguro* é - por consectário lógico - *injusto*, sendo inconciliável qualquer ideia de justiça perante a insegurança jurídica. Por outro lado, caso o Direito seja *seguro*, a pior das hipóteses é que todos sofram igualmente com uma suposta *injustiça*, até que ela seja superada (passando a beneficiar todos).

Em verdade, tem-se dificuldade de pensar a existência do próprio Estado de Direito distante das noções de cognoscibilidade, estabilidade e previsibilidade. Cidadãos que vivem sem a noção prévia do que (não) podem fazer na vida em sociedade são qualquer coisa menos livres.

Aí reside a importância de um sistema jurídico pautado na universalização – crítica, argumentativa, dialética e aberta a distinções e a superações – de *rationes decidendi*. Dessa forma, não se garante, necessariamente, a melhor decisão possível para cada caso concreto, mas se assegura um tratamento isonômico pautado em *normas de decisão*. O que, ao fim e ao cabo, confunde-se com *justiça*.

Este artigo não buscou esgotar a discussão sobre a fragilidade dos enunciados de súmula (aqui tratados, propositalmente, de *textos judiciais*). O que se pretendeu, aqui, foi jogar luz sobre o fato de que uma ideia refinada de segurança jurídica passa bastante longe de meros *textos*. Embora estes sejam importantes molduras para as *normas* a serem produzidas, também são, em verdade, apenas "possibilidades de direito" e, portanto, não há segurança jurídica através de curtos *enunciados*.

Trabalhar, de modo refinado, com *normas de decisão* é, além de suficiente, o caminho mais compatível com a evolução a Teoria do Direito. O "direito sumular", pois, não seria uma espécie de *ativismo inócuo* produzido textualmente pelo Judiciário?

## REFERÊNCIAS

ABBOUD, Georges. "Súmula vinculante *versus* precedentes: notas para evitar alguns enganos". **Revista de Processo**. São Paulo: RT, 2008, ano 33, vol. 165.

ARENHART, Sérgio Cruz. **O recurso de terceiro prejudicado e as decisões vinculantes**. Aspectos polêmicos dos recursos cíveis e assuntos afins. Nelson Nery Junior e Teresa Arruda Alvim (coord.). São Paulo, Thomson Reuters Brasil, 2007.

ÁVILA, Humberto. **Teoria dos princípios**. 20. ed. São Paulo: Malheiros, 2021.

BAHIA, Alexandre Gustavo Melo Franco. "As súmulas vinculantes e a nova escola da exegese". **Revista de Processo**. São Paulo: RT, 2012, ano 37, vol. 206.

BANKOWSKI, Zenon; MACCORMICK, Neil; MARSHALL, Geoffrey. "Precedent in the United Kingdom". MACCORMICK, Neil; SUMMERS, Robert S. (ed.). **Interpreting precedents**. Aldershot: Ashgate/Dartmouth, 1997.

BENDITT, Theodore. The Rule of Precedente, **Precedent in Law**. Oxford: Oxford University Press, 1987.

CÂMARA, Alexandre Freitas. **Levando os Padrões Decisórios a Sério**. São Paulo: Atlas, 2018.

CANOTILHO, José Joaquim Gomes. **Direito Constitucional**. 5ª. ed. Coimbra, Livraria Medina, 1991.

CRAMER, Ronaldo. **Precedentes Judiciais**. Rio de Janeiro: Forense, 2016.

CROSS, Rupert. HARRIS, J.W. **Precedent in English Law**. 4. ed. Oxford: Claredon Press, 2004.

CRUZ E TUCCI, José Rogério. **Contra o processo autoritário**. O novo código de processo civil: questões controvertidas. São Paulo: Atlas, 2015.

DIDIER JR, Fredie. **Sobre a teoria geral do processo, essa desconhecida**. Salvador: Juspodivm, 2012.

DUXBURY, Neil. **The Nature and Authority of Precedent**. Cambridge: Cambridge University Press, 2008.

GADAMER, Hans-Georg. **Verdad y método**. 4ª ed. Salamanca, Ediciones Sígueme, 1991.

GRAU, Eros Roberto. **Por que tenho medo de juízes**. 10. ed. São Paulo: Malheiros, 2021.

GRECO, Leonardo. "Novas Súmulas do STF e alguns reflexos sobre o mandado de segurança". **Revista Dialética de Direito Processual**. São Paulo: Dialética, 2004, n. 10.

GUASTINI, Ricardo. **Le fonti del diritto e l'interpretazione**. Milano, Giuffrè, 1993.

MARINONI, Luiz Guilherme. **Precedentes obrigatórios**. 2. ed. São Paulo: RT, 2011.

MACÊDO, Lucas Buril de. **Precedentes judiciais e o direito processual civil**. 3. ed. Salvador: Juspodivm, 2019.

MELLO, Patricia Perrone Campos. **Precedentes**. Rio de Janeiro: Renovar, 2008.

MITIDIERO, Daniel. Colaboração no processo civil. 4. ed. São Paulo: Thomson Reuters Brasil, 2019.

MITIDIERO, Daniel. **Precedentes: da persuasão à vinculação**. 3. ed. São Paulo: Thomson Reuters Brasil, 2018.

MÜLLER, Friedrich. **Juristische Methodik**. 5ª. ed. Berlim: Duncker & Humblot, 1993.

MÜLLER, Friedrich. **Métodos de trabalho do direito constitucional**. 2ª. ed. São Paulo, Max Limonad, 2000.

MÜLLER, Friedrich. **Strukturierende Rechtslehre**. 2ª. ed. Berlim: Duncker & Humblot, 1994.

NEVES, Marcelo. **Entre Hidra e Hércules**. 3ª. ed. São Paulo: Editora WMF Martins Fontes, 2019.

ROSSI, Júlio César. "O precedente à brasileira: súmula vinculante e o incidente de resolução de demandas repetitivas". **Revista de Processo**. São Paulo: RT, 2012, ano 37, vol. 208.

RUIZ, Alicia E. C, e CÁRCOVA, Carlos María. Derecho y transación democrática. In: MARÍ, Enrique E., **Materiales para una teoria crítica del derecho**. Buenos Aires, Abedelo-Perrot, 1991.

SCHAUER, Frederick Schauer. **Thinking like a Lawyer**. Cambridge (Mass.): Harvard University Press, 2009.

SILVA, Ovídio A. Baptista da. "A função dos Tribunais Superiores". **Sentença e coisa julgada**. 4. ed. Rio de Janeiro: Forense, 2006.

TEMER, Sofia. **Incidente de resolução de demandas repetitivas**. 4ª ed, Juspodivm, 2020.

ZAGREBELSKY, Gustavo. **Manuale di diritto constituzionale**. Torino, Editrice Torinese/UTET, 1990.

ZANETI JÚNIOR, Hermes. **Comentários ao Novo Código de Processo Civil**. Rio de Janeiro: Forense, 2015.

# PATERNALISMO PODE SER LIBERTADOR?

Marcelo Fonseca Gurniski
ORCID https://orcid.org/0000-0001-5493-0594

**RESUMO:** O objetivo do presente trabalho é demonstrar que o paternalismo e o liberalismo, ao tempo em que são aparentemente antagônicos, possuem características em comum que, ao se relacionarem, podem ser um caminho viável na tentativa de concretizar os princípios e valores de uma determinada comunidade. Utilizando-se do método de abordagem dedutivo conclui-se que o paternalismo libertário, na sua essência, tem a finalidade de socorrer as instituições e a sociedade em suas decisões mais complexas.

**PALAVRAS-CHAVE:** Liberalismo; Paternalismo; Nudge.

## INTRODUÇÃO

O Estado Moderno foi palco de diversas concepções que o influenciou. O Estado Liberal, ao tempo em que elegeu a lei como ordem geral e abstrata, caracterizou-se pela mínima interferência no cidadão, sob a perspectiva de limitação do poder estatal, no intuito de preservar a autonomia individual. O Estado Social, embora tenha trazido consigo juridicidade liberal, acrescentou um conteúdo eminentemente social, pois somou à limitação do poder estatal prestações concretas pelo Estado, para a promoção de determinadas atuações pretendidas pela sociedade.

Entretanto, tanto o Estado liberal quanto o Estado Social tinham como escopo a adaptação à ordem estabelecida, o que deixou em aberto questões como a igualdade e a justiça social.

Neste contexto, o Estado Democrático de Direito pretende que a lei seja o instrumento de transformação social, vale dizer, não se trata mais somente de limitação do poder ou de promoção de ações ditadas pelo Direito, o que se propõe é empreender a reestruturação das próprias relações sociais.

Neste sentido, o Estado Moderno parte de uma concepção quase que estrita do liberalismo, no sentido de garantir igualdade perante a lei, de limitação do poder do próprio Estado e na criação de condições para a liberdade individual de seus cidadãos. Porém, aos poucos esse viés liberal do Estado é afetado por contornos de paternalismo, já que o liberalismo e a democracia se interpenetram para permitir a redução das desigualdades econômicas e sociais entre os indivíduos. Assim, a constituição passa a ter papel fundamental na promoção e na reestruturação das relações sociais, pois viabiliza não somente a garantia formal e material de direitos, mas sua real implementação pelo sujeito e pelo próprio Estado.

Neste contexto se insere a problemática trazida por este artigo, no sentido de analisar a possibilidade de o paternalismo ser efetivamente libertador aos cidadãos, diante da aparente dicotomia entre liberalismo e paternalismo. E o faz surpreendentemente com o antagonismo aparente da expressão "paternalismo libertário", que insta a refletir sobre os processos intrínsecos às escolhas que fazemos todos os dias em nossas vidas.

Para tanto, os autores Richard H. THALER e Cass R. SUNSTEIN, estudiosos da economia comportamental, utilizaram-se da observação prática de fatos corriqueiros que trazem em seu bojo escolhas simples ou sofisticadas e que decorrem de uma visão multidisciplinar do quotidiano.

Assim, valendo-se do método dedutivo, para expressar a análise e as conclusões: o primeiro capítulo do presente estudo apresenta as concepções de Estado e suas bases dentro do liberalismo e paternalismo; o segundo, analisa, sem esgotar o tema, o liberalismo e o paternalismo, seus conceitos e conteúdo; e, por fim, no terceiro capítulo apresenta a ideia de que há conexão entre o liberalismo e o paternalismo, vale dizer, o paternalismo libertário, ao tempo que utiliza-se de conceitos do liberalismo e do paternalismo, é um caminho viável na tentativa de se concretizar a comunidade de princípios de uma determinada sociedade.

## 1.    ESTADO DE DIREITO

O Estado moderno é fruto de modificações sofridas por ele ao longo da história, sendo importante para este estudo apresentar algumas dessas modificações.

A primeira, que se contrapõe ao modelo absolutista, foi denominada de liberal, posto que é neste momento que há uma clara separação entre o privado e o público, isto é, "dissociação entre o indivíduo e o ente público". (DIAS; REIS, 2014, 131).

> Como liberal, o Estado de Direito sustenta juridicamente o conteúdo do próprio liberalismo, referendando a limitação da ação estatal e tendo a lei como ordem geral e abstrata. (STRECK; MORAES, 2013, p. 114).

Portanto, o Estado liberal possui duas características marcantes: (a) limitação do poder estatal; e a (b) lei como ordem geral e abstrata. Importante ressaltar que na "época, a visão negativa do Estado justificava essa aversão a ele, juntamente com seu afastamento (limitação ao poder político), apesar das inovações trazidas (direitos fundamentais e democracia, por exemplo)." (DIAS; REIS, 2014, 131). Assim, as principais características do Estado liberal, segundo José Afonso da SILVA são:

> [...] a) submissão ao império da lei, que era nota primária de seu conceito, sendo a lei considerada como ato emanado formalmente do Poder Legislativo, composto de representantes do povo, mas do povo-cidadão; b) divisão de poderes, que separe de forma independente e harmônica os poderes legislativos, executivo e judiciário, como técnica que assegure a produção das leis ao primeiro e a independência e imparcialidade do último em face dos demais e das pressões dos poderosos particulares; c) enunciado e garantia dos direitos individuais. (SILVA, 1988, p. 16).

A rigor, portanto, o papel fundamental do Estado liberal era a garantia de espaço e de direitos individuais, a limitação do poder com a separação dos poderes legislativo, executivo e judiciário e a sua submissão à lei geral e abstrata. Assim, "a concepção liberal do Estado de Direito servira de apoio aos direitos do homem", porém tal concepção foi tornando-se "insuficiente, pelo que a expressão Estado de Direito evoluíra, enriquecendo-se com conteúdo novo." (SILVA, 1988, p. 16).

O Estado liberal com seu caráter de individualismo e de neutralismo causaram imensas injustiças sociais, e os movimento sociais, desvelando a insuficiência das liberdades burguesas, permitiram que se tivesse consciência da necessidade da justiça social. (SILVA, 1988, p. 18). Está, pois, anunciada a superação do modelo liberal, uma vez que as características do liberalismo não conseguiram resolver as necessidades da sociedade, já que não bastava somente a divisão dos poderes, a submissão à lei e a garantia de direitos individuais.

Com crises engendradas pelos próprios Estados, em especial crises econômicas e guerras mundiais, alteraram-se a concepção dos Estados, uma vez que trouxeram graves marcas para a humanidade, ocasionando mudanças na visão até então predominante. Assim,

> [...] ocorreram crises econômicas e guerras mundiais com resultados danosos à humanidade, possibilitando uma mudança de paradigma através do Estado Social de Direito, vislumbrando-se uma separação do individualismo a partir de um pensamento humano de crescimento conjunto da sociedade, com qualidade de vida. (DIAS; REIS, 2014, p. 131).

Após a segunda grande guerra, a refundação do Estado de Direito liberal fazia-se necessária, especialmente nos países vencidos e atingidos pela experiência nefasta do fascismo, porquanto o pensamento humano voltou-se ao conjunto da sociedade e a qualidade de vida dos cidadãos. Assim, "o pensamento da social-democracia ressurge e se coloca como a via possível para restabelecer laços sociais e restaurar a representação política." (GEDIEL, 2014, p. 178).

Numa segunda etapa, agora transmutado em Estado Social, o Estado de Direito soma à juridicidade liberal um conteúdo social, acrescentando, portanto, àquela limitação do poder estatal a prestações implementadas pelo próprio Estado.

> A lei passa a ser, privilegiadamente, um instrumento de ação concreta do Estado, tendo como método assecuratório de sua efetividade a promoção de determinadas ações pretendidas pela ordem jurídica. (STRECK; MORAES, 2013, p. 114).

Neste contexto, houve a necessidade de se reelaborar o paradigma jurídico liberal e o pensamento fundado na vontade individual e no absolutismo dos direitos subjetivos. Conforme GEDIEL:

> Na concretização dessa formulação jurídica para a vida social, os temas que se apresentam mais relevantes são: a criação de direitos sociais; de um sistema de seguridade social; a revisão do conceito de pessoa jurídica como instituição necessária à convivência e à produção de bens, em especial as cooperativas; o tratamento da família como uma comunidade destinada ao pleno desenvolvimento humano; a redefinição e valorização da pequena propriedade agrícola. Tratava-se, mais uma vez, de funcionalizar ou desabsolutizar o exercício individual de direitos e do direito de propriedade. (GEDIEL, 2014, p. 178).

Assim, "os regimes constitucionais ocidentais prometeram, explícita e implicitamente, realizar o Estado social de Direito, quando definem um capítulo de direitos econômicos e sociais." (SILVA, 1988, p. 18). No entanto, a concepção do Estado social de Direito ainda é insuficiente, já que "a palavra *social* está sujeita a várias interpretações" e "o importante não é o *social*, qualificando o Estado, em lugar de qualificar o Direito." (SILVA, 1988, p. 18-19).

É importante ressaltar que, conforme STRECK e MORAES, tanto no Estado Liberal de Direito quanto no Estado Social de Direito, "o fim ultimado é a adaptação à ordem estabelecida." (STRECK; MORAES, 2013, p. 114). E mais, "mesmo no Estado Social de Direito a questão da igualdade não é resolvida, embora sobrepuje a sua dimensão meramente forma, proclamada no Estado Liberal de Direito." (MALISKA; CARVALHO, 2018, p. 138).

Na lição de SILVA:

> Conclui-se daí que a igualdade do Estado de Direito, na concep-
> ção clássica, se funda num elemento puramente formal e abstrato,
> qual seja a generalidade das leis. [...] A tentativa de corrigir isso,
> como vimos, foi a construção do Estado social de Direito, que, no
> entanto, não foi capaz de assegurar a justiça social nem a autên-
> tica participação democrática do povo no processo político [...].
> (SILVA, 1988, p. 21).

Portanto, para a configuração do Estado Democrático de Direito não basta apenas a união formal dos conceitos de Estado democrático e Estado de Direito, pois se trata de um novo conceito que, embora assimile elementos destes (juridicidade liberal, limitação do poder estatal e prestações implementadas pelo próprio Estado), supere-os "na medida em que incorpora um componente revolucionário de transformação do *status quo*." (SILVA, 1988, p. 21).

Com o anúncio do Estado Democrático de Direito, a democracia e a igualdade assumem papel fundamental e, a par disso, "não lhe basta limitação ou a promoção da atuação estatal, mas referenda a pretensão à transformação do *status quo*." (STRECK; MORAES, 2013, p. 114).

Neste sentido, o Estado Democrático de Direito

> [...] carrega as noções de certo grau de intervenção do Estado na
> atividade econômica, objetivando garantir aos particulares um
> mínimo de igualdade material e liberdade real na vida em so-
> ciedade, bem como promover medidas que assegurem a existên-
> cia de condições materiais mínimas para uma existência digna.
> (MALISKA; CARVALHO, 2018, p. 138).

Veja-se que a promoção da liberdade em si não garante as concepções de justiça social, pois se trata de mera liberdade formal que não sustenta a igualdade entre os indivíduos. Assim, há a necessidade que o Estado intervenha na sociedade para que seja resguardado um mínimo de igualdade material e liberdade real dos sujeitos na vida em sociedade, transformando, assim, a realidade dos indivíduos em comunidade.

Assim, nesta terceira etapa, a lei é definida como instrumento de transformação da sociedade, ou seja, ela é mais do que sanção ou promoção, mas uma verdadeira definidora da mutação social, no sentido de empreender "constante reestruturação das próprias relações sociais." (STRECK; MORAES, 2013, p. 114).

> É com a noção de Estado de Direito, contudo, que liberalismo e democracia interpenetram, permitindo a aparente redução das antíteses econômicas e sociais à unidade do sistema legal, principalmente através de uma Constituição, onde deve prevalecer o interesse da maioria. Assim, a Constituição é colocada no ápice de uma pirâmide escalonada, fundamentando a legislação que, enquanto tal, é aceita como poder legítimo. (STRECK; MORAES, 2013, p. 114).

Neste sentido, somente com o Estado Democrático de Direito, o respeito e a importância da Constituição tornaram "uma obrigação a recuperação desses elementos, especialmente pela importância da Carta Constituinte no progresso da nação." (DIAS; REIS, 20174, p. 132).

É certo que o Estado Democrático de Direito se sujeita como o Estado Liberal e o Estado Social ao império da lei, mas da lei que prioriza o princípio da igualdade e da justiça não pela sua generalidade e sim pela "busca da igualização das condições dos socialmente desiguais." (SILVA, 1988, p. 23). Segundo SILVA essa lei não pode ficar somente na esfera normativa, uma vez que ela precisa influir na realidade social. Assim,

> [...] se a Constituição se abre para as transformações políticas, econômicas e sociais que a sociedade [...] requer, a lei se elevará de importância, na medida em que, sendo fundamental expressão do direito positivo, caracteriza-se como desdobramento necessário do conteúdo da Constituição e aí exerce função transformadora da sociedade, impondo mudanças sociais democráticas [...]. (SILVA, 1988, p. 23).

Neste contexto, com a modificação da postura do Estado, o texto constitucional direcionou-o para a construção de uma nova realidade social, não havendo espaço somente para o simples crescimento econômico, já que não se fala somente na limitação do poder ou na promoção da atuação estatal. Há que se considerar também os interesses sociais de oportunidades, diminuição das diferenças e respeito às minorias.

Assim sendo, agregar interesses *humanos* aos *econos,* tanto na esfera pública como na privada, pelo *paternalismo libertário* – como mecanismo que se diz não ser de esquerda nem de direita, nem possuir vinculação a nenhum partido – utilizando-se de uma boa arquitetura de escolha, ensejadas por um ambiente que estimule boas decisões, expressada em alguns *nudges*, pode ser, no dizer de THALER e SUNSTEIN uma forma de diminuir escolhas erradas e dar mais completude ao Estado Democrático de Direito.

## 2.     LIBERALISMO E PATERNALISMO

Para melhor entendimento faz-se necessário circunscrever qual seja a conceituação de liberalismo e paternalismo que serão utilizadas no presente artigo. Em que pese o termo liberalismo ser polissêmico, sua utilização aponta para uma representação comum, no sentido de limitar os poderes do Estado, "e isso em nome da assim chamada cultura dos direitos humanos, entendidos essencialmente como propriedade inerente ao homem considerado como indivíduo". (SCHRAMM, 2014, p. 11).

Com efeito, o liberalismo se fundamenta "na igualdade perante a lei, na limitação do poder arbitrário do Estado e na promoção dos mercados capitalistas; baseado, em suma, na criação das condições institucionais para a expansão da liberdade individual". (RODRIGUES, 2019, p. 1). Neste contexto, a liberdade individual ou pessoal pode ser entendida "como um bem ou direito, específico do homem, enraizado em sua razão e sua vontade, o que lhe permite dispor ou decidir sobre si mesmo em si." (ÁLVAREZ, 2015. p. 3).

Assim, o liberalismo diz-se garantidor da autonomia individual que representa, pois concretiza limites aos poderes do Estado, mas também impõe limites as interferências de outros indivíduos. Neste sentido, o liberalismo propõe, em sua tese central, que o governo não deve intervir nas questões sobre a boa vida humana. "Cada um deve exercer sua autonomia para fazer o que é melhor a si mesmo, respeitando o direito de terceiros." (MARTINELLI, 2010, p. 28 e 29).

Portanto, no liberalismo o conceito de autonomia é essencial e representa uma característica definidora da liberdade individual ou pessoal. Porém, na visão de Stephan KIRSTE

> [...] *primeiro*, uma verdadeira autonomia é, de fato, impossível sem uma medida mínima de capacidade para autodeterminação. Segundo, aqui não deve ser controvertido o fato de que a autonomia é composta de um componente racional e de um componente volitivo. (KIRSTE, 2013, p. 75).

A autodeterminação da pessoa é, pois, mais uma característica fundamental na noção liberal e não diz respeito somente a um direito relacionado com ações, "mas também no que concerne à forma e medida de informação para a prática destas ações". (KIRSTE, 2013, p. 75).

Neste contexto, a autonomia exige que seja assegurado ao indivíduo espaço livre que permita estabelecer o componente racional e fortes exigências morais para que "o indivíduo esteja na posição fundamental de tomar decisões autodeterminantes." (KIRSTE, 2013, p. 75). Nas palavras de KIRSTE é

> [...] decisivo que seja assegurado um espaço livre ao indivíduo enquanto autonomia, que lhe possibilite (e não o obrigue juridicamente) estabelecer altos padrões de racionalidade e rígidas requisições morais sobre sua autonomia, sendo ambos escolhidos por ele próprio. (KIRSTE, 2013, p. 75).

Portanto, o liberalismo pretende libertar o indivíduo de interferências externas, seja estatal ou não, com vistas a possibilitar um espaço autônomo à pessoa estabelecer racionalmente e com fortes exigências morais sua autodeterminação pessoal. Com isso, é condição de possibilidade para o liberalismo que não haja obstáculos ou interferência ao indivíduo para o fim de preservar sua autodeterminação e, de consequência, sua própria autonomia.

De outro lado, a definição de paternalismo, aparentemente, antagoniza com a significado de liberalismo. Isto porque uma noção de paternalismo poderia ser explicada, em uma análise inicial, como "a interferência sobre a liberdade de ação de uma pessoa justificada por razões referentes, exclusivamente, ao bem-estar, ao benefício, à felicidade, às necessidades, aos interesses ou valores da pessoa coagida." (DWORKIN, 2012, p. 72).

Para Manuel ATIENZA paternalismo é uma conduta ou uma norma realizada ou estabelecida com o propósito de obter um bem para uma pessoa ou um grupo de pessoas, sem a anuência desta ou destas. (ATIENZA, 1998, p. 203). Para o aludido autor, as condições têm que se apresentarem conjuntamente.

Assim sendo, as principais características do paternalismo são a interferência (assim representada por uma conduta ou norma) sobre a autonomia individual com o intuito de preservar o bem-estar, a felicidade, as necessidades e interesses da pessoa que será objeto da interferência, sendo que a anuência pode ou não se dar dependendo dos autores do conceito.

Ancorando nas lições de Gerald DWORKIN, Ana Ferraz CALDAS distingue paternalismo puro de impuro. Para ela:

> No paternalismo puro, a classe de pessoas cuja liberdade é restringida é idêntica à classe de pessoas cuja proteção se pretende promover com tais restrições. São exemplos, fazer do suicídio um delito, exigir aos passageiros dos automóveis o uso de cinto de segurança, exigir de um testemunha de Jeová receber uma transfusão de sangue.
>
> Tratando de proteger uma classe de pessoas, sendo que o único meio para fazê-lo supõe restringir a liberdade de outras pessoas junto com aqueles que são beneficiários, falamos de paternalismo impuro. Exemplifique-se com a proibição de venda de cigarros para proteger a saúde dos fumadores. (CALDAS, 2012, p. 19).

MARTINELLI defende que o paternalismo apresenta uma relação em que uma das partes se considera mais preparada que a outra para certos tipos de decisão, onde o paternalista foca a pessoa a ser protegida e o bem que se pretenda atingir, reduzindo a liberdade da pessoa a ser atingida. Conclui o autor que "três são os requisitos fundamentais do paternalismo: uma relação entre sujeito presumidamente incompetente e quem se julga mais preparado, o bem que se quer alcançar e a restrição da liberdade." (MARTINELLI, 2010, p. 120).

Ana Ferraz CALDAS entende que

> O paternalismo jurídico estatal assume-se como um conceito neutral que se identifica com o exercício de um poder jurídico, com a finalidade de, por meios distintos da persuasão racional, e no exercício de uma competência, evitar que um indivíduo leve a cabo ações ou omissões que o danem a si próprio e/ou suponham um incremento de risco de dano e/ou a perda de um benefício de tipo físico, psíquico e econômico. (CALDAS, 2012, p. 74).

Para justificar o paternalismo, CALDAS afirma que a liberdade se desdobra em duas concepções: (i) uma vertente positiva que "corresponde à imagem do indivíduo que toma controle da sua própria vida e realiza os respectivos propósitos últimos e fundamentais"; e (ii) uma vertente negativa que "identifica-se com a ausência de obstáculos à prossecução da ação do indivíduo." (CALDAS, 2012, p. 59 e 60).

Assim, a liberdade positiva é aquela dimensão coletiva em que há intervenção estatal, já que "respeita a fatores internos do indivíduo e que se revê num Estado transformador". Por outro lado, a liberdade negativa possui a dimensão individualista que "pressupõe menor intervenção estatal, que respeita a fatores externos e que se conjuga com um Estado preservador, liberal." (CALDAS, 2012, p. 59 e 60). Ocorre que para CALDAS,

> Num Estado de Direito existe, em verdade, uma presunção desta vertente negativa da liberdade. Ora, tal implica que o Estado só poderá intervir se tiver uma fundada razão para tal. Não obstante, um Estado Social pressupõe que se garanta a acima referendada vertente positiva da liberdade, ainda que se viole a negativa, sempre que tal for necessário para garantir que o indivíduo controle a sua própria vida, sendo livre nas respectivas escolhas. (CALDAS, 2012, p. 60).

Portanto, segundo CALDAS, no Estado de Direito sempre haverá, mesmo que mínima, intervenção na esfera individual do cidadão. Já no Estado Social essa intervenção é mais clara e até certo ponto desejável, ante a necessidade de garantia dos direitos individuais e sociais. Assim, o paternalismo sempre esteve na concepção dos Estados modernos.

De outro lado, a comparação entre os dois institutos (liberalismo e paternalismo), a princípio, remetem a conteúdos e práticas antinômicas na medida em que o liberalismo preceitua a autonomia do indivíduo como principal característica e o paternalismo não, reduzindo-se a termos, aparentemente, inconciliáveis mormente quanto ao respeito à liberdade individual e seu exercício.

Entretanto, para alguns autores, o antagonismo entre o liberalismo e o paternalismo não se caracteriza necessariamente de forma absoluta. "O antagonismo entre autonomia privada e paternalismo não se apresenta de maneira absoluta, havendo espaços de harmonia nesse embate aparente." (DIAS; REIS, 2014, p. 130).

Todavia, disserta SCHRAMM

> [...] toda antinomia que não seja de fato um paradoxo da razão pura (como é o caso da terceira antinomia da Crítica da razão pura de Kant, que aborda a antinomia entre a tese da necessidade de uma causa libre e a antítese de que toda causa é infinitamente condicionada, isto é, que possui a tese da necessidade da liberdade e a antítese de sua impossibilidade) que leve a uma conclusão logicamente impossível, a partir de uma demonstração aparentemente correta, mas de fato paradoxal, pode ser inscrita em processo dinâmico, chamado de "dialético". (SCHRAMM, 2014, p. 12).

Dito de outra forma, a dialética pode servir de base e fundamento para ultrapassar a tese e a antítese, preservando o conflito, mas buscando sua superação. (SCHRAMM, 2014, p. 12).

## 3.    PATERNALISMO LIBERTÁRIO

O conceito de paternalismo libertário[1] foi desenvolvido por Richard H. THALER e Cass R. SUNSTEIN e está contido no livro Nudge:

---

1    Conforme disserta ADAMCZYC "o paternalismo libertário tem sua origem nas pesquisas de Economia Comportamental, a partir da qual fundamenta suas pro-

como tomar melhores decisões sobre saúde, dinheiro e felicidade. No início da obra os autores apresentam um experimento realizado por Carolyn, que cuida de refeitórios em instituições escolares de crianças.

O experimento foi organizado como modo de apresentar às crianças, nos refeitórios, os alimentos em disposições diferentes, sem mudar o cardápio. Assim, em alguns refeitórios "as sobremesas ficavam à frente; em outras, atrás; e em outras ficavam até separadas dos pratos principais. O posicionamento de vários itens variava de escola para escola. Em algumas a batata frita ficava bem na linha de visão". (THALER; SUSTEIN, 2019, p. 9).

O resultado foi que, ao somente reorganizar o refeitório, é possível aumentar ou reduzir o consumo de determinados alimentos em até 25%. Portanto, Carolyn "aprendeu uma lição valiosa: tanto quanto os adultos, é possível exercer uma grande influência sobre crianças e jovens em idade escolar com pequenas mudanças de contexto." (THALER; SUSTEIN, 2019, p. 9-10).

Com este resultado, segundo os autores, a Carolyn está pensando o que fazer e apresentam cinco sugestões: (1) organizar os alimentos de forma que, ao final, os estudantes sejam beneficiados; (2) organizar os alimentos de forma aleatória; (3) organizar os alimentos de forma que as crianças façam as mesmas escolhas que já fariam por conta própria; (4) aumentar ao máximo a venda de produtos dos fornecedores que ofereçam as maiores propinas; e (5) aumentar o lucro.

Ao apresentar esse experimento os autores asseveram que a Carolyn é uma arquiteta de escolhas e não existe uma conjuntura neutra, já que "todo formulário, toda organização de espaço, toda forma de perguntar, tem uma arquitetura que estimula algum tipo de comportamento". (HORTA, 2017, p. 659). Segundo os autores

---

postas de explorar e corrigir as falhas cognitivas encontradas por esse campo de estudos da economia. Seus objetivos se relacionam a duas filosofias políticas, a do Paternalismo, da qual pretende promover o bem estar dos indivíduos através da melhoria do resultado de suas escolhas, e do Liberalismo, ao estabelecer uma regra de respeito à liberdade individual e não utilização de elementos coercitivos." (ADAMCZYC, 2013, p. 12).

> Um arquiteto de escolhas tem a responsabilidade de organizar o contexto no qual as pessoas tomam decisões. Embora Carolyn seja uma personagem, muitas pessoas reais são arquitetas de escolhas – e a maioria nem se dá conta disso. [...] Se você é médico e vai explicar as opções de tratamento disponíveis para um paciente, você é um arquiteto de escolhas. [...] Se está explicando ao seu filho ou a sua filha que faculdades ele ou ela pode cursar quando terminar o ensino médio, você é um arquiteto de escolhas. Se você é um vendedor, você é um arquiteto de escolhas. (THALER; SUSTEIN, 2019, p. 11).

Portanto, o arquiteto de escolha é a pessoa que organiza o contexto em que as pessoas vão tomar suas decisões. E é importante ressaltar que a forma com a qual o arquiteto de escolha organiza o contexto altera o desenho dos incentivos e podem revelar a intensão do arquiteto, conforme Carolyn observou em seu experimento.

Com a exposição da experiencia e a escolha da primeira sugestão de organizar os alimentos de forma que as crianças sejam beneficiadas, os autores apresentam a ideia de *paternalismo libertário*. E isto se dá pelo fato de que "toda a arquitetura de escolha influencia as decisões do usuário por ele estar sujeito às regras de *default*, efeitos de enquadramento e ancoragem de pontos iniciais." (ADAMCZYK, 2013, p. 34). Conclui o autor que

> Já que não existe uma formulação de política verdadeiramente neutra, arquitetar as escolhas de forma paternalista, com a intenção de trazer benefícios para o indivíduo é uma opção plausível. (ADAMCZYK, 2013, p. 34).

Dito de outra forma, o excesso de informações nas sociedades contemporâneas implica na impossibilidade de uma reflexão adequada e uma tomada de decisão consciente e livre pelos sujeitos, motivo pelo qual todos acabam sendo influenciados por arquiteturas de escolhas desenvolvidas por terceiros e, neste sentido, o paternalismo não pode ser descartado. (LEITÃO; DIAS; CIDRÃO, 2017, p. 280).

É evidente que, em uma primeira análise e conforme se colocou no item anterior, o paternalismo e a noção de libertário podem parecer contraditórias. Isto porque a noção de libertário está vinculada a ideia de que "as pessoas devem ter liberdade para fazer no que quiserem, inclusive recusar acordos desvantajosos." (THALER; SUSTEIN, 2019, p. 13). Assim, para os autores é de suma importância a criação de políticas que mantenham ou aumentem a liberdade de escolha das pessoas, sempre preservando sua liberdade, sem imposição de obstáculos. (THALER; SUSTEIN, 2019, p. 13).

O paternalismo caracteriza-se no conceito de que os arquitetos de escolha possuem legitimidade para influenciar as decisões das pessoas, mas sempre com o intuito de tornar-lhes a vida melhor, dando-lhes consciência dessa influência. Dito de outra forma, os autores são "a favor de que os setores público e privado direcionem de forma consciente as pessoas a fazerem escolhas que melhorem sua vida." (THALER; SUSTEIN, 2019, p. 13-14).

Aqui se denota mais uma característica do paternalismo libertário: a transparência. E esta transparência não é somente aquela da ciência do influenciador e do influenciado sobre o *nudge*, mas a transparência no desenho dos incentivos também é essencial. Segundo HORTA:

> [...] é possível sustentar que, desde que haja transparência no desenho dos incentivos, e que os cidadãos saibam que estão sendo induzidos, a liberdade de escolha continua sendo preservada. (HORTA, 2017, p. 660).

Assim, o paternalismo libertário exige que a política tem que ser arquitetada de forma a promover o bem-estar do indivíduo e, da mesma forma, respeitar a liberdade de escolhas, sem bloquear opções ou impor custos elevados que gerem a não participação. (ADAMCZYK, 2013, p. 35). "Destarte, o Paternalismo Libertário tenta propor uma via intermediária, um paternalismo que promova o bem estar dos indivíduos sem retirar-lhes a liberdade de escolhas." (ADAMCZYK, 2013, p. 35). Portanto, o paternalismo libertário agrega conceitos e características tanto do liberalismo (autonomia) quanto do paternalismo (influência).

Ao não criar impedimentos ou obstáculos às escolhas, o paternalismo libertário se diferencia como um paternalismo relativamente fraco, brando e não intrusivo. A abordagem adotada, portanto, é compreender que os arquitetos de escolhas, sejam públicos ou privados, "estão, conscientemente, induzindo as pessoas a seguir caminhos que melhorarão sua vida. Estão dando um nudge[2]." (THALER; SUSTEIN, 2019, p. 14).

> Esse nudge, na nossa concepção, é um estímulo, um empurrãozinho, um cutucão; é qualquer aspecto da arquitetura de escolhas capaz de mudar o comportamento das pessoas de forma previsível sem vetar qualquer opção e sem nenhuma mudança significativa em seus incentivos econômicos. Para ser considerada um nudge, a intervenção deve ser barata e fácil de evitar. Um nudge não é uma ordem. Colocar as frutas em posição bem visível é um exemplo de nudge. Simplesmente proibir a junk food, não. (THALER; SUSTEIN, 2019, p. 14).

Assim, o que se observa do *paternalismo libertário* proposto por THALER e SUSTEIN é a junção da manutenção da liberdade individual das pessoas (liberalismo), privadas ou públicas, que exercem influência (paternalismo) na tomada de decisão do cidadão e que essa influência seja aberta no sentido de que, tanto o arquiteto de escolha tenha ciência que influencia, como as pessoas saibam que determinados caminhos são influenciados.

## CONSIDERAÇÕES FINAIS

Richard H. THALER e Cass R. SUNSTEIN concluem sua pesquisa sobre escolhas, consignadas no livro Nudge: como tomar melhores decisões sobre saúde, dinheiro e felicidade, afirmando que escolher é de-

---

2    ADAMCZYC afirma que a "partir dos questionamentos levantados pelos estudos no campo de Economia Comportamental, elencando falhas cognitivas que colocam em dúvida a eficiência dos agentes em fazer escolhas ótimas, Richard Thaler e Cass Sunstein formularam uma proposta chamada de *Nudge*. Através de gentis *nudges* ('cutuções' ou 'empurrões'), essas falhas cognitivas podem ter seus efeitos revertidos e utilizados a favor de influenciar as escolhas dos indivíduos em direção a um nível de bem estar mais elevado, como felicidade, saúde ou riqueza. Podem ser formuladas tanto políticas públicas, quanto privadas que se baseiam nas ideias do *Nudge*." (ADAMCZYC, 2013, p. 33).

cidir melhor e que é possível fazê-lo admitindo-se a existência de uma "arquitetura de escolha", que facilita o reconhecimento das melhores opções sem restrição da liberdade.

Seus estudos sobre economia comportamental ensinam que a organização de contextos em que pessoas tomam suas decisões são de grande importância, porquanto apresentam desenhos de incentivos que levam a influenciar os sujeitos, muitas vezes sem saber que são influenciados. E mais, ressaltam que as influências podem ser canalizadas para diversos interesses (econômicos, políticos ou sociais) e que tal fato ocorre cotidianamente.

Neste sentido, asseveram, os autores, que

> Da mesma forma que não existe edifício sem arquitetura, não existe escolha sem contexto. Os arquitetos de escolhas, sejam privadas ou públicas, precisam fazer *alguma coisa*. Se o governo vai adotar um plano [...], primeiro precisa estabelecer algum tipo de arquitetura de escolhas. (THALER; SUSTEIN, 2019, p. 244).

É a partir desses estudos que eles observam que nenhuma opção é oferecida de forma neutra, isto é, nenhum contexto formado pelos arquitetos de escolha para a tomada de decisões é neutro. Neste sentido,

> [...] é possível que ao oferecer nudges supostamente úteis, alguns arquitetos de escolhas tentem fazer prevalecer objetivos próprios. Qualquer um que prefira uma norma padrão a outra pode ter interesses econômicos por trás de sua opção. (THALER; SUSTEIN, 2019, p. 245).

Tais observações demonstram o aparente conflito de interesses entre o arquiteto e seu cliente, mas nem por isso é possível pretender que eles parem de projetar edifícios. Decisão mais razoável é a de que, sempre que possível, alinhem os incentivos de ambas as partes e, neste contexto, é importante que todos, sejam eles arquitetos de escolha ou pessoas que sofrem influência tenham conhecimento da realidade posta.

Ao se reconhecer que as pessoas são capazes de feitos extraordinários, mas também de erros ridículos, e visando minimizar os efeitos de uma decisão ruim surge a regra geral do *paternalismo libertário*. Neste sentido, paternalismo libertário tem a característica de ser uma política arquitetada de forma a promover o bem-estar do indivíduo e, neste mesmo sentido, de respeitar a liberdade individual de escolhas, sem bloquear opções e sendo totalmente transparente no desenho dos incentivos.

Como se sabe, não existe vácuo de poder. Assim, cabe ao cidadão compreender este fenômeno e obrigar os arquitetos de escolhas a "abrirem" o desenho de incentivos para que os interesses sejam realmente expostos.

Assim o *nudge,* que não é uma ordem, mas um estímulo, um empurrãozinho capaz de mudar o comportamento das pessoas de forma previsível sem vetar qualquer opção, pode ser oferecido como forma de tomar decisões difíceis e pouco frequentes, mas sempre respeitando a transparência.

Ao se criar um ambiente que incite boas decisões, um pequeno estímulo, um *nudge*, pode fazer muita diferença, haja vista que representa uma forma de melhorar o bem-estar, a felicidade dos cidadãos, sem ofender a liberdade de escolha que lhes são incita.

Preocupação com a influência exercida sobre as pessoas, no sentido de que tomem esta ou aquela decisão, poderão, assim, ser minimizadas com a compreensão do processo por ambas as partes. Quem decide deve saber que não o faz sem a interferência de alguma influência, restando-lhe então buscar a melhor opção, qual seja, a que organiza o contexto no qual as pessoas tomam decisões. Muitas pessoas são arquitetas de escolha e nem atentam para isto.

O *paternalismo libertário*, portanto, busca "influenciar as pessoas a fazer escolhas benéficas e com consciência disso". (THALER; SUSTEIN, 2019, p. 14). Isto porque reúne características do liberalismo – garantir a autonomia individual – e do paternalismo – interferência (assim representada por uma conduta ou norma) sobre a autonomia individual com o intuito de preservar o bem-estar, a felicidade, as necessidades e interesses da pessoa que será objeto da interferência.

Políticas podem ser implementadas pelo setor privado, com ou sem *nudges* do governo. Porém, ao implementar incentivos ou empurrãozinho, vale dizer, ao admitir o nudge aumenta-se a capacidade de melhorar a vida das pessoas e ajuda-se a resolver muitos dos problemas da sociedade. E tudo isso sem impedir a liberdade de escolha de cada indivíduo.

Portanto, sabendo que o ser humano é falível o *paternalismo libertário* é salutar, porquanto estimula que arquitetos de escolha influenciem as pessoas para seu próprio bem, ensejando contextos que estimule boas decisões, expressadas em alguns *nudges*, pode dar mais completude ao Estado Democrático de Direito, já que a transformação social também passa pelas decisões tomadas por todos os cidadãos.

## REFERÊNCIAS

ADAMCZYK, Willian Boschetti. **Economia comportamental e paternalismo libertário: uma revisão das origens e críticas ao Nudge**. Trabalho de conclusão de curso (monografia). Universidade Federal do Rio Grande do Sul. Graduação em Economia. Porto Alegre, 2013. Disponível em: https://www.lume. ufrgs.br/handle/10183/97701. Acesso em: 10 jul. 2020.

ÁLVEREZ, Tomás Prieto. La intervención del Estado en la liberdad individual: liberalismo, paternalismo, bien comum. **Civilistica.com**, Rio de Janeiro, v. 4, n. 1, jan./jun. 2015. Disponível em: http://civilistica.com/wp-content/uploads1/2015/08/lvarez-civilistica.com-a.4.n.1.2015-3.pdf. Acesso em: 20 jun. 2020.

ATIENZA, Manuel. Discutamos sobre paternalismo. **Doxa: cuadernos de filosofia del derecho**. Alicante (Espanha), v. 5, pp. 175-194, 1998. Extraído de: http://www.cervantesvirtual.com/research/discutamos-sobre-paternalismo--0/00530e06-82b2-11df-acc7-002185ce6064.pdf. Acesso em: 28 jul. 2020.

CALDAS, Ana Ferraz. **Paternalismo jurídico: da proteção à intromissão (conceito, legitimidade e limite das medidas paternalistas)**. Dissertação de mestrado. Faculdade de Direito da Universidade do Porto. Pós-Graduação em Direito. Porto, 2012. Disponível em: https://repositorio-aberto.up.pt/bitstream/10216/66148/2/24804.pdf. Acesso em: 10 jul. 2020.

DIAS, Felipe da Veiga; REIS, Jorge Renato dos. Autonomia privada e paternalismo estatal: a necessidade de políticas públicas preventivas para alteração do paradigma público-privado. **Pensar – revista de ciências jurídicas**, Fortaleza, v. 19, n. 1, pp. 128-150, jan./abr. 2014. Disponível em: https://periodicos.unifor.br/rpen/index. Acesso em: 20 jul. 2020.

DWORKIN, Geral. Paternalismo: algumas novas reflexões. Tradução de: MARTINELLI, João Paulo Orsini. **Revista justiça e sistema criminal**, cidade, v. 4, n. 7, pp. 71-80, jul./dez. 2012. Disponível em: http://www.academia.edu/download/56299853/CABRAL__Rodrigo_Leite_Ferreira._O_Contrato_Social_de_Rousseau_e_a_clausula_de_igual_tratamento.pdf#page=71. Acesso em: 20 jul. 2020.

GEDIEL, José Antônio Peres. A social-democracia e seus reflexos sobre o direito civil contemporâneo. **Revista de direitos fundamentais e democracia**, Curitiba, v. 15, n. 15, pp. 174-183, jan./jun. 2014. Disponível em: https://revistaeletronicardfd.unibrasil.com.br/index.php/rdfd/article/view/575/392. Acesso em: 20 jul. 2020.

HORTA, Ricardo Lins. Arquitetura de escolhas, direito e liberdade: notas sobre o "paternalismo libertário". **Pensar – revista de ciências jurídicas**, Fortaleza, v. 22, n. 2, pp. 651-664, maio/ago. 2017. Disponível em: https://periodicos.unifor.br/rpen/article/view/5602. Acesso em: 20 jul. 2020.

KIRSTE, Stephan. Autonomia e direito à autolesão: para uma crítica do paternalismo. **Revista de direitos fundamentais e democracia**, Curitiba, v. 14, n. 14, pp. 73-86, jul./dez. 2013. Disponível em: https://revistaeletronicardfd.unibrasil.com.br/index.php/rdfd/article/view/468/366. Acesso em: 20 jul. 2020.

LEITÃO, André Studart; DIAS, Eduardo Rocha; CIDRÃO, Taís Vasconcelos. Paternalismo: uma ideia viável?. **Direito e desenvolvimento**, João Pessoa, v. 8, n. 1, pp. 273-288, 2017. Disponível em: https://periodicos.unipe.edu.br/index.php/direitoedesenvolvimento/article/view/437. Acesso em: 20 jul. 2020.

MALISKA, Marcos Augusto; CARVALHO, Fabrício. Direitos sociais e paternalismo no contexto do estado social. **Revista ESMAT**, Curitiba, v. 10, n. 15, pp. 131-148, jan./jun. 2018. Disponível em: http://esmat.tjto.jus.br/publicacoes/index.php/revista_esmat/article/view/247. Acesso em: 20 jul. 2020.

MARTINELLI, João Paulo Orsini. **Paternalismo jurídico-penal**. Tese de doutorado. Universidade de São Paulo. Pós-Graduação em Direito. São Paulo, 2010. Disponível em: https://www.lume.ufrgs.br/handle/10183/97701. Acesso em: 10 jul. 2020.

RODRIGUES, João. Liberalismo. *In*: **Dicionário Alice**. Disponível em: https://alice.ces.uc.pt/dictionary/?id=23838&pag=23918&id_lingua=1&entry=24313. Acesso em: 20 jul. 2020.

SCHARAMM, Fermin Roland. Dialética entre liberalismo, paternalismo de estado e biopolítica: análise conceitual, implicações bioéticas e democráticas. **Revista Bioética**, Brasília, v. 22, n. 1, pp. 10-17, jan./apr. 2014. Disponível em: -https://www.scielo.br/scielo.php?pid=S1983-80422014000100002&script=sci_arttext&tlng=pt. Acesso em: 20 jul. 2020

SILVA, José Afonso da. O estado democrático de direito. **Revista de direito administrativo**, Rio de Janeiro, n. 173, p. 15-34, jul./set. 1988. Disponível em: http://bibliotecadigital.fgv.br/ojs/index.php/rda/article/viewFile/45920/44126. Acesso em: 12 jul. 2020.

STRECK, Lenio Luiz; MORAES, José Luis Bolsaz de. Estado democrático de direito. *In*: CANOTILHO, J. J. Gomes et al. (Coord.). **Comentários à constituição do Brasil.** São Paulo: Saraiva; Almedina, 2013.

THALER, Richard H.; SUNSTEIN, Cass R. **Nudge**: como tomar melhores decisões sobre saúde, dinheiro e felicidade. Tradução de: LESSA, Ângelo. Rio de Janeiro: Objetiva, 2019.

# RACIONALISMO, COSMOVISÃO REVOLUCIONÁRIA E FORMAÇÃO DA ESCOLA DA EXEGESE

Yuri Martins Gondim

RESUMO: A importância do imaginário no processo de criação e aplicação do Direito é, hodiernamente, reconhecida entre os cientistas jurídicos. Na formação jurídica inicial do *civil law*, porém, a importância dada ao cartesianismo moderno fez com que o fenômeno jurídico sofresse uma drástica redução, a partir da adoção de uma mentalidade específica, que confundia a totalidade do Direito com a literalidade da norma posta pelo Estado. Relegava-se o valor explícito do imaginário, enquanto, paradoxalmente, em sua efervescência, o Iluminismo criava suas próprias abstrações, dogmas e ficções. É esse processo de rupturas e continuidades, na transição da Idade Média para a Moderna que o presente artigo se propõe a investigar, analisando a visão de mundo que influenciou a criação dos postulados, premissas e mitos da proposta racionalista, decisiva para a formação do Direito Moderno. A partir da identificação dos arquétipos utilizados nas ideias de sociedade atomista, progresso e separação de poderes, procuraremos também analisar o ordenamento jurídico moderno, que supostamente decorrera de uma racionalidade matemática, conforme a cosmovisão que inspirara os revolucionários. Neste mister, analisar-se-á este ideário a partir de sua influência num movimento hermenêutico específico, que teve o seu apogeu na formação do Código Civil napoleônico. Referimo-nos à Escola da Exegese e ao seu papel na reordenação do mundo jurídico, bem como a sua exportação para todo o Direito europeu continental.

**PALAVRAS-CHAVE:** Racionalismo; Imaginário Jurídico; Modernidade; Revoluções Burguesas; Escola da Exegese.

## INTRODUÇÃO

Atualmente a interpretação é reconhecida como ponto de partida "*(d)*o processo de identificação ôntica do ser humano" e sem esta capacidade cognitiva, não faz sentido, sequer, falar-se em razão humana (FALCÃO, 1997, p. 147), o que impede de pensá-la abstraindo a capacidade imaginativa do intérprete, considerado em sua subjetividade concreta.

Ocorre que, no processo de construção histórica da ciência jurídica moderna, nem sempre esta afirmação foi considerada como válida, tendo sido mais comum a utilização de modelos abstratos que negavam a importância do sujeito cognoscente, sendo distantes da realidade e deixando a "concretude da vida e do homem de fora" (DIAS, 2007, p. 6). A ficção de um estrito racionalismo foi usada para explicar um novo mundo que se pretendia criar.

O presente trabalho objetiva, neste proscênio, analisar o momento de transição para a modernidade, destacando a forma como a utilização do racionalismo serviu para dissolver a ordem jurídica da sociedade medieval, buscando apagar as heranças de séculos de uma tradição a partir da afirmação de novas premissas teóricas. Operou-se um processo de ruptura, mas que também conservou e fez uso de antigos institutos, os quais foram refundados no escopo uma nova ordem política, econômica e social.

Desta forma, após analisar a importância da virada racionalista na formação do Direito sob a forma de sistema, analisar-se-á a importância da Escola da Exegese nesse processo de reordenação, destacando a importância da utilização de institutos que substituíram os antigos mitos, ao criar as novas ficções que orientaram a formação do Direito na Europa Continental. Esse modelo contribuiu para o processo de criação e legitimação do Estado burguês.

## 1. RAZÃO E CIÊNCIA JURÍDICA

Desde o período clássico, como na Academia de Platão, que é reconhecido importante papel que a razão tem na forma como o homem vê e pensa o mundo, o que não implicava negar a importância do imaginário. O último, mesmo sem estar "no centro das especulações teóricas, teve um grande papel na Antiguidade" (MAGALHÃES FILHO, 2019, p. 16).

Foi, porém, a partir do Renascimento (séc. XVI), num processo longo de rupturas e continuidades que marcou a transição para a modernidade, que foram firmados os pressupostos do pensamento moderno. Nas novas relações sociais, deixava-se para trás a visão de "bela unidade" do mundo para questioná-lo através de experimentações. O novo ideal foi "guia para a era das invenções", da qual "desdobraram-se novas e revolucionarias teorizações" (ARAÚJO, 2007-a, p. 15 - 16).

Muitos cientistas e filósofos como Copérnico, Galileu, Descartes, e Newton, assentaram os fundamentos "do paradigma científico-racional da chamada ciência moderna, marcando o início de um verdadeiro império do saber racional" (ALMEIDA, 2011, s/p). Foram apresentando novas formas de explicar o mundo, prometendo a libertação do homem "da superstição, principalmente a religiosa, por meio da análise racional e das descobertas científicas" (ALMEIDA FILHO, 2018, s/p).

Buscava-se estruturar o poder político a partir de uma orientação racional, universalmente válida, que substituía antigos dogmas e permitia a "liberação do indivíduo, que questiona o mundo e também a si próprio, retirando-se do anonimato social-medieval" (ARAÚJO, 2007-a, p.16), incluído num contexto através do qual a "vida se desprende de sua conotação religiosa e espiritual para se agarrar à concretude do saber científico e do poder político" (DIAS, 2007, p. 42).

Dentro do aspecto epistemológico, a partir do êxito na explicação dos fenômenos da natureza, questões sociais também passaram a ser explicadas por intermédio de um estrito racionalismo, que atestava como "válido apenas aquilo que se mostrasse com clareza e distinção lógica, ganhando evidência racional pela demonstrabilidade" (MAGALHÃES FILHO, 2019, p. 7), sendo capaz de garantir segurança, certeza e objetividade, balizas que influenciaram as ciências naturais e se estenderam às ciências sociais então emergentes (ALMEIDA, 2011, s/p).

Longe de blindada desta atmosfera, a Ciência Jurídica também se impregnou por esta crença na racionalidade, na esteira do avanço das ciências exatas, na forma de um movimento intelectual, preliminar à Revolução Francesa, que serviu como novo fundamento filosófico para que a classe triunfante consolidasse suas conquistas. Elevou-se a crença na capacidade humana de achar saída para todos os problemas, "quer fossem os problemas de quem governa, quer fossem as vicissitudes dos governados" de maneira jamais experimentada (FALCÃO, 1997, p.156).

Agigantou-se, assim, a razão, que deveria avocar "o papel atribuído a Deus na Idade Média", hábil a solucionar não apenas os problemas do conhecimento, mas até os éticos, sendo a nova fonte de esperança "de felicidade e de criação de um mundo melhor", uma "ideologia otimista do progresso" (MAGALHÃES FILHO, 2019, p. 7 - 8),

Foi em meio a essa efervescência social que surgiu uma nova fase do jusnaturalismo, a qual, buscando se afastar das influências cosmológicas e teológicas, encontrou fundamento no antropocentrismo e na hipertrofia da razão, se legitimando a partir de um determinado imaginário que firma raízes em princípios caros aos ideais revolucionários, como os da soberania da nação, da separação de poderes. Buscou-se no individualismo liberal o seu núcleo ideológico, "transformando o ser individual em um 'valor em si' e um 'valor absoluto'" (ARAÚJO, 2007-a, p. 17).

A ideia de individuo foi deslocada para o ser em si. Embora existente na Idade Média, era concebida a partir de uma perspectiva relacional, de maneira distinta do novo olhar, que "o concebe como um ser isolado e autônomo", para além de uma "parte integrada num todo", e que inaugura uma "noção ontológica" do ser na modernidade (DIAS, 2007, p.28).

Esforçaram-se, assim, para laicizar o Direito Natural, utilizando-se de novos fantasmas para criar um ordenamento, "concebido como um sistema de direito puramente racional" (CELLA, 2004, online), apto a promover uma nova solidariedade social. O Código Civil napoleônico, neste contexto, além de símbolo da consolidação das conquistas da Revolução, era a representação do "próprio Direito Natural e Racional escrito" (MAGALHÃES FILHO, 2009, p. 10), universalmente e indistintamente aplicável.

Foi a partir deste imaginário que a Revolução formulou e sistematizou seus "argumentos dogmaticamente relevantes, a função da lei, o papel dos juízes, a finalidade do direito", os quais, para serem explicados, exigem um reencanto do "mundo com os fantasmas contemporâneos, tais como o contrato social, o poder constituinte originário, os direitos humanos e outros deuses e heróis das nossas modernas mitologias" (COSTA, 2008, p. 156 – 157).

Ocorre que, se por um lado o triunfo racionalista agigantou a razão, "por outro, ela foi atrofiada, pois foi reduzida à físico-matemática" (MAGALHÃES FILHO, 2019, p.8). Tal fato, além de influenciar e conformar o pensamento jurídico deste período guarda relação com uma negação, por parte destes pensadores, do papel do imaginário na formação do próprio conhecimento científico, e isto ocorre por consequência de um imaginário próprio da história, como será explorado no próximo tópico.

## 2. OSMOVISÃO REVOLUCIONÁRIA E A FORMAÇÃO DA HERMENÊUTICA JURÍDICA CLÁSSICA

É neste paradoxo, em que se refuta a função do imaginário ao mesmo passo em que se erguem os fundamentos da nova ordem, influenciados por uma nova cosmovisão histórica específica, que trataremos neste capítulo, fazendo um cotejo entre os postulados teóricos, a criação de mitos e ficções e o contexto social dos quais emergem, buscando uma "adequada compreensão das teorias e dos imaginários" que inspiram aquelas ideias (COSTA, 2008, p. 25).

Por sua influência para a formação da Civil Law, destacar-se-á a experiência francesa e "o *essor* do racionalismo e da secularização, o jusnaturalismo leigo, a noção de progresso e o contratualismo (SALDANHA, 1980, p. 178), buscando apontar as novas compreensões sobre as noções de indivíduo, natureza, felicidade e progresso (FERREIRA FILHO, 2003, p. 6) que marca o desenvolvimento de uma forma de pensar o homem e o Estado.

Não por outro motivo, parte-se desta virada para o cartesianismo moderno, que entrelaça o conceito de razão com a garantia de clareza da lei, em direção à Escola da Exegese e ao seu papel na mudança de reordenação do mundo, buscando as inspirações desse movimento hermenêutico, "uniforme nas tendências e na capacidade de influenciar, mas duradouro e persistente, podendo-se dizer que ainda hoje molda a atividade de alguns intérpretes" (FALCÃO, 1997, p. 158).

Seu desenvolvimento é produto de um processo longo de mudança de mentalidade, "permeado de contradições e renitências, mas progressivo de dissolução da sociedade medieval e de sua ordem jurídica" (STAUT JÚNIOR, 2015, p. 1350), ignorando a defesa histórica, por parte do Cristianismo em especial, de "uma racionalidade mais profunda que está além dos esquemas da lógica formal, uma suprarracionalidade" (MAGALHÃES FILHO, 2019, p.10).

Neste esforço, uma nova teoria do Estado foi forjada, utilizando uma gramática para reformular a vida religiosa, econômica, privada e pública, golpeando e seccionando a história, bloqueando as passagens e esmagando os "percursos anteriores com paredes novas", pois a Revolução "tem sua geometria própria" (SALDANHA, 1990, p. 175 - 176) e impõe uma nova visão de mundo.

A própria palavra "Revolução", nesse quadrante histórico, ganhou novo significado[1], afastando-se da ideia de fenômenos cíclicos para se consolidar na ideia de "ruptura com o passado e como intenção consciente de mudar o mundo", como ilegalidade com "potencial para fundar uma nova legalidade" (BERCOVICI, 2008, p. 94) trazendo a ideia de povo como comunidade política, estabelecendo, "de forma consciente a distinção entre Poder Constituinte e Poder constituído" (BERCOVICI, 2008, p. 110).

Se a teoria política se serviu de uma nova leitura da razão do Estado, uma razão *popularizada* (BERCOVICI, 2008, p. 95), o Direito demandava por uma formulação teórica nova, capaz de religar o indivíduo à sociedade, mas que não se socorresse de antigas verdades tradicionais, "e a única saída que se mostrou plausível foi a de estabelecer um vínculo jurídico, fundado no uso autônomo da razão" (COSTA, 2008, p. 26).

O que se buscava era consolidar uma visão que superasse qualquer lembrança da antiga ordem, renegando o papel dos costumes, trilhando

---

1  Tratando sobre o tema, Gilberto Bercovici afirma que a consolidação desta mudança de significado ocorre na Revolução Gloriosa. Porém, nas palavras do autor, a "concepção moderna e profunda de revolução, portanto, entendida como mudança total, nasce com a Revolução Francesa".

um caminho no processo de criação do Direito, reduzido à lei, alheio a qualquer "influência de sentimentos sociais (FALCÃO. 1997, p.157).

Buscava-se deixar para trás o peso do "sistema jurídico múltiplo e consuetudinário no período medieval, imerso em um contexto de pluralismo político e fragmentação dos centros de decisões", em meio a uma fragmentação que permitir coexistir Direito "romano, canônico, germânico e também o sistema jurídico dos senhores feudais", formando uma estrutura jurídica "difusa, assistemática e pluralista" (ARAÚJO, 2007-b, s.p) que reconhecia o Direito como "resultado da vivência da comunidade", como fenômeno "aderido ao social, em razão da ausência de um poder central", decorrente dos fatos, da experiência, de sua efetividade, "e não de formas preestabelecidas" (DIAS, 2007, p. 17 - 20), como pretendia a mentalidade revolucionária.

Para romper com o peso desta perspectiva secular, a Escola da Exegese, além de formular suas premissas teóricas, na busca por libertar o Direito de qualquer vinculação, criou seus próprios mitos, na forma de um sistema jurídico que parte, e se limita, pela razão (COSTA, 2008, p.165), que se pretende fiel ao "espírito do legislador", que se materializa num "ente ideal abstrato" (WARAT, 1979, p. 76). Foi fomentada a crença na atemporalidade da lei, nas características da generalidade e abstratividade que capitaneavam o projeto de uma sociedade burguesa, na qual todos seriam igualmente cidadãos.

Apesar da ruptura com o passado, o longo esforço de sistematizar as fontes do Direito na Idade Média, que formou o que ficou conhecido como Direito Comum, não foi ignorado, encontrando nos "moldes romanos a estabilidade e a validade que precisava para regular uma sociedade burguesa de trocas que exige segurança jurídica" (DIAS, 2007, p. 25).

Ao mesmo tempo, buscou-se reorganizar as funções estatais, reservando ao legislador lugar sagrado, enquanto a função do juiz se limitava a descobrir no texto legal a *voluntas legislatoris*, sendo a aplicação do Direito apenas a necessidade de "reconstituir e revelar, com fidelidade, essa vontade" (LIMA, 2008, p. 114). Desqualifica-se, assim, "a possibilidade de que nos atos decisórios vinculados à produção jurídica existam componentes irracionais" (WARAT, 1979, p. 51), prevalecendo a neutralidade do cientista.

Em decorrência da adoção de uma separação estanque dos poderes, reclamava por uma "aplicação literal e estrita da lei, sob pena de se estar invadindo as esferas do Poder Legislativo" (FALCÃO, 1997, p.157). A obra do legislador, tida como perfeita, proibia que o juiz buscasse resolver as demandas fora da norma posta pelo Estado, assim como o dogma da completude, que qualificava o ordenamento jurídico como pleno e hábil a solucionar de maneira satisfatória, por meio de mera subsunção à lei, todas as situações levadas à apreciação judicial (BOBBIO, 1995, p. 115), colocavam-se como pontos cruciais e indiscutíveis para os estudiosos do Direito.

Entendiam "que o juiz não tinha que interpretar a lei, mas somente aplicá-la, ou seja, só era permitida a interpretação gramatical". Faziam uma leitura do Direito como objeto "puramente racional e, logo, atemporal", rejeitando ainda qualquer necessidade de interpretar de maneira sistêmica o ordenamento (MAGALHÃES FILHO, 2019, p.10 – 11). Pretendia-se tolher qualquer atividade criativa do Judiciário, visto com desconfiança pelos revolucionários, chegando "à pura e simples proibição da interpretação, obrigando os tribunais a recorrerem ao legislativo sempre que entendessem necessário interpretar uma lei" (HESPANHA, 2012, p. 268)

Excluindo qualquer característica subjetiva do intérprete, estreitava-se a razão que só era concebida em "sua dimensão técnico-científica", rejeitando "a importância cognitiva e formadora da imaginação". Desprezava-se qualquer utilidade do imaginário, que "foi associado ao primitivo, ao pré-lógico", construindo um "imaginário empobrecido pela pretensão de se negar como tal" (MAGALHÃES FILHO, 2019, p. 16).

Inaugurou-se, assim, uma nova ordem social, fundamentada na mentalidade burguesa, que "depositou no sistema rígido dos códigos toda a sua necessidade de certeza e segurança jurídica". Esses códigos eram imaginados como verdadeira transcrição humana das leis naturais, sendo, portanto, "tidos como perfeitos" (LIMA, 2008, p. 109, válidos para "todos os tempos e lugares" (BARROS, 1995, p. 50).

Tais ficções decorreram da necessidade de legitimar, num plano teórico um novo modelo de ordenamento jurídico, sem contradições, lacunas, reassegurando ideologicamente o valor da segurança, com a pretensão de ser "auto-suficiente, preciso, claro, neutro e, portanto, essencialmente justo", (WARAT, 1979, p. 46 - 47), titular de uma "tipicidade inconfundível", única, completa e exclusiva, "(n)um processo radical de redução do fenômeno jurídico" (STAUT JÚNIOR, 2015, p. 1351).

Para além da França, a adoção deste modelo foi um modo de operar comum na Europa-continental, principalmente com os que aderiram à codificação (LIMA, 2008, p. 111), e, na Prússia, surgiu uma variação que, junto com a escola francesa, consolidou o que se conhece hoje como uma das escolas tradicionais de interpretação, a Escola Dogmática, que sem destoar de tudo que foi apontado como característica do modelo exegético, "inovaram" os adeptos desta escola diante do seu "apego demasiado aos métodos romanos", através do estudo do digesto e da obra dos jurisconsultos, na busca pela vontade psicológica de "um legislador há muito sepultado" (MAXIMILIANO, 2003, p. 36).

Seu desenvolvimento, na forma do pensamento de Savigny, iniciaria uma reação ao estrito exegetismo, mas, até Rudolf von Jhering, que por meio de seus escritos da juventude - *antes de sua virada sociológica* - levou a ficção racionalista ao seu cume, bem como a genealogia conceitual proposta por Puchta (LARENZ, 1997, p. 29), destacando que a Ciência Jurídica deveria pesquisar seus elementos lógicos, "destilando--os em sua pureza" (COSTA, 2008, p. 69), para que assim fosse possível a criação de novos conceitos, pois "eles são produtivos – acasalam-se e geram novos conceitos" (LARENZ, 1997, p. 31).

Voltando às abstrações próprias do imaginário francês, o lugar mítico reservado ao legislador "estimulou um respeito cerimonioso a sua vontade" (COSTA, 2008, p. 77), construiu no imaginário social a crença na possibilidade de se alcançar a vontade materializadora da reta razão, num encantamento sem precedentes, com a atividade do legislador (STAUT JÚNIOR, 2015, p. 1349), à letra da lei.

Ao seu redor, erigiram-se altares, sacrificava-se, caso necessário, até o sentido à sua letra, abrindo "espaço ao novo fetichismo legalista", direcionando o imaginário popular para um extremo literalismo, restando à interpretação apenas obediência à vontade do legislador (FALCAO p. 156 -157), num processo que, progressivamente, identifica o Direito como mera "manifestação do poder político, perdendo progressivamente com isso a sua dimensão plural e social" (STAUT JÚNIOR, 2015, p. 1350).

Tais premissas refletiam os ideais revolucionários, a igualdade se concretizava na generalidade do código, na "estrita subordinação dos juízes aos seus preceitos", prometendo uma revolução democrática do Direito "pela generalização do seu conhecimento, evitando, deste modo, que os juristas tivessem que ser os mediadores forçosos entre o direito e o povo", restando para a própria doutrina "um papel anciliar – o de proceder a uma interpretação submissa da lei, atendo-se o mais possível à vontade do legislador histórico, reconstituída por meio dos trabalhos preparatórios, dos preâmbulos legislativos" (HESPANHA 2012, p. 267 – 268)

Diante do desenvolvimento tardio da industrialização na França, tal modelo persistiu até ser colocado a prova pelas profundas transformações ocorridas no século XIX, principalmente nas relações entre capital e trabalho, as quais ensejaram um desencontro entre a lei, positivada através de códigos no início daquele século, e a realidade social (CELLA, 2004, s.p.), momento em que o modelo proposto pelos revolucionários entra em crise.

Diante do desencontro entre a dinâmica social e a necessidade de interpretação literal da lei, viu-se surgir uma nova postura do intérprete, dentre as quais se destacou a formulação de teóricos germânicos, que, ao se distanciar da letra fria da lei, do Código Civil prussiano, por exemplo, passaram a valorizar o elemento histórico, que seria capaz de dar uma nova e evolutiva interpretação da legislação (ANDRADE, 1987 p. 21), num lento desenvolvimento de uma nova mentalidade, que diminuiria seu apego à razão para reconhecer a importância da vontade, o que possibilitaria mais adiante uma redescoberta do papel do imaginário jurídico.

## CONSIDERAÇÕES FINAIS

Como visto, com intuito de se alcançar a justiça através do Direito, a formação do Estado Moderno buscou formular princípios que o legitimariam de forma a não precisar recorrer a antigas tradições, crenças, os quais seriam alcançados a partir da própria razão humana, capaz de encontrar resposta para toda a sorte de problemas. Tudo que não pudesse ser submetido a esta estrita racionalidade era considerado como enganoso, falso, arcaico, e não poderia ser utilizado no processo de criação e aplicação do Direito.

Ao mesmo tempo, enquanto se negava o papel reservado a imaginação e a interferência dos valores pessoais do sujeito na concretização do Direito, a cosmovisão revolucionária foi criadora de um imaginário próprio, que se pretendia limitado pela razão, mas incapaz de excluir seus próprios mitos, abstrações e ficções, como o que envolveram o caráter sacro do culto à figura do legislador, a adoção de dogmas como o da completude, além da utilização de ideias como as da generalidade da norma, da natureza humana, da felicidade e do progresso, no processo de substituição da legitimidade do Estado, que precisava estabelecer novos fundamentos.

A partir de novos argumentos, o Estado burguês fundou um sistema que tem no indivíduo figura central na construção desta realidade, mas que acabava por afastá-lo para dar lugar a formação de um direito ligado à autoridade política, reduzido a norma posta pelo poder estatal. Diante de seu perfil, alheio à realidade social, acabaria, a partir das transformações ocorridas no século XIX, evidenciando a incapacidade do legislador de prever toda a complexidade dos casos da vida em sociedade.

Foi da fragilização dos dogmas da completude, da ideia de que apenas a interpretação literal é capaz de resolver todos os conflitos sociais, que passaram a ser crescentes com à industrialização, que o papel do intérprete passou a ser cada vez mais problematizado, buscando uma releitura do juiz como "boca da lei", iniciando uma perene tensão entre razão e vontade no processo de interpretação, criação e aplicação do Direito.

## REFERÊNCIAS

ALMEIDA, Emanuel Dhayan Bezerra de. **A influência do racionalismo no sistema jurídico**. 2011. Disponível em: https://bdjur.stj.jus.br/jspui/bitstream/2011/43493/influencia_racionalismo_almeida.pdf. Acesso em: 26 mai. 2020.

ALMEIDA FILHO, Edno José de; OLIVEIRA, Gabriel. **Hermenêutica: uma breve análise da história da interpretação bíblica e, suas influências na teologia contemporânea**. 2018. Disponível em http://estudosadventistas.com.br/wp-content/uploads/2018/10/Hermen%C3%AAutica-B%C3%ADblica.-Uma--An%C3%A1lise-da-hist%C3%B3ria-da-interpreta%C3%A7%C3%A3o-e-sua--influencia-na-teologia-contemporanea.pdf. Acesso em: 08 jun. 2020.

ANDRADE, Manuel Augusto Domingues de, **Ensaio sobre a Teoria da Interpretação das Leis.** Coimbra: Armênio Amedo, 1987.

ARAÚJO, Luciana Souza de. **Entre o medieval e o moderno: rupturas e continuidades. O nominalismo medieval e o jusnaturalismo contratualista.** 2007-a. Disponível em: http://www.publicadireito.com.br/artigos/?cod=a40511cad8383e5a. Acesso em: 26 mai. 2020.

ARAÚJO, Luciana Souza de. **O modelo jurídico moderno e a apreensão do fenômeno cooperativo: da síntese de uma crise regulatória ao anúncio de perspectivas emancipatórias.** Dissertação apresentada como requisito parcial à obtenção do grau de Mestre em Direito, no Curso de Pós-Graduação em Direito, Setor de Ciências Jurídicas, Universidade Federal do Paraná. 2007-b. Disponível em: https://acervodigital.ufpr.br/bitstream/handle/1884/12027/DISSERTA%C3%87%C3%83O_-_Luciana_Araujo.pdf?sequence=1&isAllowed=y. Acesso em: 08 jun. 2020.

BARROS, Wellington Pacheco. **A interpretação sociológica do Direito.** Porto Alegre: Livraria do Advogado, 1995.

BERCOVICI, Gilberto. **Soberania e constituição: para uma crítica do constitucionalismo.** Imprenta: São Paulo, Quartier Latin, 2008.

BOBBIO, Norberto. **Teoria do ordenamento jurídico.** 6.ed. Brasília: UnB, 1995.

CELLA, José Renato Gaziero. **Positivismo Jurídico no século XIX: Relações entre Direito e Moral do Ancien Régime à Modernidade.** 2004. Disponível em: http://www.cella.com.br/conteudo/Hespanha-Arno-Artigo.pdf. Acesso em: 10 mai. 2020.

COSTA, Alexandre Araújo. **Direito e Método: diálogos entre a hermenêutica filosófica e a jurídica.** 2008. Disponível em: http://dominiopublico.mec.gov.br/download/teste/arqs/cp149009.pdf. Acesso em: 26 mai. 2020.

DIAS, Rebeca Fernandes. **Vida e direito poder, subjetividade no contexto biopolítico.** Dissertação apresentada como requisito parcial obtenção do grau de Mestre em Direito, ao Programa de Pós-Graduação em Direito, área de concentração em Direito das Relações Sociais da Universidade Federal do Paraná. 2007. https://www.acervodigital.ufpr.br/bitstream/handle/1884/10593/rebeca_final.pdf?sequence=1. Acesso em: 08 jun. 2020.

FALCÃO, Raimundo Bezerra. **Hermenêutica**. São Paulo: Malheiros, 1997.

FERREIRA FILHO, Manoel Gonçalves. **Curso de direito constitucional**. 30. ed., rev. e atual. São Paulo: Saraiva, 2003.

HESPANHA, António Manuel. **Cultura Jurídica Europeia: síntese de um milênio**. Coimbra: Almedina, 2012.

LARENZ, Karl. **Metodologia da Ciência do Direito**. 3. Ed. Trad.: José Lamego. Lisboa: Fundação Calouste Gulbenkian, 1997.

LIMA, Iara Menezes. Escola da Exegese. **Revista Brasileira de Estudos Políticos**. v. 97 (2008). Belo Horizonte: Universidade Federal de Minas Gerais. Disponível em: http://www.pos.direito.ufmg.br/rbepdocs/097105122.pdf. Acesso em: 08 jun. 2020.

MAGALHÃES FILHO, Glauco Barreira. **Hermenêutica Jurídica clássica**. 3. ed. São José: Conceito Editorial. 2009.

MAGALHÃES FILHO, Glauco Barreira. **Introdução ao estudo dos imaginários sociais**. São Paulo. 2019. Fonte editorial.

MAXIMILIANO, Carlos. **Hermenêutica e aplicação do Direito**. 19. ed. Rio de Janeiro: Forense. 2003.

WARAT, Luís Alberto. **Mitos e Teorias na Interpretação da Lei**. Porto Alegre: Síntese, 1979.

SALDANHA, Nelson. A Revolução Francesa e o pensamento jurídico-político contemporâneo. **In: Revista de informação legislativa** SALDANHA, Nelson slativa, v. 27, n. 105, p. 173-180, jan./mar. 1990 | Revista de direito civil, imobiliário, agrário e empresarial, v. 14, n. 53, p. 134-140, jul./set. 1990. Disponível em: http://www2.senado.leg.br/bdsf/handle/id/175892. Acesso em: 08 jun. 2020.

STAUT JÚNIOR, Sérgio Said. Legisladores, juristas e os princípios jurídicos: quem tem o poder de direito em sociedade. In: **Revista Jurídica Luso--Brasileira**, n. 5, 2015 – CIDP. Disponível em: http://www.cidp.pt/revistas/rjlb/2015/5/2015_05_1343_1358.pdf. Acesso em: 08 jun. 2020.

DIΛLÉTICΛ
EDITORA